Optoelektronika

Optoelektronika

Kathryn Booth   Steven Hill

Tłumaczył z języka angielskiego
dr inż. Michał Nadachowski

Wydawnictwa Komunikacji i Łączności
Warszawa

Dane o oryginale:

Kathryn M. Booth, Steven L. Hill: The Essence of Optoelectronics

© Prentice Hall UK 1998

This translation of Essence of Optoelectronics, First Edition is published by arrangement with Pearson Education Limited.

Opiniodawcy: *prof. dr hab. inż. Jerzy Siuzdak*
            prof. dr hab. inż. Jerzy Helsztyński
Okładkę projektował: *Dariusz Litwiniec*
Redaktor merytoryczny: *mgr. inż. Jolanta Horeczy*
Redaktor techniczny: *Maria Łakomy*
Korekta: *Alina Podmiotko*

621.39:621.3.082.5

Zwięzłe i praktyczne wprowadzenie w zagadnienia optoelektroniki z uwzględnieniem krótkiego rysu historycznego, fizycznej struktury światła, sposobów jego wytwarzania, podstaw działania laserów, teoretycznych podstaw optyki z uwzględnieniem rozchodzenia się światła i układów optycznych, źródeł światła (termicznych, gazowych i półprzewodnikowych), budowy i rozchodzenia się światła w światłowodach, specjalnych elementów optycznych, detektorów światła, analizujących przetworników obrazu (fotografie, kamery widikonowe, CCD oraz wzmacniacze obrazu), urządzeń wyświetlających, ich rodzajów i parametrów a także wybranych zastosowań optoelektroniki. Zawiera prosty aparat matematyczny oraz dużą ilość zadań i testów do samodzielnego rozwiązania. Odbiorcy: studenci kursów inżynierskich wyższych uczelni technicznych oraz uczniowie szkół technicznych w zakresie optoelektroniki i wszyscy zainteresowani optoelektroniką.

ISBN-83-206-1383-3

Wydawnictwa Komunikacji i Łączności sp. z o.o.
ul. Kazimierzowska 52, 02-546 Warszawa
tel. (0-22) 849-27-51; fax (0-22) 849-23-22
Dział handlowy 849-27-51 w. 555
tel./fax (0-22) 849-23-45
Prowadzimy sprzedaż wysyłkową książek
Księgarnia firmowa w siedzibie wydawnictwa
tel. (0-22) 849-20-32, czynna pon.–pt. godz. 10.00–18.00
e-mail: wkl@wkl.com.pl
WKŁ w sieci Internet http://www.wkl.com.pl

SPIS TREŚCI

PRZEDMOWA

Pomysł napisania tej książki powstał wówczas, gdy jedno z nas (autorów) poszukiwało publikacji mającej służyć jako literatura pomocnicza dla studentów poznających dziedzinę optoelektroniki. W tym czasie nie było żadnej książki mieszczącej się w przedziale dostępnych cen, a mającej poziom odpowiedni dla studentów wyposażonych w wiadomości z fizyki tylko ze szkoły średniej. Nasz okrzyk: „A więc napiszmy własną!" od razu potraktowaliśmy poważnie, czego wynikiem jest ta książka. Pisząc ją staraliśmy się położyć szczególny nacisk na prawdziwe zrozumienie zagadnień, unikając długich rozważań matematycznych, które być może wyglądają elegancko, lecz niewiele wnoszą do zrozumienia problemów. Pisanie książki było fascynujące dla nas obojga, gdyż staraliśmy się stawiać takie podstawowe pytania, które mógłby zadać student zupełnie jeszcze nie znający omawianych zagadnień, a które mogłyby zbić z tropu niejednego wykładowcę. Zawartość merytoryczną książki dobrano w taki sposób, aby dostarczała informacji o problemach związanych z optoelektroniką, uzupełnionych przykładami. Zachęcamy Czytelników do sprawdzania swej wiedzy i zrozumienia tematów omawianych w książce przez samodzielne wykonywanie ćwiczeń umieszczonych w tekście rozdziałów. Prócz tego na końcu każdego rozdziału zamieszczono zadania. Poza tym autorzy proponują Czytelnikom tematy do własnej pracy badawczej, aby zainteresowani studenci mogli rozszerzyć swą wiedzę także poza zakres tematyczny książki. Znaczenie techniki w otaczającym nas świecie ciągle wzrasta, a układy optoelektroniczne zajmują w jej zastosowaniach ważną pozycję, poprzednio zajmowaną tylko przez samą elektronikę. Dlatego uważamy, że coraz więcej osób, nie koniecznie specjalistów, pragnie dowiedzieć się czegoś o działaniu układów optoelektronicznych. Mamy nadzieję, że ta książka otworzy wrota do fascynującego świata dnia dzisiejszego i jutra.

1

WPROWADZENIE

Optoelektronika to słowo, które w ciągu ostatnich 30 lat stało się powszechnie znane w środowiskach naukowych i technicznych. Ta nazwa określa niezwykle szybko rozwijającą się dziedzinę techniki, która łączy w sobie od dawna istniejącą optykę — posługującą się światłem, ze stosunkową nową dziedziną, jaką jest elektronika — posługującą się elektronami.

Optyka jako dziedzina nauki istnieje od dawna. Nic w tym dziwnego, jeśli zważyć w jakim stopniu światło rządzi naszym życiem oraz, w istocie rzeczy, w ogóle życiem na naszej planecie. Rośliny, znajdujące się na samym początku łańcucha pokarmowego, wymagają do swej fotosyntezy energii światła widzialnego wysyłanego przez Słońce w wyniku procesów syntezy termojądrowej. W ważnym chemicznym procesie fotosyntezy energia świetlna jest wykorzystywana do wytwarzania cukrów z obfitych zasobów wody i dwutlenku węgla, istniejących w naszej biosferze. I w końcu utlenianie tych cukrów dostarcza energię dla naszych procesów życiowych.

Patrząc na tę kwestię w sposób osobisty stwierdzamy, że światło w znacznym stopniu wpływa na sposób naszego życia. Nasz dzienny cykl życia jest uwarunkowany obecnością lub brakiem światła. Lepsze lub gorsze oświetlenie wpływa w znacznym stopniu na nasz nastrój i to właśnie światło jest tym czynnikiem, który umożliwia nam, za pośrednictwem najużyteczniejszego organu zmysłu, oczu, percepcję otaczającego nas świata. Natura pierwsza dała hasło do wytwarzania urządzeń optoelektronicznych, choć są to urządzenia organiczne. Zaliczają się do nich różne elementy od najprostszych plamek światłoczułych w organizmach pierwotniaków, aż do naszego własnego, skomplikowanego systemu widzenia.

Światło, które możemy odbierać, zwane światłem widzialnym, stanowi w istocie bardzo niewielką część rozległego widma fal elektromagnetycznych, rozciągającego się od ledwie wykrywalnych fal radiowych o długości fali równej setkom kilometrów do promieniowania gamma o bardzo dużej energii, które przechodząc przez atmosferę może tworzyć pęki cząstek subatomowych. Dlaczego więc odbieramy światło tylko w tak wąskim paśmie długości fali? Większość zjawisk biologicznych ma z natury charakter ewolucyjny. Spojrzenie na rys. 1.1 może dać pewne wskazówki w tej kwestii. Przedstawiono wykres współczynnika pochłaniania atmosfery ziemskiej w funkcji długości fali. Zauważmy, że na wykresie są widoczne dwa duże okna, w których współczynnik pochłaniania jest bardzo mały lub zerowy. Jednym jest zakres fal radiowych, trudnych do wykrywania metodami biologicznymi, który zresztą dawałby

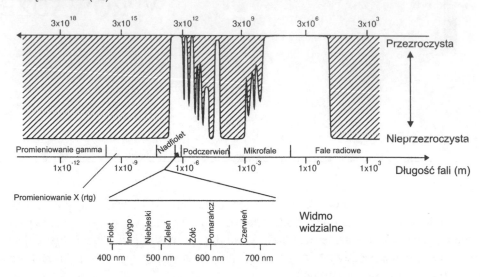

Rys. 1.1 Wykres pochłaniania promieniowania elektromagnetycznego w atmosferze ziemskiej w funkcji długości fali

obrazy o marnej rozdzielczości, spowodowanej dużą długością fali. Drugie okno znajduje się w widzialnej części widma. Promieniowanie o tych długościach fali daje bardzo dobrą rozdzielczość i dobrze współdziała z pewnymi procesami chemicznymi, więc ewolucja doprowadziła do tego, że odbieramy światło właśnie w tym obszarze widma fal elektromagnetycznych. Niektóre organizmy żywe mogą odbierać światło o długościach fali większych lub mniejszych od zakresu czułości oka ludzkiego, lecz znajdujących się w oknie małej absorpcji atmosfery ziemskiej.

Nasze uzależnienie od światła musiało, w sposób nieunikniony, wywołać zainteresowanie jego wykorzystaniem. Dawni filozofowie w Grecji, Arabii i Chinach często obserwowali i opisywali zachowanie się światła w kamieniach szlachetnych lub w wodzie. Niektórzy z nich próbowali operować światłem za pomocą polerowanych, metalowych zwierciadeł. To, że Archimedes próbował zastosować duże wklęsłe zwierciadło z brązu do spalenia rzymskich okrętów podczas ich ataku na Syrakuzy, świadczy o docenianiu znaczenia posługiwania się światłem. Archimedesowi zabrakło, niestety, teorii i techniki, jaką dysponujemy teraz jako czymś oczywistym i dzięki której tamto przedsięwzięcie byłoby wykonalne.

Prawdziwe eksperymenty optyczne i ich zrozumienie mogły nastąpić dopiero wtedy, gdy odpowiednio rozwinęła się technologia wytwarzania szkła. Niestety, właśnie wtedy, gdy technologia szkła zaczęła osiągać poziom wystarczający do rozwoju optyki, w Europie zapanował średniowieczny okres ciemnoty. W tym czasie trzynastowieczny mnich, o nazwisku Roger Bacon, był jedynym człowiekiem prowadzącym znaczące badania w dziedzinie optyki, a właściwie w ogóle w nauce. Przeprowadził wiele wnikliwych obserwacji rozszczepiania i ogniskowania światła stosując szklane kule i słoje wypełnione wodą, co w końcu doprowadziło do opracowania soczewek i pryzmatów. W ciągu kilku następnych stuleci udoskonalano technologię wyrobu szkła, opracowano soczewki i nowopowstająca społeczność naukowców, takich jak Galileusz i Newton, z zapałem zaatakowała dziedzinę badań optycznych, tworząc wielkie bogactwo teorii i przyrządów, które nadal pozostają podstawą optyki współczesnej.

Elektron jest tak samo niezbędny do życia jak światło, jednak nasi przodkowie w mniejszym stopniu zdawali sobie sprawę z jego znaczenia. Dlatego historia elektroniki jest znacznie krótsza niż optyki. Grecy zauważyli istnienie elektryczności statycznej pocierając kawałki bursztynu, który następnie, dzięki nagromadzonej energii, przyciągał kurz. Bursztyn nazywano po grecku *ēlektron*, co stało się źródłem słowa „elektronika". Minęło kilka tysiącleci i dopiero na początku XIX wieku zjawisko zwane elektrycznością nabrało znaczenia, gdy Volta, Ampere, Ohm i Faraday stworzyli podstawy teoretyczne i opracowali praktyczne metody wytwarzania prądu elektrycznego. Wiedza o elektryczności powoli się rozpowszechniała, co doprowadziło do powstania żarzonych lamp łukowych, które można traktować jako pierwsze urządzenia optoelektroniczne. Potem Edison skonstruował swą sławną żarówkę. Jednak przez całe niemal stulecie traktowano elektryczność tylko jako energię do napędzania silników i do wygodnego uzyskiwania światła lub ciepła.

To, co można uważać za prawdziwą elektronikę, pojawiło się dopiero w 1904 roku, gdy rezystory, kondensatory i cewki indukcyjne połączono z pierwszym elektronicznym elementem czynnym, jakim była lampa elektronowa Ambrose'a Fleminga. Ten prototyp żarzonej lampy próżniowej oznaczał narodziny epoki funkcjonalnych układów elektronicznych. W ciągu następnych 40 lat, przy stałym rozwoju techniki lampowej, opracowano wszystkie podstawowe, znane nam teraz układy elektroniczne, takie jak wzmacniacze, generatory itd., a także podstawy teoretyczne tych układów.

Jednak optoelektronika ciągle jeszcze pozostawała nieznana. Jedynymi podzespołami optoelektronicznymi, z którymi mógł się zetknąć przeciętny inżynier, były różne odmiany żarówek, chociaż rozwój lamp elektronowych doprowadził już do powstania kilku innych specjalizowanych podzespołów optoelektronicznych. W 1887 roku Hertz wynalazł światłoczułą lampę żarzoną, w której wykorzystał efekt fotoelektryczny wyjaśniony teoretycznie w 1905 roku przez Einsteina. Ta lampa była jednym z pierwszych elektronicznych elementów światłoczułych. Późne lata dwudzieste przyniosły opracowanie ikonoskopu, prostej lampy obrazowej będącej głównym elementem pierwszych kamer telewizyjnych. Również w tym okresie powstała najbardziej znana lampa elektronowa, stosowana do dzisiaj lampa elektronopromieniowa, która jest obecnie najpopularniejszym urządzeniem do wyświetlania obrazów. Inne urządzenia optoelektroniczne też powstawały na podstawie technologii lamp elektronowych. Opracowanie fotokatod z efektem fotoelektrycznym umożliwiło powstanie przetworników i wzmacniaczy obrazu oraz fotopowielaczy. Wszystkie te urządzenia, w ulepszonych wersjach, są jeszcze i teraz stosowane.

Po erze lamp nastąpiła era półprzewodników. Coś w rodzaju diody półprzewodnikowej pojawiło się już na przełomie stuleci w postaci kryształków stosowanych w pierwszych odbiornikach radiowych. Jednak dopiero domieszkowanie półprzewodników doprowadziło do skonstruowania złączowej diody *pn* i wynalezienia tranzystora w 1947 roku. Te wynalazki zwiastowały początek elektronicznej rewolucji półprzewodnikowej. Jednocześnie ze zmianami, jakie wprowadziły one do przemysłu elektronicznego, wkrótce odkryto, że światło padające na złącze *pn* wywołuje interesujące zjawiska w układach tranzystorowych. Wtedy zdano sobie sprawę, że złącze *pn* jest elementem światłoczułym i opracowano fotodiodę i inne elementy światłoczułe. Optoelektronika rozwijała się w miarę rozwoju przemysłu elektronicznego. Różne technologie domieszkowania i wytwarzania półprzewodników umożliwiły powstawanie udoskonalonych i bardziej ezoterycznych urządzeń optoelektronicznych. Po wynalezieniu w 1958 roku pierwszych układów scalonych, opracowano fotodiodę i układy CCD, których zastosowanie w kamerach i skanerach uważamy teraz za rzecz oczywistą.

Od lat pięćdziesiątych rozwój optoelektroniki charakteryzuje się wzrostem wykładniczym, a liczne nowe opracowania o kluczowym znaczeniu uczyniły obecnie z optoelektroniki dziedzinę powszechnie stosowaną. Wynalezienie lasera w 1960 roku otworzyło mnóstwo nowych kierunków rozwoju możliwych do realizacji tylko przy zastosowaniu bardzo silnej wiązki światła spójnego (koherentnego). Lasery wchodzą do wielu dziedzin naszego życia, zwłaszcza od czasu wynalezienia laserów półprzewodnikowych: drukarka laserowa, czytnik kodu kreskowego, odtwarzacz płyt kompaktowych — to wszystko wynik rozwoju optoelektroniki. Później, w 1970 roku skonstruowano kable światłowodowe o małym pochłanianiu światła i wszyscy zobaczyliśmy, jaki to miało wpływ na rozwój telekomunikacji doprowadzając do tzw. rewolucji informatycznej. Nawet teraz nowe osiągnięcia optyki zintegrowanej mogą zrewolucjonizować technikę komputerową. Dlaczego więc optoelektronika staje się tak ważna i coraz bardziej wkracza w nasze życie? Odpowiedź jest prosta: decyduje o tym szybkość. W pełni dowodzi tego telekomunikacja będąca głównym segmentem rynkowym optoelektroniki. Sygnały elektroniczne wielkiej częstotliwości powinny być przesyłane kablami koncentrycznymi, aby zminimalizować straty spowodowane rezystancją kabla, ale nawet wtedy można przesyłać sygnały o częstotliwości tylko do 1 GHz. W łączności mikrofalowej i satelitarnej korzysta się z sygnałów o częstotliwościach do kilkudziesięciu gigaherców. Światłowody optyczne zaś przesyłają światło, które ma częstotliwość ok. 200 000 GHz. Wynika stąd, że istnieje potencjalna możliwość przesyłania światłowodem 200 000 razy więcej informacji niż kablem koncentrycznym. Kabel światłowodowy ma grubość ludzkiego włosa. Ponadto mała długość stosowanych fal świetlnych powoduje, że elementy optyczne można zminiaturyzować do wymiarów konwencjonalnych podzespołów elektronicznych, a nawet umieszczać w takich samych obudowach. Optoelektroniczny geniusz wydostał się z butelki i nic nie jest w stanie go powstrzymać.

Oczywiście wszystkie te efektowne osiągnięcia techniczne były wsparte latami prac teoretycznych wyjaśniających zjawiska. Nie znając wyników tych prac inżynierowie optoelektronicy nie mogliby dokonać dalszych odkryć. Tak więc czytając tę książkę pozyskacie nieco tej wiedzy, wydestylowanej z milionów godzin pracy najwybitniejszych umysłów, abyście mogli odgrywać aktywną rolę w nadal trwającej rewolucji w optoelektronice.

2

ŚWIATŁO
I ŚWIATŁO LASEROWE

2.1 WPROWADZENIE

Światło ma w naszym życiu znaczenie fundamentalne. Świat bez światła byłby zupełnie inny, choćby dlatego, że światło jest podstawą łańcucha pokarmowego na naszej planecie. Światło laserowe jest światłem, które wytworzono, aby jego zachowanie miało pewne szczególne cechy, które dla promieniowania leżącego w innych częściach widma elektromagnetycznego są całkiem standardowe. Właściwości światła laserowego umożliwiają stosowanie go w wielu dziedzinach, tak od siebie merytorycznie odległych jak medycyna i technika wojskowa. Ten rozdział ma przede wszystkim umożliwić zrozumienie, w jaki sposób światło jest wytwarzane. To nam da wgląd w proces fizyczny, który powtarza się biliony razy w każdej sekundzie, każdego dnia. Następnie szczegółowo rozważymy przetwarzanie światła w światło laserowe.

2.2 BUDOWA ATOMU

Światło powstaje w wyniku przejść elektronów wewnątrz atomu. Atom jest zbudowany z trzech rodzajów cząstek — neutronów, protonów i elektronów. W sposób uproszczony można powiedzieć, że atom jest zbudowany podobnie jak system planetarny, w którym planety krążą wokół Słońca. W atomie występują elektrony krążące wokół jądra zbudowanego z neutronów i protonów. Jądro jest bardzo małe (średnica 10^{-15} m), podczas gdy typowy atom ma średnicę 10^{-10} m. Ponieważ elektrony nie mają w zasadzie żadnej objętości, więc większość atomu stanowi pusta przestrzeń. To też jest analogią do naszego sytemu słonecznego, którego całkowite rozmiary wynoszą 6 000 000 000 km, a Słońce ma średnicę 1 392 000 km, planety zaś — maksymalnie 143 000 km.

W swym normalnym stanie atomy są elektrycznie obojętne, muszą zatem zawierać tyle ładunków dodatnich (protonów) co ujemnych (elektronów). Jeśli jest więcej ładunków jednego rodzaju niż drugiego, to mówi się, że atom jest zjonizowany. Zwykle jonizacja następuje w wyniku utraty lub pozyskania elektronów, gdyż protony znajdują się w jądrze. Liczba neutronów (cząstek bez ładunku) może się zmieniać — jest równa liczbie protonów lub większa od niej. Wynikiem tego jest istnienie izotopów, np. izotopów uranu stosowanych w przemyśle jądrowym. Uran ma dwa izotopy: U-235 i U-238, podane liczby oznaczają masy atomowe pierwiastków. Protony i neutrony mają jednostkową masę atomową, a masa elektronów jest pomijalnie mała. Oba izotopy są uranem, gdyż liczby elektronów i protonów są charakterystyczne dla tego pierwiastka, lecz U-238 ma o trzy neutrony więcej niż U-235. Warto zauważyć, że stopień występowania różnych izotopów w przyrodzie nie jest jednakowy. Na przykład w warunkach naturalnych uran zawiera 99,3% U-238 i tylko 0,7% U-235.

Praca własna

W metodzie izotopowego określania wieku materiałów pochodzenia organicznego stosuje się jeden z izotopów węgla. Dowiedz się, który to izotop i na czym polega ta metoda.

Wróćmy teraz do zachowania się elektronów w atomie. Wiadomo, że w układzie słonecznym orbity planet znajdują się w określonych odległościach od Słońca. Taka sama sytuacja panuje wewnątrz atomu, gdzie w tzw. „modelu klasycznym" elektrony otaczają jądro w ściśle określonych powłokach. (Stosując inny model, oparty na mechanice kwantowej, można tylko stwierdzić, że największe prawdopodobieństwo znajdowania się elektronów jest w powłokach; istnieje też pewne skończone prawdopodobieństwo, że znajdują się gdzie indziej). Elektron, aby zająć określoną powłokę, musi mieć określoną energię. Powłoki dalsze od jądra wymagają większej energii. Dlatego powłokom wewnątrz atomu są przypisywane poziomy energetyczne.

Bardzo ważną właściwością poziomów energetycznych wewnątrz atomu jest ich skwantowanie. Innymi słowy, tylko niektóre poziomy energetyczne są dozwolone. Energie tych poziomów są ustalone w danym atomie w jego określonym stanie (tzn. w stanie stałym, ciekłym lub gazowym). Odstępy między poziomami są większe bliżej jądra i stają się mniejsze w miarę oddalania się do niego, aż wreszcie poziomy stają się tak bliskie sobie, że tworzą kontinuum, w którym poszczególne poziomy są nierozróżnialne. Każdy elektron o energii większej niż energia związana z kontinuum jest nazywany elektronem swobodnym, inaczej mówiąc nie jest on związany z żadnym atomem. Na rys. 2.1 przedstawiono przekrój atomu stosując jego bardzo uproszczony model.

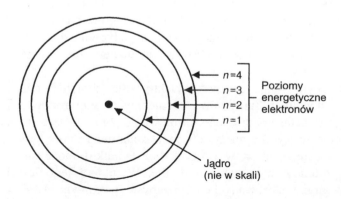

n=4
n=3
n=2
n=1

Poziomy energetyczne elektronów

Jądro (nie w skali)

Rys. 2.1 Prosty model poziomów energetycznych w atomie

2.3 OBSADZANIE POZIOMÓW ENERGETYCZNYCH

Liczba elektronów w atomie może być różna — od jednego (w wodorze) do wielu elektronów (np. uran ma 92 elektrony). Podobnie jak inne systemy istniejące samodzielnie, atomy starają się minimalizować swą energię. Oznacza to w zasadzie, że wszystkie elektrony powinny wypełniać poziom energetyczny najbliższy jądru, gdyż ma on najmniejszą energię. W praktyce taka sytuacja nie jest dozwolona, ponieważ istnieje pewna maksymalna liczba elektronów, które mogą zajmować dany poziom energetyczny. Można ją określić stosując zasadę zakazu Pauliego stwierdzającą, że w atomie nie może być dwóch elektronów scharakteryzowanych tymi samymi liczbami kwantowymi. Liczba kwantowa jest jakby oznaczeniem, które zawiera informację o elektronie lub poziomie energetycznym. Na rys. 2.1 poziomy energetyczne oznaczono jako $n = 1$, $n = 2$,... gdzie n jest jedną z liczb kwantowych. Elektrony i poziomy energetyczne charakteryzują się czterema liczbami kwantowymi. Są to:

- główna liczba kwantowa n,
- orbitalna liczba kwantowa l, która wskazuje na kształt orbity; większość orbit nie ma kształtu kołowego, np. poziom energetyczny $n = 1$ ma jedną orbitę kołową i trzy o kształcie hantli,
- magnetyczna (lub azymutalna) liczba kwantowa m_l określająca skierowanie orbity — np. czy oś orbity o kształcie hantli jest zgodna z osią współrzędnych x, y czy z,
- spinowa liczba kwantowa określająca, czy spin elektronu jest zgodny z kierunkiem ruchu wskazówek zegara, czy przeciwny.

Dla każdego poziomu energetycznego istnieje

- n możliwych wartości l,
- $(2n + 1)$ możliwych wartości m_l,
- dwie możliwe wartości m_s.

Możemy więc zastosować zasadę Pauliego do obliczenia maksymalnej liczby elektronów, które mogą się znajdować na jednym poziomie energetycznym. Trzeba określić liczbę możliwych, różnych wartości czterech liczb kwantowych. Z tych rozważań wynika, że

- na poziomie $n = 1$ może się znajdować nie więcej niż dwa elektrony,
- na poziomie $n = 2$ może się znajdować nie więcej niż osiem elektronów,
- na poziomie $n = 3$ może się znajdować nie więcej niż osiemnaście elektronów itd.

A zatem na każdym poziomie energetycznym może się znajdować maksimum $2n^2$ elektronów. Poziomy energetyczne są zapełniane kolejno, począwszy od poziomu $n = 1$, aż wszystkie elektrony zostaną umieszczone. To oznacza, że ostatni poziom, na którym znajdują się elektrony, najczęściej nie jest całkowicie zapełniony.

Przykład 1

Pytanie: Pary sodu są stosowane w oświetleniu ulicznym. Atom sodu ma 11 elektronów. Stosując zasady określania maksymalnych liczb elektronów na poziomach energetycznych proszę określić rozmieszczenie elektronów w atomie sodu.
Odpowiedź: Na poziomie $n = 1$ mogą się znajdować dwa elektrony, a poziom $n = 2$ może pomieścić osiem elektronów. Daje to w sumie 10 elektronów, a więc ostatni elektron musi się znaleźć na poziomie $n = 3$.

2.4 PRZEJŚCIA ELEKTRONÓW MIĘDZY ORBITAMI I SPONTANICZNA EMISJA ŚWIATŁA

Atom sodu jest w stanie podstawowym, gdy wszystkie elektrony znajdują się tak blisko jądra, jak to jest dozwolone. Inaczej mówiąc atom jest wówczas w konfiguracji o najmniejszej energii. Jeśli teraz dostarczymy atomowi sodu dodatkowej energii, to możemy przesunąć jakiś elektron z jego podstawowego poziomu energetycznego na następny poziom dalszy od jądra. Wtedy atom będzie miał więcej energii i mówimy o nim, że jest w stanie wzbudzonym. Zwykle na dalszą orbitę są przenoszone elektrony zewnętrzne, gdyż mają najmniejszą energię. Energię można dostarczać różnymi sposobami, np. wykorzystując ciepło, energię elektryczną, zjawisko przekazania energii podczas zderzenia lub oświetlenia atomu. Przykładowo w latarniach ulicznych stosuje się energię elektryczną.

Atom znalazłszy się w stanie wzbudzonym, dąży do pozbycia się pochłoniętej dodatkowo energii i do powrotu do stanu podstawowego. Elektron będzie więc usiłował powrócić na miejsce na poziomie energetycznym, które opuścił podczas wzbudzenia. Dodatkową energię można tracić w różny sposób, jednym z nich jest emisja światła. Na rys. 2.2 przedstawiono proces wzbudzania i emisji w atomie sodu.

2.5 NATURA FOTONU

Foton jest falą elektromagnetyczną. Widmo tych fal przedstawiono na rys. 2.3. Mamy skłonność do myślenia o poszczególnych częściach tego widma jak o widmach oddzielnych, gdyż sposób oddziaływania fal z materią bardzo się zmienia w miarę przechodzenia od jednego krańca widma do drugiego. Jednak fale w całym widmie mają jednakowe właściwości:

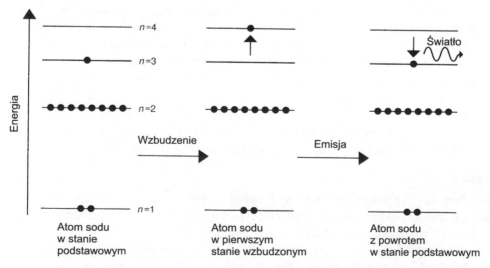

Rys. 2.2 Schemat obrazujący wzbudzanie w parach sodu i powrót do stanu podstawowego przez emisję fotonu

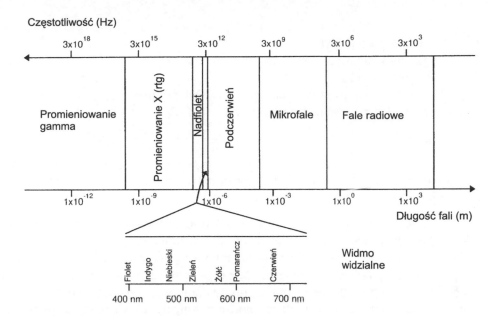

Rys. 2.3 Widmo promieniowania elektromagnetycznego

a — są złożone z pól elektrycznego i magnetycznego, których natężenia zmieniają się w czasie w sposób dobrze określony,

b — w próżni wszystkie fale elektromagnetyczne rozchodzą się z prędkością światła $c = 3 \cdot 10^8$ m·s^{-1}.

W odróżnieniu od fal akustycznych, fale elektromagnetyczne mają zdolność rozchodzenia się w próżni. Oto dlaczego wszystkie filmowe wybuchy z kosmosu powinny być widziane, ale nie powinny być słyszane. Prędkość światła w próżni jest wielkością stałą, która wiąże częstotliwość z długością fali zgodnie ze wzorem

$$v = f\lambda \tag{2.1}$$

gdzie:

v — prędkość światła w danym ośrodku (w próżni równa c),

f — częstotliwość światła,

λ — długość fali.

Energia fali elektromagnetycznej wyraża się wzorem

$$E = hf \tag{2.2}$$

gdzie:

h — stała Plancka równa $6{,}62 \cdot 10^{-34}$ J·s.

W przypadku fotonu jego energia E musi być równa energii utraconej przez atom, gdy wraca do stanu podstawowego. Możemy więc obliczyć długość fali wyemitowanego fotonu, jeśli znamy początkową i końcową energię elektronu podczas jego przejścia z powłoki na powłokę

$$hf = \frac{hc}{\lambda} = E_j - E_i = \Delta E \tag{2.3}$$

gdzie:

E_j — energia początkowa,

E_i — energia końcowa,

ΔE — zmiana energii.

Podstawową jednostką energii jest dżul (symbol J). Jednak często energię wyraża się w elektronowoltach [eV], przy czym $1 \text{ eV} = 1{,}6 \cdot 10^{-19}$ J.

Ćwiczenie 1

Obliczyć długość fali fotonu wysyłanego podczas przejścia elektronu z poziomu energetycznego $E_3 = 5{,}44 \cdot 10^{-19}$ J do poziomu $E_2 = 2{,}42 \cdot 10^{-19}$ J. Światłem o jakiej barwie jest ten foton?

Chcąc zrozumieć, czym jest fala elektromagnetyczna [EM], powinniśmy zacząć od źródła jej powstawania. Aby ułatwić zrozumienie problemu, rozważmy fale elektromagnetyczne o częstotliwościach radiowych, gdyż mogą one być bardzo łatwo wytwarzane. Fale radiowe są generowane przez ruch elektronów wprzód i w tył wzdłuż anteny. Ruch ten powodują zmiany amplitudy i polaryzacji napięcia doprowadzonego do jednego końca anteny. Prawo, zwane prawem Ampere'a stwierdza, że poruszający się ładunek elektryczny generuje pole magnetyczne, którego kierunek i amplituda zależą od kierunku i prędkości poruszania się ładunku. A zatem, jeśli doprowadzamy do końca anteny napięcie zmieniające się sinusoidalnie, wtedy wokół anteny wytwarza się pole magnetyczne o amplitudzie zmieniającej się w funkcji czasu także w sposób sinusoidalny. Na podstawie wykresów przedstawionych na rys. 2.4 można stwierdzić, że doprowadzone napięcie i pole magnetyczne są w stosunku do siebie przesunięte w fazie o 90°. Dzieje się tak dlatego, gdyż prędkość elektronów jest maksymalna, gdy przechodzą przez położenie środkowe (porównaj to z ruchem wahadła), co oznacza, że także pole magnetyczne osiąga wówczas maksimum. Jak więc fale elektromagnetyczne rozchodzą się w przestrzeni?

Rozważmy teraz obszar A ponad anteną. Indukcja pola magnetycznego B w tym obszarze zmienia się w funkcji czasu, gdyż zmienia się też prędkość elektronów. Zgodnie

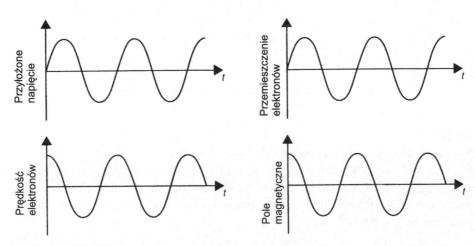

Rys. 2.4 Wykres prędkości elektronu, jego przemieszczenia i powstającego w rezultacie pola magnetycznego — w funkcji napięcia przyłożonego do jednego końca anteny

z prawem Faradaya, jeśli pole magnetyczne w jakimś obszarze ulega zmianom w funkcji czasu, to wywołuje przepływ prądu w obwodzie wokół tego obszaru. A więc prąd indukowany przez zmiany pola magnetycznego również zmienia się w funkcji czasu. Prawo Ampere'a w formie uogólnionej stwierdza, że ten indukowany prąd może zachowywać się jak poruszający się ładunek i wytwarzać swe własne pole magnetyczne. Jednak środek tego nowo wytworzonego pola magnetycznego przesunął się od środka anteny do krańca obszaru nad anteną A. Powtarzanie się tego procesu prowadzi do propagacji fal EM.

Jeśli narysujemy przebieg fali EM, zarówno pola magnetycznego jak i elektrycznego (rys. 2.5b), to stwierdzimy, że
- wartości natężenia pola magnetycznego E i indukcji pola magnetycznego B zmieniają się sinusoidalnie w funkcji czasu,

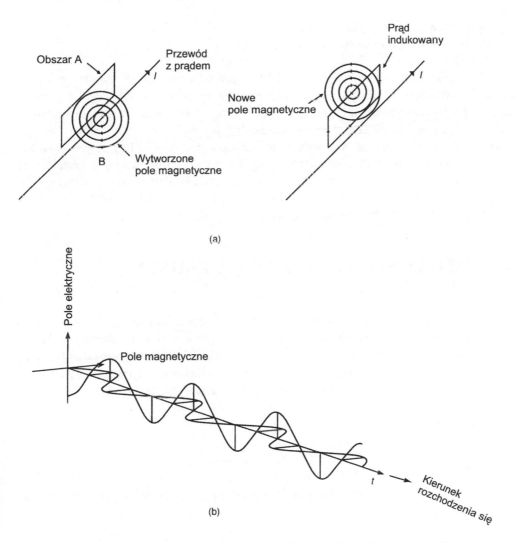

Rys. 2.5 Powstawanie fal elektromagnetycznych w wyniku wzajemnej generacji zmiennych w czasie pól elektrycznego i magnetycznego
a — emisja fal, b — ich rozchodzenie się w przestrzeni

- zmiany E, a także zmiany B następują zawsze w jednej płaszczyźnie, przy czym w przestrzeni swobodnej płaszczyzna indukcji magnetycznej jest prostopadła do płaszczyzny pola elektrycznego,
- linia przecięcia tych dwóch płaszczyzn jest kierunkiem propagacji fal EM.

Trzeba zauważyć, że rys. 2.5 nie jest wykonany w skali: maksymalna wartość natężenia pola elektrycznego jest większa od maksymalnej wartości indukcji magnetycznej o czynnik c. Dlatego fala EM jest zazwyczaj przedstawiana w prostej formie dwu-wymiarowej tylko przez pole elektryczne, chociaż w sposób nieodłączny występuje tam też pole magnetyczne. W rezultacie, fala EM wyraża się wzorem

$$E = E_0 \sin(\omega t - kz) \tag{2.4}$$

gdzie:

E_0 — amplituda pola elektrycznego fali,
ω — częstotliwość kątowa (pulsacja, równa $2\pi f$),
k — liczba falowa równa $2\pi/\lambda$.

W przypadku promieniowania EM wytwarzanego przez atomy powstaje wątpliwość związana z prostym wyobrażeniem elektronu przeskakującego z jednego poziomu energetycznego na inny, podczas gdy wiadomo już teraz, że fale elektromagnetyczne mogą być wytwarzane tylko przez oscylacyjny ruch elektronu. Odpowiedź jest oczywiście taka, że elektron nie wykonuje jednego przeskoku, lecz oscyluje przez pewien czas między dwoma poziomami energetycznymi zanim wreszcie osiądzie na niższym z nich. Z tego wynika inna interesująca kwestia, ponieważ proces oscylacyjny, podczas którego jest wytwarzany foton trwa pewien czas, to także foton musi mieć pewną długość. Rzeczywiście tak jest — typowa długość fotonu jest równa 30 cm.

2.6   EMISJA SPONTANICZNA A EMISJA WYMUSZONA

Wytwarzanie światła w opisany sposób nazwano procesem emisji spontanicznej. Inaczej mówiąc, atom traci wtedy nadmiarową energię w pewnej chwili zależnej tylko od zjawisk zachodzących w atomie. Można oszacować jak długo atom pozostanie w stanie wzbudzonym, korzystając z jednej z wersji zasady nieoznaczoności Heisenberga. Wiąże ona ze sobą energię przejścia z czasem życia stanu wzbudzonego $\Delta\tau$ według wzoru

$$\Delta E \cdot \Delta\tau = \frac{h}{2\pi} \tag{2.5}$$

Przykład 2

Pytanie: Sód daje światło o długości fali 590 nm. Oblicz spodziewany czas życia stanu wzbudzonego.
Odpowiedź:

$$\Delta E = \frac{hc}{\lambda} = \frac{h}{2\pi\Delta\tau}$$

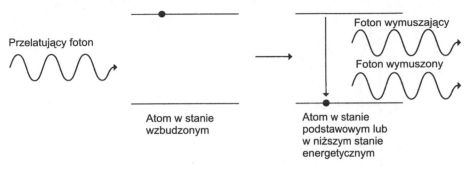

Rys. 2.6 Proces emisji wymuszonej

a zatem

$$\Delta\tau = \frac{h}{2\pi c} = \frac{590 \cdot 10^{-9}}{2\pi \cdot 3 \cdot 10^8} = 3,13 \cdot 10^{-16} \text{ s}$$

Atom może emitować foton spontanicznie, ale może też być „zachęcony" do wyemitowania fotonu przez przejście innego fotonu o właściwej energii w pobliżu wzbudzonego atomu. Jest to emisja wymuszona, którą schematycznie przedstawiono na rys. 2.6.

Emisja wymuszona jest istotna ze względu na zależność występującą między fotonem emitowanym w wyniku wymuszenia a fotonem wymuszającym. Oba te fotony mają:

- tę samą energię (a więc taką samą długość fali),
- ten sam kierunek poruszania się,
- tę samą fazę,
- taką samą polaryzację (pola elektryczne obu fotonów oscylują w tej samej płaszczyźnie).

Właściwości te są związane ze światłem laserowym, informują nas o tym, jaki rodzaj emisji jest konieczny do skonstruowania lasera. Niestety nie wszystkie materiały są odpowiednie do wytwarzania światła laserowego. Aby to zrozumieć powinniśmy dokładniej przyjrzeć się zjawiskom wzbudzania i emisji.

2.7 ROZKŁADY ENERGII W UKŁADACH O RÓWNOWADZE TERMICZNEJ: ROZKŁAD BOLTZMANNA

Gdyby wziąć pewną liczbę atomów sodu umieszczonych w jakimś pojemniku w temperaturze pokojowej i mieć możliwość zmierzenia w tej samej chwili energii wszystkich atomów, można by stwierdzić, że nie wszystkie atomy mają energię odpowiadającą stanowi podstawowemu. Niektóre mogą mieć energię odpowiadającą elektronowi na powłoce zewnętrznej przesuniętemu o jeden poziom energetyczny, niektóre — elektronowi przesuniętemu o dwa poziomy energetyczne itd. Dzieje się tak dlatego, gdyż do atomów jest dostarczana z otoczenia energia cieplna (w postaci fotonów o dużej długości fali). Jeśli sporządzimy wykres liczby atomów, mających pewną energię, w funkcji tej energii,

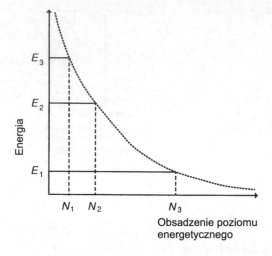

Rys. 2.7 Obsadzenie poziomów
energetycznych w stanie równowagi
zgodnie z rozkładem Boltzmanna

Obsadzenie poziomu
energetycznego

to uzyskamy krzywą o kształcie wykładniczym (rys. 2.7). Tę wykładniczą zależność między liczbą poziomów energetycznych a energią nazwano rozkładem Boltzmanna, dotyczy on układów będących w równowadze. Rozważane atomy sodu są w równowadze tak długo, jak ich temperatura pozostaje stała i żadna energia nie jest dostarczana ani zabierana z pojemnika.

Rozkład Boltzmanna matematycznie wyraża się wzorem

$$N_i = N_0 \exp\left(\frac{-E_i}{k_B T}\right) \tag{2.6}$$

gdzie:
N_i — obsadzenie (liczba elektronów) i-tego poziomu energetycznego,
E_i — energia na tym poziomie,
k_B — stała Boltzmanna równa $1{,}381 \cdot 10^{-23}$ J $\cdot$ K^{-1},
T — temperatura w kelwinach.

W tym wyrażeniu N_0 jest czynnikiem dającym pewność, że jeśli zsumujemy wszystkie obsadzenia, to liczba atomów nie będzie większa od liczby fizycznie obecnych w pojemniku. Ważną cechą tego rozkładu jest to, że im energia ma większą wartość, tym mniejsza jest liczba atomów o tej energii.

Ponieważ, w naszym przypadku, wartość N_0 często jest nieznana, więc lepiej rozpatrywać stosunki obsadzeń. Stosunek obsadzeń poziomów energetycznych E_i i E_j określono wzorem

$$\frac{N_i}{N_j} = \exp\frac{-(E_i - E_j)}{k_B T} \tag{2.7}$$

Ćwiczenie 2

Oblicz stosunek liczby poziomów o większej energii do liczby poziomów o energii mniejszej dla przejścia elektronów w sodzie dającego światło o długości fali 590 nm (przyjmij $T = 293$ K).

2.8 JESZCZE O EMISJI SPONTANICZNEJ I WYMUSZONEJ

Rozważmy system o dwóch poziomach energetycznych przedstawiony na rys. 2.8

Szybkość (lub ściślej mówiąc częstość — *przyp. tłum.*), z jaką atomy mogą być wzbudzane i przechodzić do stanu energetycznego *2* zależy od liczby atomów na poziomie *1* oraz od częstości fotonów ze źródła wywołującego wzbudzenie. Jeśli jest to układ zamknięty, to źródłem wzbudzającym będą fotony o właściwej energii wytwarzane przez powrót do stanu podstawowego atomów wzbudzonych termicznie. Szybkość, z jaką następuje wzbudzanie, jest więc określona wzorem

$$Szybkość\ wzbudzania = N_1 \cdot B_{12} \cdot \rho_v \qquad (2.8)$$

gdzie:

ρ_v — częstość fotonów ze źródła wzbudzającego,
B_{12} — współczynnik Einsteina, wyrażający prawdopodobieństwo zajścia wzbudzenia.

Szybkość występowania emisji wymuszonej zależy od N_2, a także od częstości fotonów o właściwej energii, według wzoru

$$Szybkość\ emisji\ wymuszonej = N_2 \cdot B_{21} \cdot \rho_v \qquad (2.9)$$

Wreszcie, szybkość występowania emisji wymuszonej zależy tylko od N_2 i jest określona wzorem

$$Szybkość\ emisji\ wymuszonej = N_2 \cdot A_{21} \qquad (2.10)$$

gdzie:

B_{21} i A_{21} — także współczynniki Einsteina, przy czym $A_{21} = 1/\Delta\tau$.

Jeśli układ jest w równowadze to szybkość absorpcji jest równoważona szybkością emisji, więc

$$N_1 \cdot B_{12} \cdot \rho_v = N_2 \cdot B_{21} \cdot \rho_v + N_2 \cdot A_{12} \qquad (2.11)$$

W układzie będącym w równowadze dominuje emisja spontaniczna. Jeśli chcemy, aby dominowała emisja wymuszona, musimy wyprowadzić system z równowagi powodując, że składnik dotyczący emisji spontanicznej jest pomijalny. Możemy to zrobić zwiększając ρ_v. W ten sposób sprawimy, że obsadzenia dwóch poziomów energetycznych staną się co najmniej równe (można wykazać, że $B_{12} = B_{21}$). Jednak, jak zobaczymy później, w celu zbudowania lasera powinniśmy — w istocie rzeczy — spowodować spełnienie warunku $N_2 > N_1$.

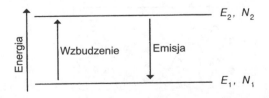

Rys. 2.8 Wzbudzenie i emisja w układzie o dwóch poziomach energetycznych

2.9 ŚWIATŁO LASEROWE

Słowo laser jest akronimem słów angielskich *light amplification by the stimulated emission of radiation* (wzmacnianie światła przez wymuszoną emisję promieniowania). Emisję wymuszoną, tworzącą drugą część tej nazwy, już omawialiśmy stwierdzając, jaki warunek należy spełnić, aby emisja wymuszona dominowała nad spontaniczną. Powinniśmy teraz zająć się pierwszą częścią nazwy, od której pochodzi akronim „laser" — a więc wzmacnianiem światła. To właśnie wzmacnianie światła powoduje, że zależności które, jak stwierdziliśmy, istnieją między fotonem wymuszającym i emitowanym, obowiązują dla wszystkich fotonów w wiązce światła otrzymywanego z wyjścia lasera. Aby zrozumieć dlaczego wzmacnianie światła jest tak ważne, trzeba bardziej szczegółowo przeanalizować, co się dzieje wewnątrz źródła światła.

Wyobraźmy sobie, że w jakimś pojemniku mamy 100 atomów. Zakłóciliśmy równowagę poziomów energetycznych w taki sposób, że 50 atomów jest w stanie wzbudzenia, a 50 — w stanie podstawowym. Wyobraźmy sobie teraz, że jeden ze wzbudzonych atomów powraca do stanu podstawowego, emituje foton, który przechodząc obok innego wzbudzonego atomu, wywołuje wymuszoną emisję drugiego fotonu. Te dwa fotony wymuszą teraz emisję dwóch dalszych, mamy już więc cztery fotony, wywołujące emisję dalszych czterech, w sumie będzie już osiem fotonów, które wywołają emisję dalszych ośmiu itd., aż do wykorzystania wszystkich wzbudzonych atomów. Następuje więc proces kaskadowy, który przedstawiono na rys. 2.9. W istocie rzeczy, w omówionym procesie nastąpiło wzmocnienie światła: foton pierwotny dał wiele fotonów — wszystkie o energii, fazie, kierunku i polaryzacji takich samych jak w fotonie pierwotnym.

Rozpatrując zachodzące zjawiska pominęliśmy fakt, że niektóre fotony mogą zostać pochłonięte przez atomy będące w stanie podstawowym. Prawdopodobieństwo absorpcji fotonu zależy oczywiście od liczby atomów w stanie podstawowym. Im mniej ich jest, tym więcej wolnych fotonów może uczestniczyć w procesie emisji wymuszonej. Okazuje się więc, że jeśli chcemy wzmacniać światło, to powinniśmy mieć więcej atomów w stanie wzbudzonym niż w stanie podstawowym. Inaczej mówiąc musimy odwrócić normalny rozkład obsadzeń poziomów energetycznych spełniając warunek $N_2 > N_1$.

Ćwiczenie 3

Opisz, nie zaglądając do książki, kaskadowy proces emisji. Jaka jest zależność między długością fali, kierunkiem, fazą i polaryzacją wszystkich fotonów wytwarzanych w tym procesie?

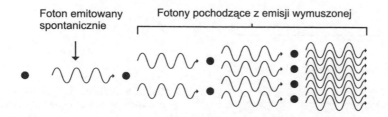

Foton emitowany spontanicznie

Fotony pochodzące z emisji wymuszonej

Rys. 2.9 Proces kaskadowy

2.10 UZYSKANIE INWERSJI OBSADZEŃ POZIOMÓW ENERGETYCZNYCH

Nie jest możliwe osiągnięcie inwersji obsadzeń między wszystkimi poziomami energetycznymi. Uzyskanie takiej inwersji zależy od:
a) liczby poziomów energetycznych, których ma ona dotyczyć,
b) właściwości tych poziomów.
Rozpatrzymy kolejno obie przedstawione zależności.

W punkcie 2.8 zauważyliśmy, że najlepszą rzeczą, jaką mogliśmy uczynić z naszym układem o dwóch poziomach energetycznych, było uzyskanie jednakowych obsadzeń dolnego i górnego poziomu. A zatem w prostym systemie o dwóch poziomach energetycznych nigdy nie osiągniemy wzmacniania światła, nawet w przypadku emisji wymuszonej. Aby umożliwić wzmacnianie światła, musimy wziąć pod uwagę układ o co najmniej trzech poziomach energetycznych. Rzeczywiście, większość laserów to układy o trzech lub czterech poziomach energetycznych.

W punkcie 2.6 zetknęliśmy się z problemem czasu życia stanu wzbudzonego i mogliśmy zapisać równanie wyrażające zależność między energią przejścia i spodziewanym czasem życia danego stanu. Jest to zależność bardzo ogólna, sformułowana przy założeniu, że wszystkie przejścia są jednakowo prawdopodobne. Jednak według zasad mechaniki kwantowej niektóre przejścia są zabronione. W praktyce przejścia takie też się zdarzają, gdyż rzeczywistość nie zawsze ściśle trzyma się reguł. Trwają one jednak nienormalnie długo, a więc takie stany wzbudzone mają niezwykle długi czas. Stany te traktowane jako szczególnie stabilne nazwano *stanami metastabilnymi*. Jeśli chcemy osiągnąć znaczną inwersję obsadzeń poziomów energetycznych, to jest pożądane, aby górny poziom przejścia mającego dawać światło laserowe był poziomem metastabilnym. Można wówczas łatwiej uzyskać potrzebną inwersję, gdyż atomy mogą być szybciej wzbudzane do stanu metastabilnego niż z niego wychodzić. Dlatego w laserach, w procesie emisji wymuszonej, jako górny poziom energetyczny stosuje się zwykle stan metastabilny.

Możemy teraz sporządzić ogólny schemat poziomów energetycznych lasera. Jest konieczny dwu- lub trójpoziomowy układ poziomów energetycznych ze stanem metastabilnym u góry przejścia dającego światło laserowe. Przykład układu systemu o trzech poziomach przedstawiono na rys. 2.10. Po pompowaniu stan równowagi poziomów pokazany na rys. 2.10a zmienia się na stan przedstawiony na rys. 2.10b. Przejście laserowe następuje między poziomami E_1 i E_0. W przypadku idealnym przejście między poziomami E_2 i E_1 powinno być możliwie jak najszybsze, aby poprawić szybkość gromadzenia się atomów będących w górnym stanie wzbudzonym, a zatem uzyskać lepszą inwersję obsadzeń. Stan energetyczny E_1 jest stanem metastabilnym. Poziom energetyczny E_2 w przypadku idealnym zawiera pasmo poziomów energetycznych o pewnej szerokości, aby jak najlepiej wykorzystać moc pompowania, która może mieścić się w pewnym przedziale energetycznym.

Sporządziwszy już prototypowy schemat poziomów energetycznych lasera, powinniśmy dokładniej przyjrzeć się praktycznym aspektom tej kwestii. Spojrzawszy na rozkład Boltzmanna można zauważyć, że

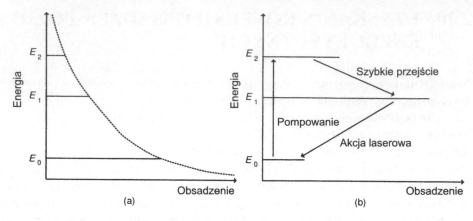

Rys. 2.10 Obsadzenie poziomów w układzie o trzech poziomach energetycznych
a — w stanie równowagi, *b* — daleko od równowagi, po pompowaniu

$$\frac{N_i}{N_{i+1}} > \frac{N_{i+1}}{N_{i+2}} \tag{2.12}$$

gdzie liczba występowania poziomu *i*-tego jest dana przez N_i.

Zatem ponieważ inwersja obsadzeń poziomów jest stanem względnym, liczba atomów, która musi być przepompowana do poziomu energetycznego $(i+2)$, żeby uzyskać inwersję obsadzenia w stosunku do poziomu $(i+1)$ jest mniejsza niż liczba atomów, która powinna być przepompowana do poziomu $(i+1)$ dla osiągnięcia inwersji w stosunku do poziomu *i*-tego. W przedstawionym schemacie prototypowym uzyskanie inwersji między poziomami przejścia laserowego jest trudne, gdyż to przejście następuje między poziomami E_1 i E_0, gdzie stosunek obsadzeń poziomów jest największy. Możemy rozwiązać ten problem jednym z dwóch sposobów:
a) realizując przejście laserowe między dwoma poziomami górnymi,
b) przesuwając cały schemat poziomów o jeden poziom w górę, aby niższy poziom nie był poziomem podstawowym.
Każde z tych rozwiązań (lub kombinacja obu) znalazło zastosowanie w różnych laserach.

Praca własna

Sugerowano, że lepszą nazwą dla lasera byłby „loser" (ang. „ten, co traci"). Oblicz typowe wartości sprawności przetwarzania energii elektrycznej na optyczną w laserach i sam zdecyduj, która nazwa jest lepsza.

2.11 UZYSKANIE WYMAGANYCH WŁAŚCIWOŚCI LASERA

Określiliśmy już niektóre właściwości, jakie powinien mieć materiał będący potencjalnym materiałem laserowym. Musi on mieć przejścia energetyczne, dające promieniowanie w widzialnej części widma. Powinna istnieć możliwość pompowania elektronów do tych poziomów, aby proces emisji wymuszonej dominował nad procesem emisji spontanicznej.

Wreszcie, górny poziom energetyczny tych przejść powinien być stanem metastabilnym, co umożliwi osiągnięcie inwersji obsadzeń poziomów elektronami, a więc uzyskanie wzmacniania światła. Wybrawszy materiał spełniający wszystkie te kryteria, zastanówmy się, co dalej powinniśmy z nim zrobić, aby uzyskać na wyjściu światło o spodziewanych właściwościach. Rozpatrując proces kaskadowy (p. 2.9) założyliśmy, że wszystkie fotony pochodziły od pojedynczego fotonu powstałego w wyniku emisji spontanicznej. W rezultacie powstające światło wykazywało cechy światła laserowego. Po krótkim zastanowieniu dojdziemy do wniosku, że w próbce zawierającej miliony atomów, więcej niż jeden atom może spontanicznie wyemitować foton. Przyjmując, że każdy z tych fotonów może wytworzyć swą własną kaskadę, otrzymamy dla każdego z nich wiele fotonów o tej samej energii, fazie, polaryzacji i kierunku. Jednak ponieważ faza, polaryzacja i kierunek fotonów emitowanych spontanicznie mają rozkład przypadkowy, a ich energia może przyjmować jedną z kilku wartości (dla różnych przejść energetycznych), więc w rezultacie uzyskamy fotony poruszające się w kilku różnych kierunkach, o różnej fazie, polaryzacji i energii. A więc jak wybrać te fotony, które są potrzebne? Najważniejszą rzeczą, o której trzeba pamiętać, jest fakt, że wytwarzanie światła przez emisję wymuszoną jest procesem, w którym istnieje konkurencja. Przez odpowiednie zaprojektowanie lasera możemy wspierać fotony pożądane kosztem tych, które mają niewłaściwą energię, polaryzację, kierunek lub fazę.

Ćwiczenie 4

Oszacuj liczbę atomów w rurze laserowej helowo-neonowej, w której panuje ciśnienie gazu równe 240 Pa. Załóż, że rura ma średnicę 2 mm i długość 20 cm oraz że w 22,4 litra gazu o ciśnieniu atmosferycznym znajduje się $6 \cdot 10^{23}$ atomów (1 atmosfera = $1,013 \cdot 10^5$ Pa)

2.12 WYBÓR KIERUNKU

Właściwością najczęściej kojarzoną ze światłem laserowym jest jego ścisła kierunkowość; całe światło lasera jest emitowane w jednym kierunku, w odróżnieniu od zwykłej żarówki emitującej światło we wszystkich kierunkach. Jest to jedna z najbardziej użytecznych cech lasera. Jak wiemy z rozważań z p. 2.11, musimy wspierać tę kierunkowość wspomagając fotony poruszające się w pożądanym przez nas kierunku, aby wywoływały emisję wymuszoną jak największej liczby fotonów poruszających się w tym właśnie kierunku, kosztem fotonów o innych kierunkach emisji. Najłatwiejszym sposobem realizacji tego zadania jest użycie zwierciadeł.

W układzie przedstawionym na rys. 2.11 po obu stronach aktywnego ośrodka lasera umieszczono płaskie zwierciadła. Jeśli są idealnie równoległe, to foton padający prostopadle na jedno z nich może, jeśli nie ma pochłaniania, ulegać odbiciom między zwierciadłami tam i z powrotem nieskończenie długo. Taki foton ma więc bardzo wiele możliwości wywołania wymuszonej emisji fotonów ze wzbudzonych atomów, które mija na swej drodze. Wszystkie wyemitowane w ten sposób fotony będą miały kierunek ten sam, co pierwszy foton. Jako przeciwieństwo tej sytuacji, rozważmy foton padający na zwierciadło pod pewnym kątem różnym od prostego. Taki foton wędrując tam i z powrotem będzie poruszał się zygzakiem. Liczba jego odbić będzie więc ograniczona,

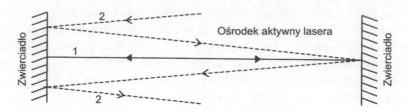

Rys. 2.11 Zastosowanie zwierciadeł w celu wymuszenia kierunku rozchodzenia się fotonów w wiązce laserowej
1 — droga fotonu padającego prostopadle na oba zwierciadła, *2* — droga fotonu padającego pod pewnym kątem w stosunku do prostopadłej do zwierciadła

gdyż tor fotonu wyjdzie poza granice jednego ze zwierciadeł. Taki foton ma więc bardzo ograniczone możliwości wymuszenia emisji innych fotonów, które też będą miały małe możliwości wywołania dalszej emisji. Tak więc zwierciadła ograniczają możliwości „reprodukcji" przez:

- ograniczenie czasu, gdy foton znajduje się we wnęce rezonansowej — to wspomaga emisję fotonów, poruszających się wzdłuż lub równolegle do optycznej (linii łączącej środki obu zwierciadeł),
- wykorzystanie faktu, że — dzięki procesowi wzmacniania — więcej fotonów wytwarza coraz więcej dalszych.

Widzimy więc, że wytwarzanie fotonów staje się bardzo ukierunkowane i większość emitowanych fotonów porusza się wzdłuż osi optycznej.

Możemy więc wykorzystać emisję wymuszoną i procesy wzmacniania światła do wybrania jednego kierunku emisji światła. Stosując tę technikę nie musimy tracić znacznej części emitowanej energii świetlnej, lecz prawie całą emitujemy w fotonach poruszających się w pożądanym kierunku. Warto zauważyć, że w wielu konfiguracjach zwierciadeł nie stosuje się zwierciadeł płaskich. W niektórych zastosowaniach i laserach odbicie światła przez zwierciadła jest problemem, gdyż powoduje osłabienie światła. Dlatego niektórzy projektanci wnęki rezonansowej zastępują jedno lub oba zwierciadła płaskie zwierciadłem zakrzywionym. Niektóre popularne konfiguracje wnęki rezonansowej przedstawiono na rys. 2.12, na którym r_1 i r_2 są promieniami krzywizn zwierciadeł.

W rzeczywistości nie całe promieniowanie lasera rozchodzi się w jednym kierunku. Nawet w najlepszych laserach następuje pewne rozproszenie wiązki wywołane

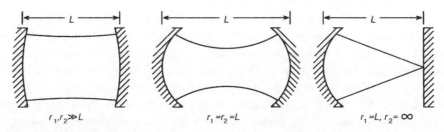

Rys. 2.12 Często stosowane konfiguracje wnęk rezonansowych, w których jedno lub oba zwierciadła nie są zwierciadłami płaskimi

dyfrakcją. Jest to nazywane dywergencją, której jednostką jest miliradian (mrad). Dywergencja równa 1 mrad oznacza, że średnica wiązki wzrasta o 1 mm na każdy metr drogi wiązki.

2.13 WYBÓR ENERGII

W naszych rozważaniach nad wytwarzaniem światła przyjęliśmy do wiadomości, że istnieje cały zakres różnych przejść energetycznych powodujących emisję światła i że każde z tych przejść daje światło o określonej energii (długości fali). Na przykład w warunkach istniejących wewnątrz Słońca zakres wytwarzanych energii ma charakter ciągły i dlatego światło słoneczne zawiera fotony o długościach fali pokrywających m.in. cały zakres widzialny. Jednak w układzie, który rozpatrywaliśmy (tzn. w atomach gazu) liczba możliwych energii fotonów jest ograniczona i nie tworzy części widma ciągłego. Takie układy są źródłami dającymi widmo składające się z linii energetycznych. Linie widma energetycznego lampy sodowej zestawiono w tablicy 2.1.

TABLICA 2.1 LINIE ENERGETYCZNE WIDMA
EMISYJNEGO SODU

Długość fali [nm]	Barwa
616,25	czerwona
589,3	żółta
568,8	zielona
515	zielona
498,1	niebiesko-zielona
466,7	niebieska
449,6	niebieska

Trzeba wiedzieć, że nie wszystkie linie energetyczne mają jednakowe natężenie. Niektóre przejścia energetyczne są uprzywilejowane w stosunku do innych. Sód jest dobrym tego przykładem. Z lampą sodową kojarzy nam się silna barwa żółto--pomarańczowa, a jak wynika z tablicy 2.1 jest to tylko jedna z kilku linii w widmie sodu. Inne linie są w porównaniu z nią tak słabe, że niewiele wnoszą do barwy emitowanego światła.

Stanem pośrednim między zagęszczoną materią Słońca a bardzo rzadką materią gazu są ciała stałe, np. rozżarzone metale, w których charakter widma energetycznego fotonów jest pośredni między ciągłym widmem światła słonecznego a widmem dyskretnym złożonym z linii energetycznych.

Jedyną szczególną właściwością laserów, jako źródeł światła, jest fakt, że mają stany metastabilne na wyższych poziomach energetycznych przejść dających emisję fotonów. Pod wszystkimi innymi względami lasery nie różnią się od konwencjonalnych źródeł światła i mogą mieć kilka przejść energetycznych. Wszystkie lub tylko niektóre z nich dają światło laserowe. W jaki sposób wybieramy więc jedno z tych przejść energetycznych i uzyskujemy „jednobarwne" właściwości charakterystyczne dla lasera? Są używane dwie techniki. W jednej stosuje się filtry dielektryczne, a w drugiej — do wnęki rezonansowej wprowadza się dodatkowe elementy optyczne.

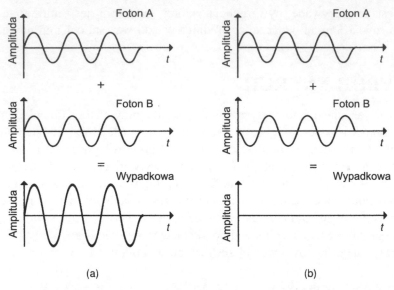

(a)   (b)

Rys. 2.13 Interferencja:
a — wzmacniająca, *b* — wygaszająca

2.13.1 Wybór długości fali za pomocą filtrów dielektrycznych

Filtry stosuje się powszechnie w laserach przeznaczonych do emisji światła o jednej długości fali. Działają one na zasadzie selektywnego odbicia światła, czyli zjawiska, które możemy zobaczyć za każdym razem, gdy obserwujemy barwę oleju lub cienkiej warstwy (błonki) z mydła, oświetlane światłem białym dają wrażenie barwnych. Błonka jest przezroczysta, więc kolor nie jest wynikiem absorpcji światła, lecz jego interferencji, zjawisku wyjaśnionemu na rys. 2.13.

Rozważmy dwa fotony, *A* i *B*, padające w tym samym czasie w ten sam punkt. Całkowita amplituda pola elektrycznego w tym punkcie jest sumą pól elektrycznych pochodzących od dwóch fal. Jest ona oczywiście zmienna w czasie, ponieważ natężenia pól *E* obu fal też zmieniają się w funkcji czasu. W celu zilustrowania tego zjawiska rozpatrzymy dwa przypadki szczególne.

Przypadek 1. Fale są ze sobą w tej samej fazie (rys. 2.13*a*).

Jeśli fale są w fazie, to pola *E* obu fal osiągają maksimum, zero i minimum w tej samej chwili. A więc całkowity wynik będzie taki jak dla jednej fali, lecz o wartości dwa razy większej niż dla każdej z dwóch fal; jedna fala wzmacnia drugą. Jest to tzw. *interferencja wzmacniająca*.

Przypadek 2. Fale są przesunięte w fazie o 180° (rys. 2.13*b*).

W tym przypadku natężenie pola *E* fali *A* osiąga maksimum wtedy, gdy fala *B* ma minimum i vice versa. Tak więc, gdy pola obu fal się sumują, wynik jest zawsze równy zero — jedna fala wykasowuje drugą. Jest to tzw. *interferencja wygaszająca*.

Pomiędzy tymi dwiema skrajnymi sytuacjami występuje zjawisko wygaszania częściowego.

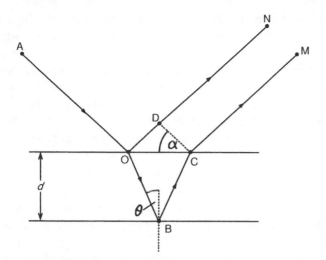

Rys. 2.14 Interferencja światła odbitego od górnej i dolnej powierzchni cienkiej warstwy (np. błony)

Rozpatrzmy teraz światło odbite od górnej i dolnej powierzchni warstwy, jak to przedstawiono na rys. 2.14. Promień światła *AO* pada na cienką warstwę o równoległych powierzchniach, o grubości *d* i współczynniku załamania *n*. Część światła ulega odbiciu w punkcie *O* i przebiega wzdłuż prostej *ON*, a część załamuje się w warstwie i odbywa drogę *OBCM*. To oznacza, że promień odbity przebywa drogę o długości optycznej $(AO + ON)$, promień załamany zaś — $[AO + n(OB + BC) + CM]$, gdzie $CM = ON - OD$. Zauważmy, że długość drogi optycznej nie jest tutaj tym samym, czym długość drogi fizycznej. Drogę optyczną można obliczyć mnożąc fizyczną długość drogi przez współczynnik załamania światła materiału, przez który światło przechodzi. Z tego wynika, że fizyczne długości dróg *OB* i *BC* mają długości optyczne *nOB* oraz *nBC*, gdzie *n* jest współczynnikiem załamania materiału warstwy. W powietrzu natomiast, współczynnik załamania światła jest równy 1 i długości drogi fizycznej i optycznej są jednakowe. Różnicę dróg optycznych obu promieni można zapisać jako

$$[AO + n(OB + BC) + (ON - OD) - (AO + ON)] = n(OB + BC) - OD$$

Z zależności geometrycznych wynika, że

$$OB = BC = d/\cos\theta$$
$$OD = OC\sin\alpha = OCn\sin\theta = 2nd\,\mathrm{tg}\,\theta\sin\theta = 2nd\sin^2\theta/\cos\theta$$

Różnica dróg (*r.d.*) jest zatem określona wzorem

$$r.d. = \frac{2nd}{\cos\theta} - \frac{2nd\sin^2\theta}{\cos\theta} = \frac{2nd}{\cos\theta}(1 - \sin^2\theta) = 2nd\cos\theta \qquad (2.13)$$

Musimy wszakże uwzględnić też fakt, że gdy światło odbija się od powierzchni ośrodka o większej gęstości (co następuje w punkcie *O* — rys. 2.14), to następuje zmiana fazy o 180°. Jest to równoważne różnicy drogi wynoszącej $\lambda/2$. A zatem całkowita różnica dróg Δd jest równa

$$\Delta d = 2nd\cos\theta - \frac{\lambda}{2} \qquad (2.14)$$

Jeśli $\Delta d = (m + 1/2)\lambda$, gdzie $m = 0, 1, 2,...$, to występuje interferencja wzmacniająca. Jeśli zaś $\Delta d = m\lambda$, to interferencja jest wygaszająca. Łatwo spostrzec, że wartość Δd zależy od grubości warstwy, współczynnika załamania i od kąta padania. Przy danej wartości Δd rodzaj interferencji (wzmacniająca lub wygaszająca) zależy od długości fali świetlnej. Dlatego, jeśli białe światło odbija się od cienkiej warstwy, to wydaje się, że jest kolorowe. Można to zrozumieć przypomniawszy sobie, że światło białe składa się z fotonów o różnych długościach fali, od nadfioletu do podczerwieni oraz że fotony o różnych długościach fali, w pewnej proporcji liczbowej względem siebie, dają wrażenie barwy nazywanej białą. Po odbiciu od górnej i dolnej powierzchni warstwy światło o każdej długości fali ulega interferencji, tak więc całkowita równowaga natężenia światła o różnych długościach fali zostaje naruszona, gdyż niektóre długości fali ulegają całkowitej lub częściowej interferencji wygaszającej. Z tego wynika fakt, że barwa światła odbitego, które widzimy, nie jest już biała i zmienia się w zależności od kąta widzenia.

Zastąpmy teraz w laserze końcowe zwierciadła szkłem w postaci kilku cienkich warstw o znanej grubości. Kąt padania jest równy 0° (prostopadle do powierzchni) a optyczna grubość warstwy (która, przypomnijmy sobie, jest iloczynem fizycznej grubości i współczynnika załamania) jest tak dobrana, aby następowało odbijanie światła o żądanej długości fali. Światło o innych długościach fali ulega, w mniejszym lub większym stopniu, interferencji wygaszającej. Ponieważ na każdej granicy ośrodków tylko pewna część światła ulega odbiciu, więc układa się pewną liczbę takich warstw, aby poprawić całkowitą sprawność odbicia światła.

Przykład 3

Pytanie: Białe światło pada na cienką warstwę pod kątem 35°. Oblicz minimalną niezbędną grubość tej warstwy, aby nastąpiła interferencja wzmacniająca przy odbiciu światła o długości fali 633 nm. Można założyć, że współczynnik załamania światła w warstwie jest dla tej długości fali równy 1,5.

Odpowiedź: Chcemy uzyskać interferencję wzmacniającą, więc $\Delta d = (m + 1/2)\lambda$. To znaczy, że

$$\left(m + \frac{1}{2}\right)\lambda = 2nd\cos\theta - \frac{\lambda}{2}$$

$$d = \frac{(m+1)\lambda}{2n\cos\theta}$$

Wartość d jest proporcjonalna do $(m + 1)$, więc minimalna wartość d występuje dla $m = 0$. To daje wzór

$$d_{min} = \frac{\lambda}{2n\cos\theta} = \frac{633 \cdot 10^{-9}}{2 \cdot 1,5 \cdot \cos 35°} = 258 \; nm$$

Praca własna

1. Wiele osób stosuje teraz okulary z tzw. *pokryciem antyodbiciowym*. Dowiedz się, co to znaczy i jak działa.

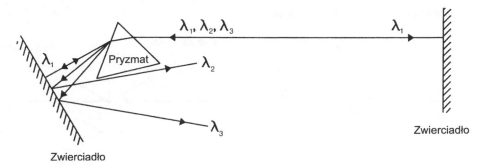

Rys. 2.15 Zastosowanie pryzmatu do wyboru jednej, spośród kilku, długości fali we wnęce rezonansowej lasera

2. Co się dzieje z barwą, którą widzisz, gdy oświetlasz jakąś warstwę o stałej grubości światłem białym, a następnie zmieniasz kąt widzenia? Sprawdź swoją teorię na warstwach oleju (patrz w ten sam punkt, gdyż w innym razie grubość warstwy przez którą przebiega światło nie będzie stała) lub obserwując opalizujące pióra ptaków (np. pawia). W obu przypadkach barwa jest wywołana przez interferencję.

2.13.2 Wybór długości fali metodami optycznymi

W laserach, w których jest możliwy wybór długości fali światła laserowego i użytkownik pragnie mieć dostęp do wszystkich długości fali, można we wnęce rezonansowej, w pobliżu jednego ze zwierciadeł, umieścić szklany pryzmat. Współczynnik załamania szkła zmienia się z długością fali, więc nawet jeśli fotony o różnych długościach fali padają na pryzmat pod tym samym kątem, to opuszczą go pod różnymi kątami. Tak więc pryzmat może być „strojony kątowo" w taki sposób, że tylko światło o określonej długości fali pada na zwierciadło prostopadle do jego powierzchni i jest odbijane wstecz wzdłuż tego samego toru, który przebywa foton padający. Pożądana długość fali jest wybierana przez obrót pryzmatu, jak to pokazano na rys. 2.15.

W obu omówionych metodach wyboru długości fali korzysta się z emisji wymuszonej i procesów wzmacniania światła w celu reprodukowania wybranych fotonów z odrzuceniem tych, których nie chcemy zachować.

2.14 WYBÓR POLARYZACJI

Stwierdziliśmy, w jaki sposób istnienie więcej niż jednego fotonu emitowanego spontanicznie może prowadzić do wytwarzania fotonów o różnych kierunkach i energiach. Zobaczyliśmy, w jaki sposób odpowiednie zaprojektowanie wnęki rezonansowej lasera może ograniczyć emisję do jednego kierunku i energii. Również płaszczyzny drgań pól elektrycznych fotonów mogą przyjmować różne kierunki, inna może być płaszczyzna dla każdego fotonu emitowanego spontanicznie. Jeśli mamy uzyskać światło spolaryzowane, a więc chcemy, aby wszystkie pola elektryczne fotonów drgały w tej samej płaszczyźnie, to musimy jeszcze bardziej udoskonalić wnękę rezonansową. Trzeba podkreślić, że nie wszystkie lasery dają światło spolaryzowane. Dodatkowa optyka podwyższa koszty,

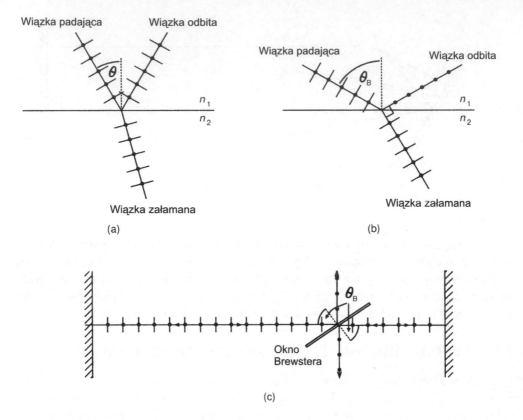

Wiązka padająca   Wiązka odbita

θ

n_1
n_2

Wiązka załamana

(a)

Wiązka padająca   Wiązka odbita

θ_B

n_1
n_2

Wiązka załamana

(b)

θ_B

Okno Brewstera

(c)

Rys. 2.16 Wyjaśnienie działania okna Brewstera
a — przy małych kątach padania światło odbite zawiera fotony o obu polaryzacjach, *b* — przy kącie padania równym kątowi Brewstera światło odbite zawiera fotony tylko o jednej polaryzacji, *c* — działanie okna Brewstera we wnęce rezonansowej lasera

dlatego tańsze lasery mogą nie mieć dodatkowych optycznych układów polaryzujących, o ile nie są one niezbędne w przewidywanych zastosowaniach.

Światło spolaryzowane wytwarza się w taki sam sposób, jak światło o jednym kierunku i o jednej energii — a więc przez selekcję i potem uprzywilejowanie emisji dalszych fotonów o określonej polaryzacji, kosztem fotonów o innych polaryzacjach. Wykorzystujemy do tego celu właściwości odbicia światła od płaskiej powierzchni przezroczystej.

Proszę zwrócić uwagę na rys. 2.16. Światło padające na powierzchnię nie jest spolaryzowane. Kierunek pola elektrycznego każdego fotonu możemy rozłożyć na dwie składowe prostopadłe do siebie, dlatego światło poruszające się w płaszczyźnie stronicy książki jest przedstawiane w sposób umowny, jak pokazano na rysunku. Kropki wskazują na kierunek drgań pola elektrycznego prostopadły do płaszczyzny stronicy; jest to składowa prostopadła. Kreskami są zaznaczone drgania następujące w płaszczyźnie stronicy; jest to składowa równoległa. Załóżmy, że początkowe pole elektryczne ma obie te składowe jednakowe. Przy padaniu na powierzchnię składowa równoległa łatwiej oddziałuje z ośrodkiem przezroczystym. W rezultacie, w świetle załamanym w ośrodku przezroczystym, amplituda składowej równoległej jest większa niż składowej prostopadłej, a światło odbite od powierzchni zawiera więcej składowej prostopadłej niż równoległej. Gdy kąt padania wzrasta, to względna amplituda składowej równoległej w świetle odbitym zmniejsza się (jak to pokazano na rys. 2.16b) osiągając zero przy pewnym określonym kącie padania. Innymi słowy, odbita wiązka zawiera wtedy tylko fotony spolaryzowane w płaszczyźnie prostopadłej do płaszczyzny stronicy książki; wszystkie fotony ze składową polaryzacji w płaszczyźnie stronicy (także pewna część tych spolaryzowanych prostopadle) ulegają załamaniu i wnikają do ośrodka przezroczystego. Przy tym kącie padania wiązki odbita i załamana są prostopadłe do siebie. Taki kąt padania nosi nazwę kąta Brewstera θ_B i jest określony wzorem

$$\theta_B = \mathrm{tg}^{-1}\left(\frac{n_2}{n_1}\right) \tag{2.15}$$

gdzie: n_1 i n_2 — współczynniki załamania materiałów po obu stronach granicy ośrodków.

Ćwiczenie 5

Oblicz kąt Brewstera dla światła padającego z powietrza na szkło. Można założyć, że $n_{\text{powietrza}} = 1$; $n_{\text{szkła}} = 1{,}5$.

Praca własna

Filtry polaryzujące są często stosowane w kamerach, gdy wykonuje się zdjęcia obiektów znajdujących się za powierzchniami odbijającymi światło, np. obiektów w wodzie lub za szkłem. Dlaczego te filtry pomagają wyraźniej widzieć obiekty? Jeśli możesz, to pożycz taki filtr i sam sprawdź swoją teorię.

Możemy więc w laserze wybrać polaryzację światła umieszczając „okno Brewstera" we wnęce rezonansowej lasera. Okno będzie eliminowało (przez ich odbijanie) fotony o jednej polaryzacji, pozostawiając te o innej polaryzacji, które przez wzmacnianie, będą reprodukowane w sposób uprzywilejowany. Dokładniejsze przyjrzenie się rysunkowi 2.16b pozwala zauważyć, że wiązka załamana zawiera fotony o obu polaryzacjach, więc czasem trzeba zastosować stos płytek, aby uzyskać wystarczającą eliminację fotonów spolaryzowanych prostopadle do płaszczyzny stronicy książki. Jeśli wymagany stopień polaryzacji światła z lasera nie jest duży, to wystarczą dwa pojedyncze okna Brewstera, umieszczone z każdej strony wnęki rezonansowej. Trzeba wszakże pamiętać, że nawet jedna lub dwie płytki Brewstera, dzięki wielokrotnym przejściom we wnęce rezonansowej lasera, są równoważne setkom lub tysiącom płytek. Działanie okna Brewstera we wnęce laserowej pokazano schematycznie na rys. 2.16c.

2.15 WYBÓR FAZY

Stwierdziliśmy, że światło na wyjściu lasera nie zawsze jest spolaryzowane. Również nie wszystkie lasery dają światło spójne, czyli takie, w którym wszystkie fotony są w tej samej fazie. Spójność światła jest właściwością najtrudniejszą do zrealizowania w laserze w sposób idealny. W niektórych zastosowaniach skonstruowanie lasera, idealnego pod

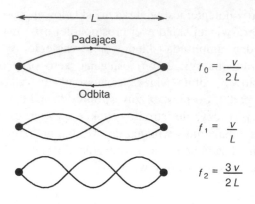

$$f_0 = \frac{v}{2L}$$

$$f_1 = \frac{v}{L}$$

$$f_2 = \frac{3v}{2L}$$

Rys. 2.17 Mody struny gitarowej

tym względem, może nastręczać trudności. Aby zrozumieć, jak osiągnąć spójność (koherencję) światła, przyjrzyjmy się bliżej działaniu laserowej wnęki rezonansowej.

Rozważmy strunę, np. gitary, rozciągniętą między dwoma umocowanymi punktami (rys. 2.17). Ma ona pewną własną częstotliwość rezonansową, związana z nią długość fali jest równa podwójnej odległości L między umocowanymi punktami. Powstaje fala stojąca o tej częstotliwości, co oznacza, że fala poruszająca się w jednym kierunku wzdłuż struny jest przesunięta w fazie dokładnie o 180° w stosunku do fali odbitej, poruszającej się w kierunku przeciwnym. Struna będzie więc drgać, jak to przedstawiono na rys. 2.17, z maksymalną amplitudą drgań po środku, a zerową na dwóch jej końcach. Zwiększając częstotliwość drgań spowodujemy powstanie nowych fal stojących o częstotliwościach będących wielokrotnościami częstotliwości podstawowej. Wszystkie te częstotliwości, włącznie z podstawową, są modami struny. Odstęp częstotliwości Δf tych modów jest określony wzorem

$$\Delta f = \frac{v}{2L} \tag{2.16}$$

gdzie:
v — szybkość rozchodzenia się fali,
L — długość struny.

Powróćmy teraz do rozważań nad wnęką rezonansową lasera. Umieszczamy w niej zwierciadła, aby określić kierunek fotonów. Zwierciadła mogą też być pomocne w określaniu fazy, gdyż we wnęce przetrwa tylko takie światło, które tworzy falę stojącą. W tym przypadku powstają fale stojące o takich długościach fali, aby amplituda pola elektrycznego była zerowa przy każdym ze zwierciadeł. (Ponieważ długość fali świetlnej jest znacznie mniejsza od rozmiarów typowej wnęki laserowej, więc mamy do czynienia z modami wyższych rzędów). Z początku to kryterium wydaje się niefortunne, gdyż jest jasne, że we wnęce tylko niektóre długości fali będą uprzywilejowane. Co się stanie, jeśli długość fali światła będzie inna niż jedna z akceptowanych we wnęce? Odpowiedzią może być fakt, że nawet światło zwane monochromatycznym zawiera pewien zakres długości fali. Typowy rozkład długości fali przedstawiono na rys. 2.18. Na rysunku zaznaczono też mody wnęki rezonansowej i jak wynika

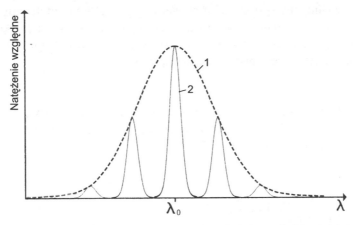

Rys. 2.18 Linia widma światła laserowego, w której szerokości mieści się kilka modów wnęki rezonansowej
1 — naturalny zakres długości fali w świetle „o jednej długości fali", *2* — linie widmowe (o pewnej skończonej szerokości) odpowiadające modom wnęki rezonansowej

z rysunku, w typowym przypadku kilka modów mieści się w tym rozkładzie długości fali. Całkowita szerokość w połowie wysokości jest nazywana *szerokością linii światła laserowego*.

Doszliśmy teraz do istoty problemu selekcji fazy. Stosując zwierciadła i ustalając mody wnęki rezonansowej spowodowaliśmy, że przetrwają tylko fotony, których amplituda pola elektrycznego ma wartość zerową przy obu zwierciadłach. Gdyby się okazało, że tylko jedna długość fali spełnia to kryterium, to by także potencjalnie znaczyło, że wszystkie fotony mają tę samą fazę opuszczając zwierciadła i pozostają w tej samej fazie podczas rozchodzenia się, gdyż mają tę samą długość fali. Jednak, jak to wynika z rys. 2.18, kilka długości fali może koegzystować; zatem chociaż te fotony mogą wychodzić ze zwierciadła w tej samej fazie, to mogą „wyjść" z fazy podczas dalszej propagacji. Właściwości lasera związane z koherencją są więc w sposób wyraźny związane z zakresem możliwych długości fali, czyli z szerokością linii promieniowania źródła. Dlatego definiujemy drogę koherencji L_c określoną jak

$$L_c = \frac{c}{\Delta f} = \frac{\lambda^2}{\Delta \lambda} \tag{2.17}$$

gdzie λ jest środkową długością fali, $\Delta \lambda$ i Δf są szerokościami linii widma. Droga koherencji jest pewnym współczynnikiem dobroci i wyraża odległość propagacji światła, w której zależność fazowa protonów może być przybliżona do idealnej, przy której wszystkie fotony są w fazie.

Warty podkreślenia jest fakt, że występują dwa typy spójności: przestrzenna i czasowa. Wiązka jest całkowicie spójna przestrzennie, jeśli na jej przekroju wykonanym w dowolnej chwili wszystkie fotony mają tę samą fazę. Jeśli wiązka jest całkowicie spójna czasowo, to zmiany pola elektrycznego wiązki w funkcji czasu są czysto sinusoidalne. Ogólnie biorąc wiązki częściej bywają spójne przestrzennie niż czasowo.

Na koniec, powinniśmy spostrzec na podstawie rys. 2.18, że gdybyśmy wybrali tylko jeden z modów wnęki rezonansowej, to znacząco ograniczylibyśmy szerokość linii, a więc zwiększylibyśmy L_c. Jeśli przewidywane zastosowanie nie limituje kosztów, to można to zrobić umieszczając we wnęce dodatkową optykę.

Przykład 4

Pytanie: Oblicz L_c w laserze o $\Delta f = 165$ MHz. Porównaj uzyskaną wartość z wartością L_c dla typowego światła żarówki z włóknem wolframowym. Można założyć, że takie światło ma zakres częstotliwości od 400 do 700 nm.

Odpowiedź: Laser

$$L_c = \frac{c}{\Delta f} = \frac{3 \cdot 10^8}{165 \cdot 10^6} = 1,82 \text{ m}$$

Lampa z włóknem wolframowym: $\Delta \lambda = 300$ nm, $\lambda = 550$ nm

$$L_c = \frac{\lambda^2}{\Delta \lambda} = \frac{(550 \cdot 10^{-9})^2}{300 \cdot 10^{-9}} = 1 \text{ }\mu\text{m}$$

2.16 PODSUMOWANIE

- Światło jest wytwarzane w wyniku przejść elektronów między poziomami energetycznymi w atomie.
- Światło jest falą elektromagnetyczną, częścią widma promieniowania elektromagnetycznego. Rozchodzi się w przestrzeni jako wzajemnie sprzężone, zmienne w czasie fale: magnetyczna i elektryczna.
- „Normalne" światło jest emitowane w wyniku emisji spontanicznej, światło laserowe zaś — w wyniku emisji wymuszonej.
- Światło laserowe jest wytwarzane, gdy zdarzenie emisji wymuszonej inicjuje proces kaskadowy. Proces ten może nastąpić tylko wtedy, gdy występuje inwersja obsadzeń poziomów energetycznych. Ogólnie biorąc, taką inwersję można osiągnąć tylko, jeśli górny poziom przejścia energetycznego jest stanem metastabilnym.
- Kierunkowość światła wysyłanego przez laser uzyskuje się wstawiając zwierciadła z każdej strony we wnęce rezonansowej lasera.
- Długość fali światła uzyskiwanego z lasera można wybierać stosując filtry lub pryzmaty.
- Polaryzację światła uzyskiwanego z lasera można wybierać stosując okna Brewstera.
- Spójność światła uzyskiwanego z lasera jest częściowo ustalona przez umieszczenie zwierciadeł we wnęce rezonansowej lasera. Trudno jest osiągnąć stan idealny, w którym wszystkie elektrony miałyby tę samą fazę, lecz czym mniejsza jest szerokość linii energetycznej światła, tym bliżej jesteśmy tego ideału.

2.17 ZADANIA

2.1 Atom potasu (K) ma 19 elektronów. Korzystając z reguły zakazu Pauliego określ, jakie jest rozmieszczenie tych elektronów na poziomach energetycznych. Zajrzyj do podręcznika chemii nieorganicznej, aby sprawdzić czy masz rację. Jeśli nie masz racji, to dlaczego?

2.2 Rtęć daje światło o długości fali 436 nm. Jaka jest energia tego przejścia:
a — w dżulach,
b — w elektronowoltach?

2.3 Wodór daje serię linii energetycznych w zakresie światła widzialnego i nadfioletu o długościach fali: 408 nm, 432 nm, 484 nm i 653 nm. Przyjmując, że dolny poziom energetyczny dla wszystkich przejść jest taki sam i że serie odpowiadają przejściom z kolejnych poziomów energetycznych, tzn. z $n_j \rightarrow n_i$, $n_{j+1} \rightarrow n_i$, $n_{j+2} \rightarrow n_i$, itd., określ liczby i oraz j dla tej serii. Przyjmij $E_m = (13,6/m^2)$ eV oraz że i, j, m są liczbami całkowitymi.

2.4 Foton ma długość fali 532 nm. Jakie są:
a — częstotliwość kątowa,
b — liczba falowa związana z tym fotonem?

2.5 Pewien stan wzbudzony ma czas życia $3 \cdot 10^{-16}$ s. Jaka, Twoim zdaniem, jest energia związanego z nim przejścia energetycznego?

2.6 Oblicz stosunki obsadzeń górnego i dolnego poziomu dla przejścia energetycznego 653 nm w wodorze w temperaturze 293 K.

2.7 Co się stanie z procesem kaskadowym, jeśli foton, wytworzony drogą emisji wymuszonej, jest pochłaniany za każdym razem? Ten proces jest podstawą przełączania Q w laserach. Dowiedz się, czym jest proces Q i dlaczego jest stosowany.

2.8 Lasery ekscimerowe dające promieniowanie nadfioletowe są niezwykłe z tego względu, że pracują przy ciśnieniu dodatnim, tzn. ciśnienie wewnątrz lasera jest większe niż ciśnienie atmosferyczne. Oszacuj liczbę atomów wewnątrz lasera, jeśli ciśnienie wewnętrzne jest równe 2,6 atmosfery, a wnęka rezonansowa lasera ma pojemność 20 litrów.

2.9 Laser He-Ne charakteryzuje się dywergencją 0,1 mrad. Laser tego typu stosowano do pomiaru odległości Ziemia-Księżyc obliczając czas przebycia drogi tam i z powrotem przez impuls odbijany na powierzchni Księżyca przez specjalne zwierciadło. Przyjmując, że ta odległość wynosi 400 000 km oszacuj średnicę wiązki laserowej, gdy pada ona na powierzchnię Księżyca.

2.10 Jeśli ok. 5% światła ulega odbiciu od każdej warstwy filtru interferencyjnego, to ile trzeba warstw, aby zapewnić całkowity współczynnik odbicia równy 95%?

2.11 Oblicz kąt Brewstera dla światła padającego z wody na szkło. Dane: $n_{wody} = 1,33$ oraz $n_{szkła} = 1,5$.

2.12 Wnęka rezonansowa lasera ma długość 0,8 m. Oblicz odstęp częstotliwości modów tej wnęki.

2.13 Powtórz obliczenia z zadania **2.12** dla lasera półprzewodnikowego z wnęką o długości 400 μm i współczynniku załamania 3,6.

Literatura

Literatura w języku angielskim

Napisano bardzo wiele książek o laserach, gdyż od 30 lat ich znaczenie w naszym codziennym życiu stale wzrasta. Poziom niektórych z tych publikacji jest bardzo wysoki, odpowiedni dla studentów ostatniego roku lub jeszcze wyższy. Jednak książki, podane poniżej, napisano w sposób przystępny, więc nawet jeśli nie czujecie się mocni w matematyce, będziecie mogli w tych pracach łatwo prześledzić tok rozumowania. Zawierają one także bogaty materiał ilustracyjny.

1. *Wilson J., Hawkes J.F.B.*: Optoelectronics, An Introduction. Wydanie 2. Prentice Hall International, 1989.
2. *Verdeyen J.T.*: Laser Electronics. Wydanie 2. Prentice Hall International, 1981.
3. *Hecht J.*: The Laser Guidebook, McGraw-Hill, 1986.

Literatura uzupełniająca w języku polskim

1. *Palais J.C.*: Zarys telekomunikacji światłowodowej. WKŁ, Warszawa 1991.
2. *Shimoda K.*: Wstęp do fizyki laserów. PWN, Warszawa 1993.
3. *Siuzdak J.*: Wstęp do współczesnej telekomunikacji światłowodowej. WKŁ, Warszawa 1999.

3 PODSTAWY OPTYKI

3.1 WPROWADZENIE

Właściwie każdy system optoelektroniczny, jaki możemy sobie wyobrazić, zawiera — prócz źródła światła i detektora — co najmniej jeden podstawowy element optyczny. Takim elementem może być soczewka do ogniskowania światła, proste zwierciadło do kierowania go z jednego miejsca do drugiego lub polaryzator do jego polaryzacji. Zastosowanie tych elementów jest w zasadzie łatwe; po prostu umieszcza się je w odpowiednich miejscach systemu. Jednak różnicą między systemem pracującym dobrze, a takim, który wcale nie działa, może być tylko umieszczenie soczewki w niewłaściwym miejscu. Dobre zaprojektowanie systemu optoelektronicznego polega zatem na zrozumieniu zasad działania nawet prostych elementów optycznych oraz ograniczeń ich pracy. Dlatego w tym rozdziale przyjrzymy się dokładniej podstawowym równaniom opisującym działanie soczewek wraz z ograniczeniami wynikającymi z tych równań oraz problemom związanym z wykorzystaniem soczewek w układach optycznych. Po krótkim omówieniu działania zwierciadeł, zajmiemy się innym elementem powszechnie stosowanym w systemach optoelektronicznych — polaryzatorem. Spróbujemy też odpowiedzieć na pytanie, dlaczego niektóre materiały mogą być stosowane jako polaryzatory, a inne nie. Wreszcie zajmiemy się retarderami (optycznymi elementami opóźniającymi), podzespołami, które można znaleźć w naszych odtwarzaczach płyt kompaktowych.

3.2 SOCZEWKI

Za każdym razem, gdy patrzymy na jakiś przedmiot, używamy dwóch soczewek — tych, które są w naszych oczach. Soczewki są jednym z podstawowych elementów układów optycznych. Dlatego tak ważne jest zrozumienie ich działania i ograniczeń występujących w ich pracy.

3.2.1 Działanie soczewki

Rozważmy światło wychodzące ze źródła punktowego. Światło rozprzestrzenia się w miarę oddalania się od źródła. Jeśli ośrodek jest izotropowy (czyli jego właściwości są takie same w każdym kierunku rozchodzenia się), to światło będzie rozprzestrzeniać się jednakowo we wszystkich kierunkach. Takie światło nazywamy *rozbieżnym*.

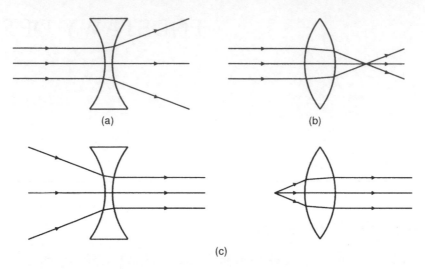

Rys. 3.1 Działanie soczewek
a — rozpraszanie, *b* — skupianie, *c* — kolimacja światła

Teraz na drodze pewnej części tego światła umieścimy soczewkę. Zależnie od rodzaju soczewki i jej odległości od źródła, soczewka może wykonywać jedną z trzech funkcji; może:
- spowodować, że światło staje się jeszcze bardziej rozbieżne,
- zmienić kierunek biegu światła przechodzącego przez soczewkę w taki sposób, że zostaje ono zogniskowane w jednym punkcie,
- zmienić kierunek biegu światła tak, że światło po przejściu przez soczewkę nie jest ani zbieżne ani rozbieżne, a więc jest skolimowane tworząc wiązkę równoległą. Soczewki pełniące przedstawione funkcje pokazano na rys. 3.1.

Możemy przeanalizować zachowanie się soczewki metodą wytyczania przebiegu promieni świetlnych. Jest to technika polegająca na wytyczaniu biegu każdego padającego promienia podczas jego przechodzenia przez soczewkę i po przejściu, z drugiej strony soczewki. Ponieważ soczewki są wykonywane z przezroczystych materiałów dielektrycznych (nie przewodzących), więc do przeprowadzenia tej analizy wystarczy skorzystać z podstawowego prawa optyki, to znaczy prawa załamania światła. Na podstawie tego prawa określamy kąt odchylenia promienia światła przy wchodzeniu do soczewki i wyjściu z niej. Prawo załamania (zwane prawem Snella) stwierdza, że dla światła padającego na granicę dwóch ośrodków dielektrycznych obowiązuje zależność

$$n_1 \sin\theta_i = n_2 \sin\theta_t \qquad (3.1)$$

gdzie:
n_1 i n_2 — współczynniki załamania ośrodka *1* i *2*,
θ_i — kąt padania światła,
θ_t — kąt załamania światła (rys. 3.2).

Oba kąty są mierzone w stosunku do prostopadłej do granicy ośrodków w punkcie padania światła.

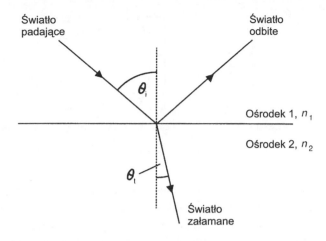

Rys. 3.2 Załamanie światła na granicy dwóch ośrodków dielektrycznych

Przykład 1

Pytanie: Światło pada na płytkę szklaną pod kątem 30° (mierzonym względem prostopadłej do powierzchni). Jaki jest kąt załamania światła, jeśli współczynnik załamania szkła jest 1,5? (Można założyć współczynnik załamania światła w powietrzu równy 1).

Odpowiedź: Można przekształcić prawo Snella, uzyskując

$$0_t = \arcsin\left[\left(\frac{n_1}{n_2}\right)\sin\theta_i\right] = \arcsin\left[\frac{1}{1,5}\sin 30°\right] = 19,5°$$

3.2.2 Soczewka idealna

Soczewka idealna daje doskonały obraz przedmiotu. Wykonanie takiej soczewki nie jest niestety możliwe, chociaż można uzyskać soczewkę bardzo bliską ideału. Soczewki dają obrazy nieidealne z dwóch powodów:

a) mają skończone wymiary,

b) ich powierzchnie nie mają właściwego kształtu.

W istocie rzeczy, przyczyna a) ma znaczenie tylko wtedy, gdy próbujemy zogniskować światło w jedną, bardzo małą plamkę. W wielu zastosowaniach przyczyna b) jest znacznie trudniejszym problemem i dlatego zajmiemy się nią w pierwszej kolejności.

3.2.3 Soczewka prawie idealna: powierzchnia asferyczna

Soczewka ma dwie powierzchnie — przednią i tylną. Powierzchnią przednią przyjęto nazywać powierzchnię zwróconą w stronę przedmiotu. Obie powierzchnie mogą mieć wypukłość w kierunku od środka soczewki (soczewka dwuwypukła) lub do środka soczewki (soczewka dwuwklęsła). Jedna z powierzchni może być płaska (soczewka płasko-wypukła lub płasko-wklęsła) (rys. 3.3).

Jeśli spojrzeć na przekroje kilku najczęściej stosowanych soczewek przedstawionych na rys. 3.3, to można spostrzec, że ścianki soczewek są w przekroju albo

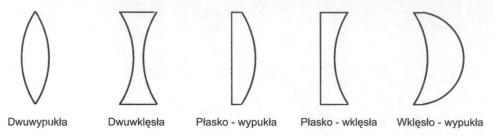

Dwuwypukła   Dwuwklęsła   Płasko - wypukła   Płasko - wklęsła   Wklęsło - wypukła

Rys. 3.3 Przekroje najczęściej stosowanych soczewek różnych rodzajów

liniami prostymi, albo łukami okręgu. Tak więc powierzchnie soczewek są płaskie lub sferyczne. Jednak, pomijając kwestię ograniczonych wymiarów soczewki, idealna soczewka powinna mieć powierzchnie asferyczne, przekrój nie jest wtedy ani linią prostą, ani łukiem okręgu. Powstaje więc pytanie, jaki powinien być ten kształt.

Możemy odpowiedzieć na powyższe pytanie definiując zachowanie się idealnej powierzchni soczewki. W ten sposób określimy kształt niezbędny do osiągnięcia ideału. Chociaż cała soczewka ma dwie powierzchnie, to zachowanie się światła na jednej z nich jest całkowicie niezależne od zachowania się na drugiej. Dlatego najpierw rozważymy tylko to, co dzieje się ze światłem na przedniej powierzchni soczewki, potem rozszerzymy nasze wnioski także na powierzchnię tylną, uzyskując pełny kształt soczewki idealnej.

Rozważmy, co się dzieje gdy światło rozchodzące się ze źródła punktowego pada na powierzchnię soczewki skupiającej. Najpierw rozpatrzymy tylko pierwszą granicę ośrodków, więc światło będzie skupiane wewnątrz materiału soczewki (rys. 3.4).

Każdy promień światła ze źródła punktowego ulega załamaniu na powierzchni szkła. Kąty załamania są różne dla różnych promieni, gdyż każdy promień pada pod innym kątem względem prostopadłej do powierzchni. Jeśli soczewka ma wytworzyć doskonały obraz źródła, to wszystkie załamane promienie powinny się przeciąć w jednym punkcie (punkt P na rys. 3.4). Takie przecięcie następuje tylko wówczas, gdy na przebycie drogi od punktu S do punktu P każdy promień potrzebuje takiego samego czasu. Inaczej mówiąc drogi optyczne wszystkich promieni powinny być jednakowe.

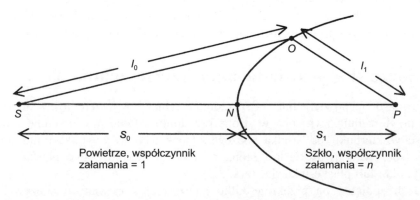

Rys. 3.4 Tworzenie obrazu idealnego przy użyciu asferycznej powierzchni załamującej

Światło rozchodzi się w soczewce z prędkością

$$v = c/n$$

gdzie: n — współczynnik załamania światła w materiale, z którego jest zbudowana soczewka.

W powietrzu światło rozchodzi się z prędkością $v = c$. A więc, jeśli światło przebywa drogę x w soczewce w pewnym czasie, to w tym samym czasie w powietrzu przebędzie drogę nx. Różne długości dróg optycznych są spowodowane różnicami współczynników załamania, jak również fizycznych długości dróg. Spotkaliśmy się już z tym problemem przy omawianiu laserowych filtrów dielektrycznych w rozdziale 2.

Rozważmy dwa promienie światła SNP i SOP. Długość drogi optycznej promienia SNP wynosi

$$s_0 + ns_1 \qquad (3.2)$$

a droga optyczna promienia SOP

$$l_0 + nl_1 \qquad (3.3)$$

Dla uzyskania obrazu doskonałego musi być spełniony warunek równości obu tych dróg

$$l_0 + nl_1 = s_0 + ns_1 \qquad (3.4)$$

Gdy już zdecydowaliśmy, jak daleko (odległość s_0) od środka powierzchni załamującej ma się znajdować źródło (przedmiot) i gdzie ma powstać obraz (odległość s_1), wtedy prawa strona równania (3.4) staje się wielkością stałą. Musi być zatem spełniony warunek

$$l_0 + nl_1 = \text{const} \qquad (3.5)$$

Równanie (3.5) może być spełnione tylko wówczas, gdy powierzchnia załamująca ma kształt eliptyczny z osią optyczną (prosta SP) równoległą do wielkiej (czyli dłuższej) osi elipsy (rys. 3.5a). Możemy to rozumowanie powtórzyć dla przypadku kolimacji światła przy użyciu powierzchni załamującej. W tym przypadku idealna powierzchnia powinna mieć kształt hiperboliczny (rys. 3.5b).

Soczewki pracują oczywiście na ogół w takich warunkach, że zarówno przedmiot jak i jego obraz znajdują się w powietrzu. Teraz chcemy określić kształt powierzchni soczewki, przez którą wychodzi promień światła, potrzebny do uzyskania pożądanych właściwości soczewki. W tym celu można skorzystać z analizy podobnej do przeprowadzonej powyżej, z tą różnicą, że bieg światła zaczyna się teraz w szkle soczewki,

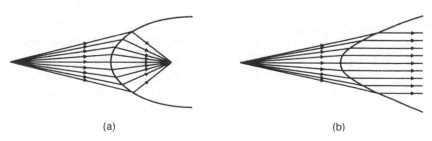

(a)   (b)

Rys. 3.5 Idealne kształty powierzchni załamujących wymagane do:
a — skupiania, b — kolimacji światła padającego

Soczewka dwuhiperboliczna   Soczewka hiperboliczno-płaska

Soczewka płasko-hiperboliczna

Rys. 3.6 Dobór kształtu soczewek w zależności od wymagań dotyczących wiązki wejściowej i wyjściowej

a kończy się w powietrzu. Wynikające z tych analiz kształty soczewek, spełniające różne kryteria wejściowo/wyjściowe przedstawiono na rys. 3.6.

Niestety, trudno jest wytworzyć *soczewki asferyczne* z dobrą dokładnością. Nadają się więc do tych zastosowań, w których jest dopuszczalny duży koszt, lub takich, gdzie nie jest wymagana duża dokładność wykonania soczewki. Warto produkować takie soczewki również wtedy, gdy do określonego zastosowania jest potrzebna bardzo duża ich liczba. Soczewki asferyczne stosowano np. w tarczowych aparatach fotograficznych (ang. *disc camera*), a więc dziedzinie, gdzie bardzo znaczna wielkość produkcji kompensowała duży początkowy koszt inwestycji. W większości zastosowań soczewka asferyczna nie jest trafnym wyborem; trzeba korzystać z soczewek łatwiejszych do wytworzenia.

Ćwiczenie 1

Wyjaśnij, nie zaglądając do książki, dlaczego powierzchnie asferyczne są idealnym kształtem soczewki.

3.2.4 Załamanie przy przejściu przez powierzchnię sferyczną

Większość stosowanych soczewek ma kształt sferyczny, gdyż koszt produkcji soczewek asferycznych jest zbyt duży. *Soczewki sferyczne* można produkować automatycznie w sposób seryjny. Jest to możliwe głównie dzięki symetrii powierzchni sferycznej (kulistej); wyszlifowaną powierzchnię można polerować w przypadkowo wybranym miejscu i w końcu uzyskać tam powierzchnię sferyczną o dużej dokładności. Natomiast powierzchnie eliptyczne i hiperboliczne o dużej dokładności można uzyskać tylko przez ręczne szlifowanie, choć soczewki gorszej jakości można produkować metodą odlewania i obróbki za pomocą skomplikowanych urządzeń sterowanych komputerowo. Główna wada soczewek sferycznych polega na tym, że nie są one w stanie dać obrazu idealnego. Ich kształt powoduje bowiem, że nie dla wszystkich promieni wychodzących ze źródła może być spełnione kryterium równości dróg optycznych.

Jest to przyczyna powstawania zniekształcenia obrazu, które nazywamy *aberracją*. Można zbudować układ soczewek sferycznych dających obraz dobrej jakości, lecz słowo „układ" oznacza, że trzeba wtedy zastosować kilka soczewek.

W celu określenia zachowania się sferycznej powierzchni załamującej można przeprowadzić rozumowanie podobne do przeprowadzonego dla powierzchni asferycznych w p. 3.2.3, pamiętając wszakże, że z góry założono sferyczny kształt soczewek. Przy tym założeniu uzyskujemy

$$\frac{1}{l_0} + \frac{n}{l_1} = \frac{1}{r}\left(\frac{ns_1}{l_1} - \frac{s_0}{l_0}\right) \tag{3.6}$$

Jest to wzór dokładny, lecz dość skomplikowany. Nie ma w nim niczego z tej eleganckiej prostoty, jaką mają wzory dotyczące soczewek asferycznych. Najważniejsze jest to, że we wzorze występują wielkości l_0 i l_1, tak więc jeśli zmienimy położenie punktu O, to promień załamany w tym nowym punkcie O nie będzie przecinał osi optycznej w punkcie P; określając kształt powierzchni zrezygnowaliśmy z warunku przecinania się wszystkich promieni w jednym punkcie. Należy uprościć wzór (3.6), aby łatwiej można było z niego skorzystać. Trzeba w tym celu dokonać tzw. *aproksymacji przyosiowej*.

3.2.5 Aproksymacja przyosiowa

Stosując to przybliżenie rozważamy tylko promienie bliskie osi optycznej. Przy takim założeniu wzór (3.6) przyjmuje postać

$$\frac{1}{s_0} + \frac{n}{s_1} = \frac{n-1}{r} \tag{3.7}$$

W tym przypadku uzyskuje się przecięcie wszystkich promieni w punkcie P.

Przykład 2

Pytanie: Źródło punktowe umieszczono w odległości 40 cm od zakrzywionej załamującej powierzchni szklanej, która ma promień krzywizny 12 cm. Stosując aproksymację przyosiową określ, jak głęboko w szkle powstanie obraz, jeśli współczynnik załamania w szkle wynosi 1,5?

Odpowiedź: Mamy: $n = 1{,}5$, $r = 12$ cm oraz $s_0 = 40$ cm. Przekształcając równanie (3.7) otrzymamy

$$s = \left(\frac{n-1}{r} - \frac{1}{s_0}\right)^{-1} = 1{,}5\left(\frac{1{,}5-1}{12} - \frac{1}{40}\right)^{-1} = 90 \text{ cm}$$

3.2.6 Cienkie soczewki

Tradycyjnie za soczewkę uważa się układ optyczny zawierający dwie (lub więcej) powierzchnie załamujące, z których przynajmniej jedna jest powierzchnią zakrzywioną. Soczewka zawierająca tylko jeden element (czyli mająca tylko dwie powierzchnie załamujące) jest nazywana *soczewką prostą*. Jeśli zawiera więcej niż jeden element, to jest zwana *soczewką złożoną*. Poza tym można podzielić *soczewki* na *cienkie* i *grube*. Fizyczna grubość cienkiej soczewki jest pomijalnie mała przy określaniu zachowania się jej w układzie. Dla cienkiej soczewki równanie (3.7) można jeszcze bardziej uprościć, uzyskując

$$\frac{1}{s_0} + \frac{1}{s_1} = (n-1)\left(\frac{1}{r_1} + \frac{1}{r_2}\right) \tag{3.8}$$

Jeśli źródło znajduje się nieskończenie daleko od soczewki, to promienie będą ogniskowane w odległości f od soczewki, gdzie f jest ogniskową soczewki. W tym przypadku równanie (3.8) przyjmuje postać

$$\frac{1}{f} + \frac{1}{\infty} = \frac{1}{f} = (n-1)\left(\frac{1}{r_1} + \frac{1}{r_2}\right) \tag{3.9}$$

Wstawiając $1/f$ zamiast prawej strony równania (3.8) i zastępując s_0 przez u oraz s_1 przez v uzyskujemy znany (ważny) wzór, noszący nazwę *soczewkowego równania Gaussa*

$$\frac{1}{u} + \frac{1}{v} = \frac{1}{f} \tag{3.10}$$

gdzie:
u — odległość przedmiotu od *środka soczewki*,
v — odległość obrazu od *środka soczewki*.

3.2.7 Zastosowanie równania soczewki

Wszystkie zmienne u, v, r_1, r_2 oraz f mogą mieć wartości dodatnie lub ujemne. Umownie przyjmuje się, że
- odległość u jest dodatnia, jeśli przedmiot jest rzeczywisty, to znaczy znajduje się po wejściowej stronie soczewki,
- odległość v jest dodatnia, jeśli obraz jest rzeczywisty, to znaczy znajduje się po wyjściowej stronie soczewki,
- promienie r_1 i r_2 są dodatnie, jeśli powierzchnie, których dotyczą są wypukłe (tzn. wygięte na zewnątrz od środka soczewki),
- ogniskowa f jest dodatnia, jeśli soczewka jest skupiająca.

Przykład 3

Pytanie: Soczewka dwuwypukła ($r_1 = r_2 = 10$ cm) jest wykonana ze szkła o współczynniku załamania $n = 1{,}5$. Oblicz ogniskową soczewki.

Odpowiedź: Obie powierzchnie są wypukłe, więc ich promienie krzywizny są dodatnie. A więc

$$\frac{1}{f} = (1{,}5 - 1)\left(\frac{1}{10} + \frac{1}{10}\right) = 0{,}1$$

A zatem ogniskowa soczewki jest równa 10 cm.

Przykład 4

Pytanie: Przedmiot umieszczono w odległości 12 cm od wejściowej powierzchni soczewki skupiającj o ogniskowej 18 cm. Gdzie powstanie obraz?

Odpowiedź: Soczewka jest skupiająca, więc ogniskowa jest dodatnia: $f = +18$ cm. Przedmiot jest rzeczywisty, więc $u = +12$ cm. Otrzymujemy

$$\frac{1}{v} = \frac{1}{18} - \frac{1}{12} = \frac{1}{36}$$

a zatem $v = -36$ cm. Obraz powstaje więc w odległości 36 cm od soczewki. Znak minus oznacza, że obraz jest pozorny — czyli znajdujący się po wejściowej stronie soczewki.

Przykład 5

Pytanie: Na soczewkę pada zbieżna wiązka światła, której punkt zbieżności znajduje się 10 cm za soczewką skupiającą. Gdzie powstanie obraz, jeśli soczewka ma ogniskową 40 cm?

Odpowiedź: Przedmiot znajduje się z tej strony co obraz, jest więc pozorny i $u = -10$ cm. W soczewce skupiającej ogniskowa jest dodatnia, więc $f = 40$ cm, otrzymujemy

$$\frac{1}{v} = \frac{1}{40} + \frac{1}{10} = \frac{5}{40}$$

Stąd $v = 8$ cm, a ponieważ v jest dodatnie, obraz jest rzeczywisty.

Praca własna

Oblicz, gdzie powstanie obraz przy zastosowaniu soczewki skupiającej, jeśli przedmiot znajduje się w nieskończoności. Jeśli w praktyce przez „nieskończoność" trzeba rozumieć odległość kilkudziesięciu metrów, to jaka jest praktyczna metoda obliczenia ogniskowej soczewki?

3.2.8 Obrazy w soczewkach

Dotychczas rozważaliśmy, jaki jest w soczewce bieg promieni ze źródła punktowego. Soczewki są często stosowane do przekazywania obrazów przedmiotów. W tym przypadku mamy do czynienia z dwiema dalszymi właściwościami obrazu:
1. Jakie jest powiększenie obrazu w stosunku do przedmiotu?
2. Czy powstający obraz jest odwrócony w stosunku do przedmiotu czy nie?

Obie te właściwości można najlepiej przeanalizować wytyczając bieg kilku promieni światła. Aby móc to zrobić bez stosowania komputera, rozważamy biegi tylko trzech charakterystycznych promieni wychodzących z przedmiotu: promienia przechodzącego przez środek soczewki (tzw. *promień główny*), promienia równoległego do osi optycznej i promienia przechodzącego przez ognisko soczewki po stronie przedmiotu. Soczewkę, jeśli jest cienka, możemy przedstawić jako linię pionową, prostopadłą do osi optycznej, czyli jako tzw. *główną płaszczyznę* soczewki. Możemy skorzystać z następujących reguł:

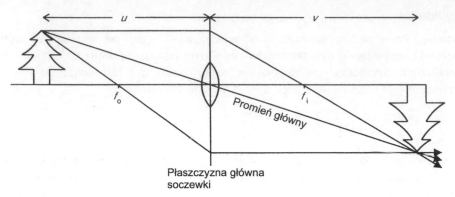

Rys. 3.7 Zastosowanie wytyczania biegu kilku promieni do określenia powiększenia i położenia obrazu w soczewce skupiającej

• Promień przechodzący przez środek soczewki nie ulega w niej załamaniu.

• Promień padający równolegle do osi optycznej ulega załamaniu w głównej płaszczyźnie soczewki i po stronie obrazu przechodzi przez ognisko soczewki.

• Promień, który przechodzi przez ognisko po stronie przedmiotu, ulega załamaniu w głównej płaszczyźnie soczewki i potem przebiega równolegle do osi optycznej.

Metodę wytyczania biegu kilku promieni przedstawiono na rys. 3.7. W tym przykładzie przedmiot jest umieszczony w odległości od soczewki większej niż ogniskowa. Aby uniknąć niejasności, wykreślono tylko trzy charakterystyczne promienie wychodzące z wierzchołka przedmiotu, chociaż oczywiście promienie wychodzące z innych punktów przedmiotu będą podlegać tym samym regułom. W soczewce skupiającej ognisko przedmiotowe f_0 jest ogniskiem po stronie przedmiotu (po stronie wejściowej), ognisko obrazowe f_i, zaś znajduje się po stronie obrazu (po stronie wyjściowej soczewki). W soczewce rozpraszającej położenia ognisk są odwrócone. W układzie przedstawionym na rysunku obraz jest (jak widać) rzeczywisty (tj. po obrazowej stronie soczewki) i odwrócony. Powiększenie obrazu m_T jest stosunkiem wielkości obrazu do wielkości przedmiotu. Korzystając z praw dotyczących trójkątów podobnych uzyskujemy

$$m_T = -\frac{v}{u} \tag{3.11}$$

Jeśli powiększenie jest dodatnie, to obraz jest prosty (nieodwrócony), a jeśli ujemne — odwrócony.

Trzeba mieć na uwadze, że wzór (3.11) dotyczy poprzecznego powiększenia przedmiotu, czyli powiększenia w kierunku prostopadłym do osi optycznej. Oczywiście przedmiot trójwymiarowy ma pewną głębokość, jak również wysokość. Można wykazać, że powiększenie podłużne (głębokości) m_L jest określone wzorem

$$m_L = -m_T^2 -\left(\frac{v}{u}\right)^2 \tag{3.12}$$

Gdy powiększenie m_L jest mniejsze od zera, to znaczy że jeśli przedmiot jest skierowany w kierunku soczewki, to obraz też będzie skierowany w tym kierunku.

Przykład 6

Pytanie: Przedmiot znajduje się w odległości 20 cm od cienkiej soczewki skupiającej o ogniskowej 10 cm. Oblicz położenie oraz powiększenie poprzeczne i określ odwrócenie obrazu. Zastosuj metodę wytyczania biegu promieni.

Odpowiedź:

$$\frac{1}{u} + \frac{1}{v} = \frac{1}{f}$$

gdzie $f = 10$ cm i $u = 20$ cm. A zatem

$$\frac{1}{v} = \frac{1}{10} - \frac{1}{20} = \frac{1}{20}$$

Stąd $v = 20$ cm i powiększenie $= (-v/u) = -1$, a więc obraz jest odwrócony.

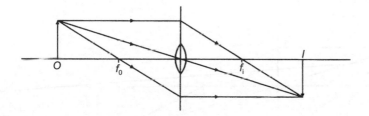

Przykład 7

Pytanie: Powtórz powyższe obliczenia i wytyczenie biegu promieni dla przypadku cienkiej soczewki rozpraszającej o takiej samej ogniskowej.

Odpowiedź: W przypadku soczewki rozpraszającej $f = -10$ cm. Z równania soczewki można obliczyć $v = -6{,}67$ cm i powiększenie 0,33. Tak więc obraz jest prosty (nieodwrócony) i powstaje z tej samej strony soczewki, z której znajduje się przedmiot.

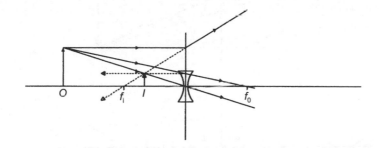

3.2.9 Układy cienkich soczewek

Często stosuje się zestawy dwóch lub więcej soczewek i trzeba obliczyć parametry takiego systemu. Możemy określić wypadkowe działanie całego systemu stosując metodę wytyczania biegu promieni lub metodę analityczną z wykorzystaniem równania soczewki Gaussa. Obie metody zilustrowano poniżej.

Przykład 8

Pytanie: Rozważ układ złożony z dwóch cienkich soczewek L_1 i L_2 umieszczonych w odległości d mniejszej od sumy ogniskowych obu soczewek. Przedmiot umieszczono przed soczewką L_1, w odległości u_1 od soczewek, przy czym $u_1 > f_{01}$ (f_{01} — ogniskowa soczewki L_1). Jakie jest położenie, powiększenie i odwrócenie obrazu?

Odpowiedź 1.: Rozwiązanie metodą wytyczenia przebiegów promieni.

Zaczynamy wykreślanie dróg promieni ignorując na razie istnienie drugiej soczewki i rysując tory trzech charakterystycznych promieni docierających od przedmiotu do soczewki L_1 (rys. 3.8a). *Potem wstawiamy soczewkę L_2 i wykreślamy tor następnego promienia — biegnący od obrazu przez środek soczewki L_2 (rys. 3.8b). Z naszych trzech charakterystycznych promieni, jedynym, którego zachowanie w soczewce L_2 możemy przewidzieć jest promień załamywany w soczewce L_1 równolegle do osi optycznej. Ten promień, po załamaniu w soczewce L_2, przechodzi przez ognisko*

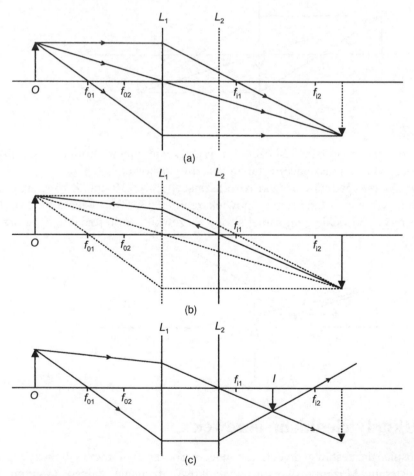

(a)

(b)

(c)

Rys. 3.8 Zastosowanie metody wytyczania biegu promieni do określenia położenia obrazu w układzie dwóch soczewek
O (ang. *object*) — przedmiot, I (ang. *image*) — obraz

f_{i2}. Przecięcie tego promienia z promieniem przechodzącym przez środek soczewki L_2 określa więc położenie, powiększenie i odwrócenie obrazu (rys. 3.8c).

Odpowiedź 2.: Rozwiązanie analityczne z zastosowaniem równania soczewki Gaussa. Dla soczewki L_1

$$\frac{1}{v_1} = \frac{1}{f_1} - \frac{1}{u_1}$$

z czego wynika, że $v_1 = u_1 f_1 / (u_1 - f_1)$. Położenie przedmiotu w stosunku do soczewki L_2 wyraża się więc wzorem

$$v_2 = \frac{u_2 f_2}{u_2 - f_2} = \frac{(d - v_1) f_2}{(d - v_1 - f_2)}$$

Podstawiając uzyskany poprzednio wzór na v_1 uzyskujemy

$$v_2 = \frac{f_2 \left[d - \dfrac{f_1 u_1}{(u_1 - f_1)} \right]}{\left[d - \dfrac{f_1 u_1}{(u_1 - f_1)} - f_2 \right]} \tag{3.13}$$

Powiększenie w całym układzie soczewek jest określone jako

$$m = m_1 m_2 \tag{3.14}$$

Ćwiczenie 2

Określ położenie, powiększenie i rodzaj obrazu utworzonego przez parę soczewek o ogniskowych $f_1 = 3$ cm, $f_2 = 2$ cm, odległych od siebie o 1 cm umieszczając przedmiot w odległości 5 cm przed pierwszą soczewką.

Ćwiczenie 3

Metodą wytyczenia biegu promieni sprawdź wynik uzyskany w ćwiczeniu 2.

Praca własna

Dobrym przykładem układu dwusoczewkowego jest teleskop, którego zadaniem jest uzyskiwanie dużych obrazów bardzo odległych przedmiotów. Wytłumacz, jak działa prosty teleskop.

3.2.10 Soczewki grube

Grubość soczewki nie zawsze jest pomijalnie mała i trzeba o niej pamiętać przy projektowaniu układów optycznych. Na szczęście wzory wyprowadzone dla soczewek cienkich można w tym przypadku też stosować z wprowadzeniem pewnych modyfikacji. Cienką soczewkę można było przedstawić jako linię prostą reprezentującą tzw. płaszczyznę główną. *Grube soczewki* trzeba przedstawiać jako dwie płaszczyzny główne — podstawową i dodatkową. Odległość między nimi jest równa a (rys. 3.9a). Te płaszczyzny mają charakter tylko struktur geometrycznych i mogą znajdować się poza fizycznymi strukturami soczewek (rys. 3.9b).

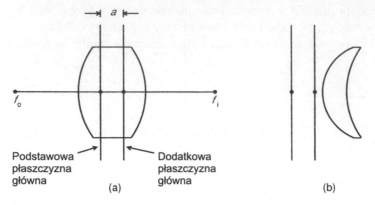

Rys. 3.9 Płaszczyzny główne
a — podstawowa i dodatkowa w grubej soczewce, *b* — rozmieszczenie tych płaszczyzn w soczewce
wklęsło-wypukłej

Wprowadzenie tych płaszczyzn jest istotne, gdyż dzięki temu można stosować równanie soczewki Gaussa, lecz odległości obrazu i przedmiotu trzeba mierzyć odpowiednio od płaszczyzny podstawowej i dodatkowej. Także ogniskowa soczewki jest mierzona względem tych płaszczyzn i można ją obliczyć ze wzoru

$$\frac{1}{f} = (n-1)\left(\frac{1}{r_1} + \frac{1}{r_2} - \frac{(n-1)a}{nr_1r_2}\right) \tag{3.15}$$

Ponieważ położenia ognisk po obu stronach soczewki są odniesione do położenia płaszczyzn głównych, więc w niektórych soczewkach fizyczna odległość między ogniskiem przedmiotowym i środkiem przedniej ścianki soczewki może się znacznie różnić od odległości między ogniskiem obrazowym i środkiem tylnej ścianki soczewki. Te dwie odległości są nazywane, odpowiednio, ogniskową przednią i tylną. Znajomość ogniskowych jest niezbędna przy projektowaniu układów optycznych.

3.2.11 Aberracja w soczewkach

Jedną z niekorzystnych konsekwencji stosowania soczewek z krzywiznami sferycznymi jest występowanie aberracji. Są dwa podstawowe rodzaje aberracji: *aberracja chromatyczna* występująca, gdy na soczewkę pada światło zawierające fale o różnych długościach oraz *aberracja monochromatyczna* (lub Seidla), gdy pada światło o jednej długości fali. Aberrację monochromatyczną można jeszcze podzielić na dwa rodzaje — pogarszającą jakość obrazu przez jego rozmazanie i zniekształcającą obraz. Najpierw zajmiemy się aberracją chromatyczną.

3.2.11.1 Aberracja chromatyczna

W punkcie 3.2.6 stwierdzono już, że ogniskowa soczewki zależy od współczynnika załamania materiału soczewki i od promieni krzywizn obu ścianek soczewki, zgodnie ze wzorem

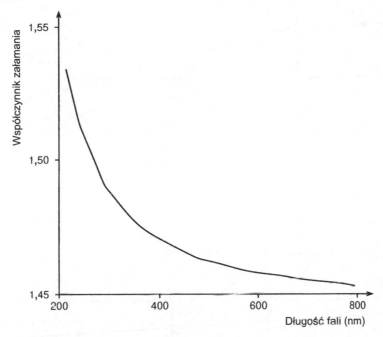

Rys. 3.10 Zmiany współczynnika załamania w topionym szkle kwarcowym (ang. *fused silica*) w funkcji długości fali

$$\frac{1}{f} = (n-1)\left(\frac{1}{r_1} + \frac{1}{r_2}\right) \tag{3.16}$$

W optyce, w wielu obliczeniach jest dopuszczalne założenie, że wartość współczynnika załamania jest niezależna od długości fali. W rzeczywistości współczynnik załamania światła szkła zmienia się wraz ze zmianą długości fali. Zależy od rodzaju szkła (rys. 3.10). Powinniśmy zresztą już wiedzieć, że współczynnik załamania szkła jest zależny od długości fali, gdyż w innym razie pryzmat oświetlany światłem białym nie dawałby barwnego widma.

Z równania (3.16) widać, że ogniskowa soczewki jest funkcją współczynnika załamania, a więc także długości fali światła. Względne położenia ognisk dla światła o różnych długościach fali zależą od rodzaju soczewki. W soczewkach skupiających $f_R > f_B$, a w rozpraszających $f_R < f_B$, gdzie f_R i f_B są ogniskowymi, odpowiednio, dla światła czerwonego i niebieskiego. Na rys. 3.11 pokazano aberrację chromatyczną dla promieni przebiegających równolegle do osi soczewki skupiającej (tzw. promienie osiowe). Jest to tzw. *aberracja podłużna* lub *osiowa*. Wartość tej aberracji określa się przez odległość dwóch ognisk — światła czerwonego i niebieskiego.

Praca własna

1. Odszukaj gdzieś słowo lub fragment tekstu, w którym każda litera jest wydrukowana w innym kolorze, czcionką pogrubioną. Czy możesz jednocześnie wyraźnie widzieć wszystkie litery, czy raczej ma się wrażenie, że „skaczą" one przed oczami? Zastanów się nad przyczyną tego zjawiska, biorąc pod uwagę przeprowadzone powyżej rozważania.

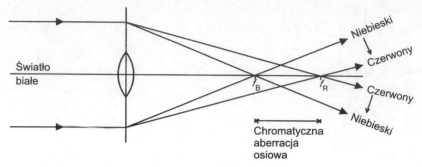

Rys. 3.11 Wpływ chromatycznej aberracji osiowej

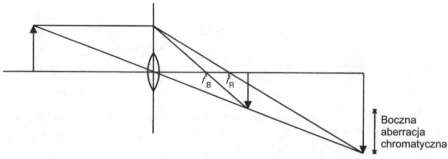

Rys. 3.12 Boczna aberracja chromatyczna

2. Oświetl grubą, pojedynczą soczewkę skupiającą światłem ze źródła punktowego, np. świecą. Odpowiednio ustawiając kartkę papieru znajdź najlepszy obraz świecy. Będzie go otaczała poświata (halo). Teraz przesuwaj papier w stronę soczewki, otoczka rozmazanego obrazu będzie zabarwiać się kolorem pomarańczowo-czerwonym. Jeśli przesuniesz kartkę w drugą stronę od miejsca, gdzie obraz jest najlepszy, to otoczka zabarwi się na niebiesko-fioletowo.

Promienie przebiegające pod pewnym kątem względem osi optycznej (tzw. promienie pozaosiowe) też ulegają aberracji, zwanej *boczną aberracją chromatyczną*. W tym przypadku zarówno położenie jak i powiększenie obrazu zależą od długości fali (rys. 3.12). Wartość tej aberracji określa się przez różnicę wielkości dwóch obrazów.

W rezultacie soczewka oświetlona światłem białym da obrazy wielokrotne, zajmujące pewną przestrzeń, których położenia, barwy i powiększenia zmieniają się zależnie od długości fali. Nasze oczy są najbardziej czułe na barwę żółto-zieloną, mają więc skłonność ogniskowania wzroku na obrazach o tej barwie. Wszystkie inne obrazy będą widziane jako białawe, nieco nieostre tło.

Ćwiczenie 4

Współczynnik załamania soczewki dwuwypukłej wykonanej ze szkła kwarcowego topionego (ang. *silica*) jest równy 1,467 przy długości fali 436 nm (barwa niebieska) oraz

1,457 przy 644 nm (barwa czerwona). Wiedząc, że $r_1 = r_2 = 10$ cm, określ ogniskową tej soczewki dla dwóch podanych długości fali i stąd oblicz wartość osiowej aberracji chromatycznej soczewki.

Istnienie aberracji chromatycznej może być przyczyną wielu problemów w układach optycznych, które powinny ogniskować w jednej płaszczyźnie światło o różnych barwach. Wyobraźmy sobie na przykład, jak wyglądałyby fotografie, gdyby położenie filmu w aparacie odpowiadało ognisku dla barwy zielonej, a wszystkie inne barwy byłyby nieostre. A zatem duże znaczenie często ma zapobieganie aberracji chromatycznej. Realizuje się to przez tzw. dublet achromatyczny. Składa się on z dwóch cienkich soczewek spojonych razem. Jedna z nich jest skupiająca (skupia światło niebieskie bliżej soczewki), a druga — rozpraszająca (skupia światło czerwone bliżej soczewki). Przy właściwym doborze tej pary soczewek można uzyskać równość ogniskowych: $f_R = f_B$. Ogniskowa dubletu jest określona wzorem

$$\frac{1}{f} = \frac{1}{f_1} + \frac{1}{f_2} - \frac{d}{f_1 f_2}$$
(3.17)

gdzie: d — odległość oddzielająca soczewki.
Jeśli podstawimy wzory na f_1 i f_2 określające ich zależność od współczynnika załamania i promieni krzywizny obu soczewek, to dla $d = 0$ uzyskujemy

$$\frac{\left(\dfrac{1}{r_1} + \dfrac{1}{r_2}\right)}{\left(\dfrac{1}{r_3} + \dfrac{1}{r_4}\right)} = -\left(\frac{n_{2B} - n_{2R}}{n_{1B} - n_{1R}}\right)$$
(3.18)

gdzie:
r_1, r_2 — promienie krzywizn soczewki *1*, która ma współczynnik załamania n_1,
r_3, r_4 — promienie krzywizn soczewki *2* o współczynniku załamania n_2,
n_{1B}, n_{2B} — współczynniki załamania soczewki *1* dla długości fali światła niebieskiego,
n_{1R}, n_{2R} — współczynniki załamania soczewki *2* dla długości fali światła czerwonego.

Możemy tak dobierać wszystkie parametry, aby równość (3.18) była spełniona tzn., aby ogniska dla światła niebieskiego i czerwonego się pokrywały. Pojęcia „światło niebieskie" i „światło czerwone" są oczywiście zbyt ogólnikowe, aby można z nich korzystać przy projektowaniu układów optycznych. Dokładne długości fali to 656,2816 nm (barwa czerwona) i 486,1327 nm (barwa niebieska). Światło o tych długościach fali jest wytwarzane np. w lampie wodorowej.

Ćwiczenie 5

Dublet achromatyczny wykonano z dwóch soczewek, w których: $n_{1R} = 1,456$; $n_{1B} = 1,463$; $n_{2R} = 1,433$; $n_{2B} = 1,437$. Jaka wartość promienia r_4 jest konieczna, jeśli $r_1 = \infty$, $r_2 = -r_3 = 10$ cm.

Nadal pozostaje jeszcze pewien problem. Zaprojektowaliśmy starannie układ soczewek w taki sposób, aby ogniska dla barwy czerwonej i niebieskiej znalazły się w jednym punkcie, lecz co się dzieje z innymi barwami? Okazuje się, że ulegają one aberracji chromatycznej, jak to pokazano na rys. 3.13. Można oszacować skutki tej

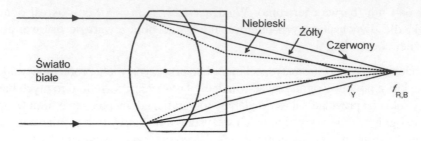

Rys. 3.13 Aberracja chromatyczna w dublecie achromatycznym

resztkowej aberracji chromatycznej obliczając wartość parametru zwanego *względną zdolnością rozszczepiającą soczewki*. Wiemy, że

$$\frac{1}{f_{1Y}} = (n_{1Y}-1)\left(\frac{1}{r_1} + \frac{1}{r_2}\right); \quad \frac{1}{f_{2Y}} = (n_{2Y}-1)\left(\frac{1}{r_3} + \frac{1}{r_4}\right) \tag{3.19}$$

gdzie indeksy Y dotyczą światła o barwie żółtej (ang. *yellow*) o długości fali 589,29 nm, emitowanego przez lampę sodową. Podstawiając równanie (3.18) do równania (3.19) uzyskujemy

$$\frac{f_{2Y}}{f_{1Y}} = \frac{\left(\dfrac{(n_{2B}-n_{2R})}{(n_{2Y}-1)}\right)}{\left(\dfrac{(n_{1B}-n_{1R})}{(n_{1Y}-1)}\right)} \tag{3.20}$$

Wartości $(n_{2B}-n_{2R})/(n_{2Y}-1)$ oraz $(n_{1B}-n_{1R})/(n_{1Y}-1)$ są względnymi zdolnościami rozszczepiającymi materiałów zastosowanych do wytworzenia soczewek. Najczęściej są one wyrażane liczbami V, będącymi odwrotnościami zdolności rozszczepiającej. Liczby V dla kilku rodzajów szkła zestawiono w tablicy 3.1.

TABLICA 3.1 LICZBY V DLA RÓŻNYCH RODZAJÓW SZKŁA

Rodzaj szkła	V_D
Kron (ang. *crown*) borowo-krzemowy — BSC-1	63,5
Lekki flint barowy — LBF-2	51,0
Ciężki flint — DF-1	38,0
Bardzo ciężki flint — EDF-3	29,3

3.2.11.2 Aberracje monochromatyczne

Omawiając, przydatną w praktyce, zależność między położeniem przedmiotu, obrazu i ogniskową soczewki wprowadziliśmy aproksymację przyosiową, która dotyczy tylko promieni padających na środek soczewki. Oczywiście w praktyce promienie padają często na skrajne części soczewki. Musimy więc określić, co się dzieje w soczewce z tymi „nieidealnymi" promieniami. Zamiast ponownie zajmować się wykreślaniem promieni, rozwiążemy ten problem traktując nieidealne działanie soczewki jako aberrację w stosunku do działania idealnego. Rozważyliśmy już wpływ aberracji chromatycznej. Aberracjom podlega też światło monochromatyczne. Rozróżniamy pięć wyraźnych wpływów tych aberracji, zwanych *aberracjami Seidla*, od nazwiska pierwszego uczonego, który je zbadał. Omawianie rozpoczniemy od aberracji, której wpływ jest największy.

Aberracja sferyczna

Dla światła załamywanego na pojedynczej powierzchni sferycznej mamy, zgodnie z aproksymacją przyosiową

$$\frac{1}{u}+\frac{n}{v}=\frac{n-1}{r} \tag{3.21}$$

Jeśli uwzględnimy też promienie peryferyjne, to powyższe wyrażenie stanie się bardziej poprawne

$$\frac{1}{u}+\frac{n}{v}=\frac{n-1}{r}+\beta h^2 \tag{3.22}$$

gdzie wartość β zależy od u, v, r i n. Wynika stąd, że ogniskowa powierzchni sferycznej jest teraz proporcjonalna do $1/h^2$, a więc zmniejsza się ze wzrostem wartości h. Inaczej mówiąc, im dalej od osi soczewki przebiegają promienie, tym bliżej są one ogniskowane (rys. 3.14).

Tak więc w soczewce skupiającej światło jest ogniskowane w pewnym zakresie odległości od środka soczewki. Promienie światła położone dalej od osi są ogniskowane bliżej soczewki, a bliższe osi są ogniskowane dalej, promienie peryferyjne są więc za bardzo odchylane. Istnieją dwa sposoby rozwiązania tego problemu; można:
a) zastosować przysłonę umożliwiającą dostęp do soczewki tylko promieniom przebiegającym blisko osi (jest to tzw. *przysłanianie soczewki*),
b) ograniczyć odchylanie promieni skrajnych.

Rozwiązanie a) jest niezadowalające, gdyż ogranicza ilość światła dochodzącego do soczewki. Rozwiązanie b) można w sposób prosty zrealizować przykładając większą wagę do sposobu, w jaki promienie wchodzą do soczewki i w jaki z niej wychodzą. Światło będzie podlegać najmniejszemu odchyleniu, jeśli kąt padania na pierwszą soczewkę (mierzony względem prostopadłej do powierzchni) jest w przybliżeniu taki sam jak kąt, jaki światło wychodzące tworzy z prostopadłą do powierzchni drugiej

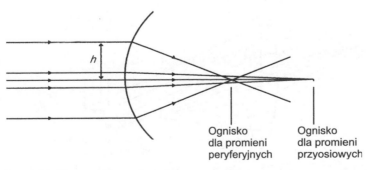

Rys. 3.14 Sferyczna aberracja światła

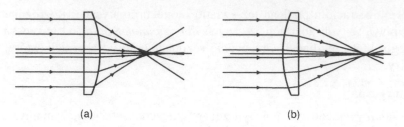

(a)   (b)

Rys. 3.15 Soczewka płasko-wypukła oświetlona od strony:
a — powierzchni płaskiej, *b* — powierzchni wypukłej

soczewki. W ten sposób można osłabić aberrację sferyczną. Można to zilustrować prostym przykładem soczewki płasko-skupiającej oświetlonej światłem, którego promienie przebiegają równolegle do osi optycznej (rys. 3.15).

Na rys. 3.15*a* wszystkie promienie padające tworzą kąt 0° z prostopadłą do powierzchni, na którą padają. Promienie wychodzą pod kątem od 0° (promienie osiowe) do ponad 45° (promienie peryferyjne) i, jak widać, aberracja sferyczna jest dość silna. Na rys. 3.15*b* zakres kątów padania jest taki sam, jak kątów, pod jakim promienie wychodzą z soczewki. W tym przypadku kąty padania są (w przybliżeniu) dopasowane do kątów wyjścia promieni z soczewki. W tym przypadku aberracja sferyczna jest znacznie osłabiona. Tak więc chociaż soczewka płasko-skupiająca, niezależnie od ustawienia, ogniskuje światło mniej więcej w tym samym miejscu, to chcąc uzyskać obraz dobrej jakości, musimy uwzględnić wpływ aberracji sferycznej i, w razie potrzeby, ustawić soczewkę odwrotnie (jak na rys. 3.15*b*).

Aberracja komatyczna (koma)

Największy, prócz aberracji sferycznej, wpływ na aberrację światła monochromatycznego ma koma (*aberracja komatyczna*). O ile aberracji sferycznej ulegają wszystkie promienie, to koma jest aberracją dotyczącą tylko promieni pozaosiowych, czyli promieni przebiegających pod pewnym kątem w stosunku do osi optycznej. Nazwa *koma* pochodzi stąd, że obraz przedmiotu punktowego ma kształt punktu z ogonem, podobnie jak kometa. To zjawisko występuje dlatego, że płaszczyzna główna nie jest w rzeczywistości płaska, lecz zakrzywiona. Z tego powodu położenie i powiększenie obrazu zależy od miejsca przejścia promienia przez soczewkę. Widać więc, jak powstaje ogon podobny

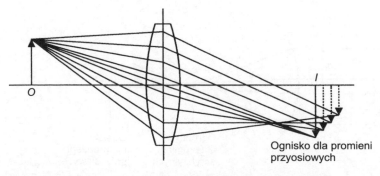

Ognisko dla promieni przyosiowych

Rys. 3.16 Ujemna aberracja komatyczna dla promieni pozaosiowych do komety. Jeśli ekran umieścić w miejscu ogniskowania promieni przyosiowych, to promienie peryferyjne nie znajdują się w ognisku i, wskutek różnic powiększenia, są ześrodkowywane na jakiejś innej wysokości ponad osią (rys. 3.16). Koma może być dodatnia (ogon skierowany od osi) lub ujemna (ogon skierowany ku osi).

Wartość aberracji komatycznej zależy od h^3 (h — odległość punktu padania promienia od osi optycznej). A zatem, jeśli zmniejszy się efektywną średnicę soczewki do połowy umieszczając przed nią przysłonę, to aberracja komatyczna będzie osłabiona o czynnik osiem. Komę w pojedynczej soczewce, przy określonej odległości przedmiotu, można sprowadzić dokładnie do zera starannie dobierając krzywizny obu powierzchni soczewki. Jednak przy zmianie odległości u koma znowu się pojawi.

Astygmatyzm

Jeśli wyeliminujemy komę, to możemy zobaczyć *astygmatyzm*. Jest to rodzaj aberracji, której ulegają też tylko promienie pozaosiowe. Na pewno słyszeliście już o astygmatyzmie w odniesieniu do wzroku. Ludzie cierpiący na astygmatyzm nie mogą uzyskać ostrości widzenia jednocześnie w linii poziomej i pionowej. Przyczyną jest asymetria powierzchni gałki ocznej, w wyniku której ogniskowe w dwóch powierzchniach ortogalnych (będących pod kątem 90°) różnią się od siebie. W soczewkach symetrycznych sferycznie nie występuje taki astygmatyzm, gdyż ich ogniskowa jest taka sama we wszystkich płaszczyznach. W soczewkach astygmatyzm polega na tym, że części obrazu promieniowa i obwodowa mają różne ogniska.

Wpływ astygmatyzmu przedstawiono na przykładzie koła od wozu (rys. 3.17). Widać, że obraz szprych koła (składowa promieniowa) znajduje się w innym położeniu

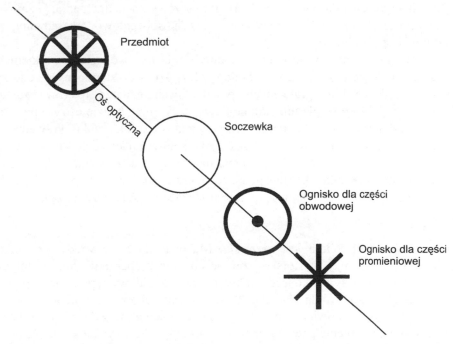

Rys. 3.17 Wpływ astygmatyzmu Seidla

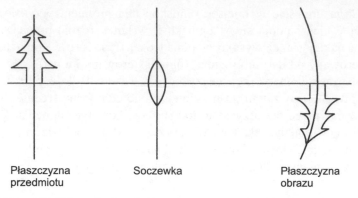

Płaszczyzna   Soczewka   Płaszczyzna
przedmiotu   obrazu

Rys. 3.18 Zakrzywienie pola obrazu w soczewce skupiającej

niż obraz piasty i obręczy (składowa obwodowa). Między tymi dwoma położeniami występuje tzw. *krąg najmniejszej niezborności*, a więc położenie najlepszego obrazu.

Zakrzywienie pola obrazu

Zakrzywienie pola obrazu jest następnym po astygmatyzmie rodzajem aberracji. Założyliśmy poprzednio, że płaski przedmiot ustawiony prostopadle do osi optycznej jest obrazowany na płaszczyźnie, dzieje się tak tylko w odniesieniu do promieni bliskich osi optycznej. Jeśli nie występuje żadna z aberracji omówionych poprzednio, to soczewka zogniskuje światło pochodzące od przedmiotu w odległości v od środka soczewki. Płaszczyzna obrazu będzie więc zakrzywiona. W przypadku soczewek skupiających powierzchnia ta jest zakrzywiona w kierunku soczewki, a w przypadku rozpraszających — odwrotnie. Na rys. 3.18 przedstawiono, w sposób celowo przesadzony, zjawisko zakrzywienia pola obrazu.

     W przyrządach, w których uzyskany obraz ma być oglądany okiem ludzkim, pewne zakrzywienie pola jest dopuszczalne, gdyż oko może skompensować to zjawisko. Jednak w urządzeniach fotograficznych i projekcyjnych nie można tolerować zakrzywienia pola, gdyż na płaskim filmie lub ekranie powstający obraz będzie ostry tylko po środku, a coraz bardziej nieostry w miarę przesuwania się w kierunku krawędzi. Dlatego w takich urządzeniach stosuje się soczewki spłaszczające pole, które wyzerowują krzywiznę. Soczewki skupiające i rozpraszające mają zakrzywienia pola o odwrotnych kierunkach. Zakrzywienie skierowane na zewnątrz w soczewce skupiającej jest kompensowane na przykład soczewką rozpraszającą służącą do spłaszczania pola.

Dystorsja

Ostatnią z aberracji Seidla jest *dystorsja*. Ma ona znaczenie wtedy, gdy cztery inne aberracje nie występują. Dystorsja różni się od innych aberracji tym, że dotyczy tylko przedmiotów o pewnym skończonym wymiarze, a nie występuje przy powstawaniu obrazu punktowego źródła światła. Podobnie jak aberracja komatyczna, dystorsja powstaje dlatego, że powiększenie w soczewce zmienia się zależnie od odległości od środka, w jakiej promienie przechodzą przez soczewkę. Przyczyną jest fakt, że płaszczyzna główna nie jest w rzeczywistości płaska. Inaczej niż w przypadku aberracji komatycznej,

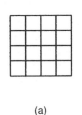 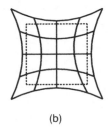 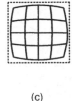

(a)   (b)   (c)

Rys. 3.19 Dystorsja
a — przedmiot niezniekształcony,
b — zniekształcenie o kształcie
poduszkowatym, c — o kształcie
baryłkowatym

wszystkie promienie są ogniskowane w jednej, płaskiej powierzchni obrazu. Jednak obraz powstaje nie w tym miejscu, gdzie powinien się pojawić zgodnie z prostą teorią — znajduje się on dalej lub bliżej od osi optycznej niż można się spodziewać. Na rys. 3.19 przedstawiono dwa główne rodzaje dystorsji: poduszkowatą i baryłkowatą. Przy zniekształceniu o kształcie poduszkowatym punkty obrazu pojawiają się dalej od osi niż się spodziewano, a przy baryłkowatym — bliżej. W obu przypadkach zniekształcenia wzrastają w większych odległościach od osi.

Zjawisko dystorsji jest też kłopotliwe ze względu na to, że można ją wywołać stosując przysłony mające zapobiegać niektórym innym rodzajom aberracji.

Praca własna

Spojrzyj na kawałek papieru milimetrowego przez cienką zwykłą soczewkę. Czy widzisz zniekształcenie siatki milimetrowej? Jaki to jest rodzaj zniekształcenia? Wykonaj przysłonę wycinając otwór w kartce papieru o średnicy równej w przybliżeniu połowie średnicy soczewki. Spróbuj przyłożyć tę przysłonę do soczewki od strony przedmiotu, a potem w różnych miejscach między soczewką a oczami. Czy w którymś z tych położeń przysłony znika zniekształcenie obrazu?

3.2.12 Rozmycie ogniska

Nawet dysponując soczewką idealną, bez żadnych aberracji, nie moglibyśmy uzyskać punktowego obrazu przedmiotu będącego źródłem punktowym. Przyczyną jest zjawisko *dyfrakcji*, czyli *ugięcia światła*. Dzieje się tak, gdyż w soczewce nie wykorzystuje się całego światła padającego ze źródła.

Rozważmy źródło punktowe. Możemy narysować promienie wychodzące z tego źródła, wskazujące kierunki rozchodzenia się fal świetlnych. Możemy też narysować czoła fal. Czoło fali wykreśla się łącząc punkty sąsiednich fal będące w fazie (rys. 3.20).

Promień jest zawsze prostopadły do czoła fali w tym punkcie czoła fali. Fale świetlne ze źródła punktowego w przestrzeni swobodnej (lub w ośrodku izotropowym) rozchodzą się z taką samą prędkością we wszystkich kierunkach. Tak więc w przestrzeni trójwymiarowej czoła fal są kuliste, a w dwuwymiarowej — kołowe. Problem polega na tym, że obraz może być dokładnym odtworzeniem przedmiotu tylko wtedy, gdy elementy obrazu wykorzystują czoło fali w całości. Powstaje pytanie co się stanie, jeśli wykorzystamy tylko część czoła fali?

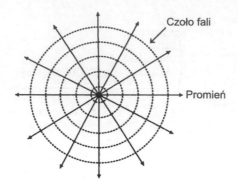

Rys. 3.20 Promienie i czoła fal rozchodzące się w swobodnej przestrzeni ze źródła punktowego

3.2.13 Zasada Huygensa

Konsekwencje wynikające z wykorzystania w obrazie tylko części czoła fali można zrozumieć na podstawie reguły znanej jako zasada Huygensa, sformułowanej przez holenderskiego fizyka Christiana Huygensa w 1690 roku. Zasada ta stwierdza, że każdy punkt ośrodka, do którego dochodzi czoło fali w chwili $t = 0$ staje się źródłem fal elementarnych rozchodzących się w przestrzeni z taką samą prędkością i częstotliwością jak fala pierwotna. Obwiednia fal elementarnych, w chwili o $t = \Delta t$ późniejszej, tworzy nowe, kuliste czoło fali. Rys. 3.21 ilustruje wykorzystanie tej zasady do opisu rozchodzenia się fali. W chwili $t = 0$ czoło fali pierwotnej znajduje się u dołu rysunku. Później, w chwili $t = \Delta t$ tworzy się nowe czoło fali będące obwiednią wtórnych fal elementarnych wychodzących z punktowych źródeł czoła fali A. Obwiednia fal elementarnych (B) ma taki sam kształt jak czoło fali pierwotnej (A), gdyż w rzeczywistości liczba źródeł punktowych jest nieskończenie duża i czoło fali rozprzestrzenia się dalej w każdym kierunku. Czoło fali B staje się teraz nową falą pierwotną, której źródła punktowe wytwarzają fale elementarne o obwiedni tworzącej następne czoło fali C w chwili $t = 2\Delta t$ itd. Zwykle czas Δt dobiera się tak, aby odległość między kolejnymi czołami fali była równa długości fali λ. Trzeba pamiętać, że na każdym czole fali pierwotnej znajduje się nieskończenie wiele źródeł punktowych, lecz dla uproszczenia rysunku pokazano tylko skończoną ich liczbę.

Najważniejszym stwierdzeniem jest to, że czoło nowej fali pierwotnej tworzy się z *obwiedni* wtórnych fal elementarnych pochodzących ze źródeł punktowych na czole fali pierwotnej. Zastosujmy teraz opisaną zasadę do światła padającego na szczelinę.

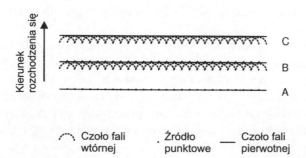

Rys. 3.21 Zastosowanie zasady Huygensa do zobrazowania rozchodzenia się fal

╱╲ Czoło fali wtórnej   · Źródło punktowe   — Czoło fali pierwotnej

3.2.14 Dyfrakcja światła na szczelinie

Na rysunku 3.22*a* pokazano falę płaską, która pada na szczelinę (aperturę). Następuje wtedy zmniejszenie długości czoła fali. Można narysować wtórne fale elementarne wychodzące, jak poprzednio, ze źródeł punktowych na czole fali. Jednak, gdy wyznaczymy obwiednię będącą czołem nowej fali pierwotnej, to musi ona zaginać się na brzegach. Te fale elementarne, dzięki którym obwiednia byłaby prosta, zostały bowiem zatrzymane na szczelinie. Przypomnijmy sobie teraz, że promienie wyznaczające kierunek rozchodzenia się światła powinny być prostopadłe do czoła fali. A więc na rys. 3.22*a* światło przechodzące przez środek szczeliny będzie rozchodziło się w tym samym kierunku co przed szczeliną, ponieważ czoło fali jest równoległe do szczeliny. Światło przechodzące blisko brzegów szczeliny zmienia jednak kierunek i wiązka rozszerza się: mówimy, że światło uległo dyfrakcji (czyli ugięciu).

Z pewnością ważną kwestią jest możność ilościowego określenia dyfrakcji wiązki na szczelinie. W rozdziale 2 była już mowa o tym, jak dwie fale mogą interferować tworząc falę wypadkową, której amplituda zależy od różnicy faz między tymi dwiema falami. Dyfrakcja jest, w istocie rzeczy, rozszerzeniem zjawiska interferencji dwóch fal na wiele fal przechodzących przez szczelinę o skończonej szerokości. Wskutek tego, jeśli światło, które uległo *dyfrakcji na szczelinie* (rys. 3.22*a*) pada na jakiś ekran, to natężenie światła obserwowane w poszczególnych punktach ekranu jest wynikiem interferencji wszystkich fal świetlnych padających na dany punkt. To, co widzimy na ekranie nie jest pojedynczą plamą światła o rozmytych brzegach, lecz — co może się wydać dziwne — wyraźnym obrazem zwanym obrazem dyfrakcyjnym. Składa się on z położonego w środku jasnego obszaru zwanego maksimum środkowym, zawierającego ponad 80% przesyłanego światła oraz ze znajdujących się po obu stronach tego obszaru maksimów wtórnych o coraz mniejszym natężeniu, jak to pokazano na rys. 3.22*b*. Maksima są przedzielone minimami. Wartość dyfrakcji wiązki określa się kątem między kierunkiem wiązki, która nie uległa dyfrakcji i linią łączącą środek szczeliny z pierwszym minimum. Można wykazać, że kąt dyfrakcji wiązki θ jest określony wzorem

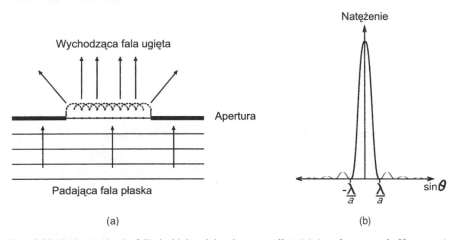

(a) (b)

Rys. 3.22 Zachowanie się fali płaskiej padającej na szczelinę (*a*) (zgodne z zasadą Huygensa) oraz linie dyfrakcyjne Fraunhofera (*b*)

$$\sin\theta = \frac{\lambda}{a} \tag{3.23}$$

gdzie: a — szerokość szczeliny.

Należy zwrócić uwagę na fakt, że obraz dyfrakcyjny przedstawiony na rys. 3.22*b* powstaje tylko wtedy, gdy ekran jest umieszczony w minimalnej odległości za szczeliną. Jest to tzw. *obszar Fraunhofera*, w którym fale ugięte mają czoła rzeczywiście płaskie.

Przykład 6

Pytanie: Światło o długości fali 1,064 μm ulega dyfrakcji na szczelinie o szerokości 10 μm. Jaki jest kąt dyfrakcji wiązki?
Odpowiedź:

$$\theta = \arcsin\left(\frac{\lambda}{a}\right) = \arcsin\left(\frac{1,064}{10}\right) = 6,1°$$

Typowe soczewki mają średnice wyrażane w milimetrach, podczas gdy długość fali świetlnej wyraża się w mikrometrach lub ułamkach mikrometra. Mimo to następuje w soczewkach dyfrakcja na tyle duża, że źródło punktowe nie daje punktowego obrazu. Najmniejszą plamkę świetlną, jaką może dać soczewka, nazywamy więc plamką o rozmiarze ograniczonym przez dyfrakcję. Zależy ona, co zrozumiałe, od średnicy soczewki i długości fali świetlnej, a także od ogniskowej soczewki. Rozmiar tej plamki jest określony wzorem

$$rozmiar\ plamki\ ograniczony\ dyfrakcją = \frac{2,44\lambda f}{D} \tag{3.24}$$

gdzie: D — średnica soczewki.

Zauważmy, że jeśli wymiar wiązki padającej jest mniejszy od średnicy soczewki, to ten wymiar trzeba zastosować w obliczeniach zamiast średnicy D. Warto też podkreślić, że zasada Huygensa daje tylko jakościowe wyjaśnienie zjawiska dyfrakcji. Pełne zrozumienie tego zjawiska wymaga rozważań matematycznych, których nie zamieszczamy.

Ćwiczenie 6

Oblicz rozmiar plamki ograniczony dyfrakcją dla soczewki o średnicy 15 mm i ogniskowej 6 cm, jeśli jest ona oświetlana światłem o długości fali 514,5 nm w przypadku, gdy:
a) światło wypełnia soczewkę,
b) wiązka padająca ma średnicę tylko 1,5 mm.

3.3   ZWIERCIADŁA

Zwierciadła obejmują szeroki zakres elementów optycznych — od prostych kawałków czarnego szkła do wielowarstwowych zwierciadeł dielektrycznych. Pierwsze zwierciadła wykonywano przez pokrywanie szkła warstwą srebra. W obecnych czasach *zwierciadła* dobrej jakości wykonuje się z aluminium naparowywanego próżniowo na podłożu i następnie pokrywanego warstwami ochronnymi z tlenku krzemu lub fluorku magnezu. Mówiliśmy już poprzednio o stosowaniu pokryć dieelektrycznych, w celu ustalenia żądanej długości fali we wnęce rezonansowej lasera. Te filtry zachowują się w praktyce jak zwierciadło dielektryczne. Zwierciadła płaskie stosuje się w celu nadawania światłu kierunku. Zwierciadła wklęsłe lub wypukłe mogą być używane do skupiania, kolimacji lub rozpraszania światła w podobny sposób jak w soczewkach. W niektórych zastosowaniach zwierciadła górują nad soczewkami — np. w dużych układach optycznych, gdzie wytworzenie bardzo dużych soczewek jest trudne i drogie. Ponadto, szkło jest bardzo ciężkie, a soczewka może być zamocowana tylko na brzegach, podczas gdy zwierciadło można zamocować z tyłu na całej powierzchni.

3.3.1 Zwierciadła płaskie

Zwierciadła płaskie są zbudowane z płaskiego podłoża, które — jak we wszystkich zwierciadłach — jest z przodu lub z tyłu pokryte substancją odbijającą światło. Zwierciadła przeznaczone do powszechnego stosowania są zwykle pokryte z tyłu, gdyż wtedy łatwo można warstwę pokrycia w pełni zabezpieczyć przed zniszczeniem. W zwierciadłach pokrytych z tyłu srebrem mogą jednak występować podwójne obrazy, co jest niedopuszczalne w wielu zastosowaniach technicznych (rys. 3.23).

Zwierciadła płaskie dają zawsze obrazy pozorne i odwrócone. Światło odbija się od zwierciadła zgodnie z prawem odbicia, które brzmi

Kąt padania = kątowi odbicia

3.3.2 Zwierciadła asferyczne

Podobnie jak w przypadku powierzchni załamującej światło, możemy określić, jaki powinien być kształt powierzchni odbijającej, aby ogniskowała ona w jednym punkcie wszystkie padające na zwierciadło promienie rozchodzące się równolegle do osi optycznej. I tak jak dla powierzchni załamującej, można stwierdzić, że rozwiązaniem tego problemu jest zwierciadło o powierzchni parabolicznej lub eliptycznej. Również, jak w przypadku soczewek, wytwarzanie takich *zwierciadeł asferycznych* jest trudne i kosztowne. Musimy więc rozważyć praktyczniejsze zwierciadło sferyczne.

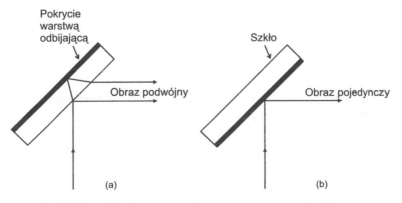

Rys. 3.23 Odbicie światła od:
a — tylnej, *b* — przedniej powierzchni zwierciadła pokrytego srebrem

3.3.3 Zwierciadła sferyczne

Do soczewek stosuje się równanie Gaussa wyrażające zależność między odległościami przedmiotu i obrazu oraz ogniskową soczewki. Podobnie możemy napisać wzór wiążący te trzy parametry w przypadku zwierciadła. Trzeba pamiętać, że tak samo jak dla soczewek, wzór jest słuszny tylko dla promieni przyosiowych. W przypadku oświetlenia promieniami daleko pozaosiowymi w zwierciadle występują aberracje. Wzór dla promieni przyosiowych w zwierciadle ma postać

$$\frac{1}{u} + \frac{1}{v} = -\frac{2}{r} \tag{3.25}$$

gdzie : r — promień krzywizny zwierciadła.

Znak „minus" we wzorze wynika z zastosowania tej samej konwencji jak dla soczewek: wypukła powierzchnia soczewki daje soczewkę skupiającą, podczas gdy zwierciadło skupiające tworzy powierzchnia wklęsła. Następnie, $r = 2f$ i jeśli przyjmiemy, że ogniskowa f jest dodatnia w zwierciadle wklęsłym, uzyskujemy

$$\frac{1}{u} + \frac{1}{v} = \frac{1}{f} \tag{3.26}$$

a więc wzór identyczny jak dla soczewki.

3.3.4 Obrazy w zwierciadłach

Podobnie jak w przypadku soczewek, do określenia położenia, powiększenia i odwrócenia obrazu możemy zastosować metodę wyznaczania biegu promieni. Tak jak poprzednio zastosujemy trzy najważniejsze promienie. Dwa z nich są takie same jak w soczewce: promień równoległy do osi optycznej po odbiciu przechodzi przez ognisko, a promień przechodzący przez ognisko odbija się jako równoległy do osi. Jednak ten promień, który w soczewce przechodził przez środek soczewki nie odchylony, w zwierciadle wraca nie odchylony przechodząc przez środek krzywizny C zwierciadła, który znajduje się w odległości $2f$ od środka zwierciadła. W zwierciadłach wklęsłych C i f znajdują się przed zwierciadłem, a w wypukłych — za nim. Płaszczyzna zwierciadła przebiega przez środek zwierciadła, prostopadle do osi optycznej.

Przykład 10

Pytanie: Oblicz położenie obrazu przedmiotu, który jest umieszczony 12 cm przed zwierciadłem wklęsłym o ogniskowej 10 cm.

Odpowiedź: Możemy przekształcić równanie (3.26) uzyskując

$$v = \left(\frac{1}{f} - \frac{1}{u}\right)^{-1} = \left(\frac{1}{10} - \frac{1}{12}\right)^{-1} = 60 \text{ cm}$$

Wynika stąd, że obraz powstaje w odległości 60 cm przed zwierciadłem wklęsłym i że jest on odwrócony.

3.4 POLARYZATORY

W układach optoelektronicznych często występuje polaryzacja światła. Dowiedzieliśmy się już, jak można spolaryzować światło laserowe wprowadzając okno Brewstera do wnęki rezonansowej lasera. Czasem jednak stopień polaryzacji wprowadzonej w ten sposób nie jest wystarczający, a czasem istnieje potrzeba repolaryzacji światła w dalszej części układu, już po oddziaływaniu światła z innymi elementami systemu. Są dwa podstawowe rodzaje polaryzatorów — błony dichroiczne i polaryzatory dwójłomne.

3.4.1 Polaryzatory dichroiczne

W wielu materiałach barwnych, jeśli oświetlimy pewną ich objętość światłem spolaryzowanym i potem skręcimy płaszczyznę polaryzacji światła padającego, to ułamek światła padającego, które przechodzi przez materiał pozostaje stały. Absorpcja tych materiałów nie zależy więc od kierunku polaryzacji światła padającego. Jednak w niektórych materiałach właściwości absorpcyjne silnie zależą od kierunku polaryzacji i kierunku rozchodzenia się światła padającego. Takie materiały nazywamy *dichroicznymi*. Można zobrazować działanie materiału dichroicznego stosując polaryzator drutowy i mikrofale (rys. 3.24).

Polaryzator jest oświetlony promieniowaniem mikrofalowym nie spolaryzowanym. Jak stwierdzono w rozdziale 2, każdy kierunek polaryzacji można rozłożyć na składowe — pionową (równoległą do drutów polaryzatora) i poziomą (prostopadłą do nich). Składowe pola elektrycznego mikrofal równoległe do drutów powodują ruch elektronów w drutach w górę i w dół w takt zmian pola elektrycznego przekazującego energię elektronom. Te elektrony zderzają się z atomami w metalu, z którego są wykonane druty. Atomy drgają wtedy z większą energią (to znaczy, że druty się nagrzewają). Tak więc elektrony absorbują całą energię pochodzącą ze składowych pola elektrycznego równoległych do drutów. Inaczej dzieje się ze składową pola elektrycznego

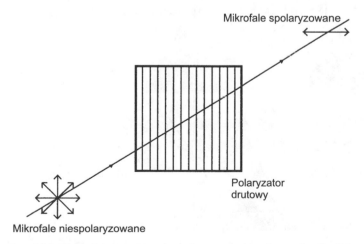

Rys. 3.24 Zastosowanie polaryzatora drutowego do polaryzacji mikrofal

prostopadłą do drutów. Składowa ta z dużą trudnością powoduje ruch elektronów, ich poruszanie się w tym kierunku jest bowiem bardzo ograniczone. Tak więc elektrony nie absorbują energii pochodzącej od składowej poziomej pola elektrycznego i ta energia przechodzi przez polaryzator. W ten sposób promieniowanie mikrofalowe zostaje spolaryzowane. Polaryzatory dichroiczne działają dokładnie w ten sam sposób, ale w zakresie fal świetlnych.

3.4.2 Materiały dichroiczne

Materiał dichroiczny to taki, którego właściwości absorpcyjne zmieniają się zależnie od polaryzacji i kierunku rozchodzenia się światła przechodzącego przez ten materiał. Przykładem materiału dichroicznego występującego w naturze jest turmalin, stosowany w jubilerstwie. Ogólny wzór turmalinu ma postać:

$$(Na, Ca)(Li, Mg, Al)_3(Al, Fe, Mn)_6(OH)_4(BO_3)_3\{Si_6O_{18}\},$$

jest skomplikowany i obejmuje wszystkie możliwe wzory różnych odmian turmalinu. Łatwiej zrozumiemy jego zachowanie jeśli przyjrzymy się strukturze turmalinu (rys. 3.25) o prostszym wzorze chemicznym:

$$NaAl_3(Fe_3Al_3)(OH)_4(BO_3)_3\{Si_6O_{18}\}$$

Jak widać na schemacie struktury, łańcuch jonów, przemiennie Na^+ i $(OH)^-$ otacza stos czworościanów Si_6O_{18} tworzących pierścienie, w których podstawy poszczególnych czworościanów leżą w jednej płaszczyźnie. Naprzemian z tymi pierścieniami występują warstwy grup BO_3, po trzy ponad każdym pierścieniem. Płaszczyzna tych grup jest równoległa do podstaw czworościanów Si_6O_{18}. Atomy Al_3 ustawione rurkowo łączą stos w całość, pierścień Al_3Fe_3 zaś wraz z trójkątem grup OH na zewnątrz stosu łączą go z sąsiednimi stosami.

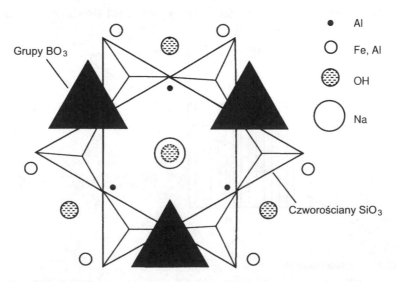

Rys. 3.25 Struktura jednego z rodzajów turmalinu

Teraz możemy poszukać analogii z naszym mikrofalowym polaryzatorem drutowym. Ponieważ podstawy czworokątów Si_6O_{18} leżą w jednej płaszczyźnie, a wszystkie grupy BO_3 leżą w płaszczyznach równoległych do niej, więc znacznie łatwiej jest przemieszczać elektrony w kierunku równoległym do tej płaszczyzny niż prostopadłym do niej. W rezultacie energia światła, którego wektor pola elektrycznego drga równolegle do płaszczyzn podstaw czworościanów, jest skutecznie absorbowana. Natomiast energia światła, którego wektor pola elektrycznego drga prostopadle, jest pochłaniana słabo. Ponadto możemy zauważyć, że struktura turmalinu jest bardzo symetryczna względem kierunku prostopadłego do płaszczyzn podstaw. A zatem nie ma znaczenia, czy wektor pola elektrycznego drga w górę i w dół na rysunku, czy w poprzek rysunku — absorpcja jest w obu przypadkach taka sama. Mamy więc dwie wyraźne wartości absorpcji — dużą dla drgań wektora pola elektrycznego w płaszczyźnie podstaw czworościanów i grup BO_3 oraz małą wartość dla drgań tego wektora prostopadle do tej płaszczyzny. Możemy zatem zdefiniować prostą, którą nazywamy osią optyczną turmalinu, która w tym przypadku jest równoległa do stosu jonów Na^+ i $(OH)^-$ i równoległa do płaszczyzn podstaw. Oś optyczną można łatwo wyznaczyć w pojedynczym krysztale turmalinu, gdyż w procesie swego wzrostu tworzy się on jako długi, cienki kryształ o osi optycznej równoległej do długości. Na rys. 3.26 przedstawiono schematycznie działanie polaryzujące turmalinu. Można spostrzec, że jeden kierunek polaryzacji jest stopniowo pochłaniany przez ośrodek, i na wyjściu pozostaje tylko jeden kierunek polaryzacji. Kawałek turmalinu o grubości kilku milimetrów może działać jako skuteczny polaryzator.

Chociaż turmalin ma strukturę odpowiednią, aby stosować go jako polaryzator, to ma również pewne wady:

a) występuje tylko w postaci małych kryształów,

b) światło spolaryzowane równolegle do osi optycznej też w pewnym stopniu ulega absorpcji,

c) wartość tej niepożądanej absorpcji jest zależna od długości fali, a więc na wyjściu uzyskuje się światło podkolorowane.

Dlatego, jeśli kryształ turmalinu jest obracany w wiązce światła spolaryzowanego w taki sposób, że padające światło jest najpierw polaryzowane wzdłuż osi optycznej,

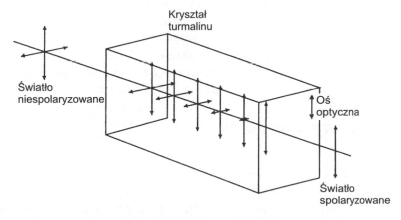

Rys. 3.26 Zastosowanie turmalinu do polaryzacji światła

a potem prostopadle do niej (równolegle do płaszczyzn podstaw), to barwa światła na wyjściu zmienia się od np. zielonej aż do czarnej. W zależności od rodzaju turmalinu barwa początkowa może być brązowa, niebieska, zielona lub czerwona). Teraz widzimy skąd ten rodzaj materiału bierze swą nazwę, gdyż *dichroiczny* znaczy *dwubarwny*.

3.4.3 Polaroid

Pierwszy praktyczny polaryzator dichroiczny, opracowany przez E.H.Landa, był błoną, zwaną błoną J, zawierającą syntetyczną substancję dichroiczną o nazwie *herapatyt*. Najpierw herapatyt mielono na miliony submikroskopijnych kryształków o kształcie szpilkowym. Następnie za pomocą pola magnetycznego lub elektrycznego szpilki ustawiano prawie równolegle. Później Land odkrył, że cząsteczki można ustawiać mechanicznie, jeśli wprowadzi się je do gęstej zawiesiny i przepchnie przez wąską szczelinę. Otrzymany materiał też jednak nie był idealny, gdyż nawet małe kryształy rozpraszały trochę światła, więc obrazy oglądane przez błonę wydawały się zamglone.

W 1938 roku Land wynalazł błonę H, która jest bezpośrednim optycznym analogiem mikrofalowego polaryzatora drutowego. Aby to uzyskać, błonę z czystego alkoholu poliwinylowego (PVA) nagrzewa się i rozciąga w jednym kierunku. Po rozciągnięciu błony, długie molekuły węglowodoru w alkoholu poliwinylowym ustawiają się prawie równolegle. Błona jest następnie nasycana substancją bogatą w jod, który przyczepia się do molekuł ustawionych na wprost i tworzy własne łańcuchy. Elektrony związane z jodem mogą wtedy poruszać się wzdłuż łańcuchów jodu tak, jakby były one długimi, cienkimi drutami. W takiej błonie nie istnieje problem rozpraszania, gdyż „kryształy" mają wymiary molekularne. Jod jest bardzo skutecznym absorberem w całym widmie, lecz jego pochłanianie jest nieco słabsze na niebieskim krańcu widma niż na czerwonym. Tak więc jeśli silne światło białe jest oglądane przez skrzyżowane polaryzatory, to będzie ono wyglądało jak głęboko niebieskie.

Praca własna

Spójrz na jasne światło białe przez skrzyżowaną parę polaryzatorów i upewnij się, czy światło wydaje się niebieskie. Jeśli masz przyjaciół, którzy są zapalonymi fotografikami, to spytaj, czy możesz od nich pożyczyć filtry polaryzujące; są to polaroidy dobrej jakości. Zamiast nich możesz też zastosować dwie pary polaryzacyjnych okularów przeciwsłonecznych. Dobrym źródłem jasnego światła białego może być lampa używana obecnie jako przednie światło w rowerach. Będziesz wiedział, kiedy polaryzatory są skrzyżowane, gdyż wtedy przechodzące światło będzie miało minimalne natężenie (i miejmy nadzieję — będzie niebieskie).

3.4.4 Polaryzatory dwójłomne

W tych zastosowaniach, gdzie potrzebna jest silna polaryzacja, można zastosować polaryzatory dwójłomne (z podwójnym załamaniem), gdyż mają one duże współczynniki polaryzacji, typowo 10^6 lub więcej. Współczynnik polaryzacji jest po prostu stosunkiem natężenia światła o żądanym kierunku polaryzacji do natężenia o kierunku prostopadłym do żądanego.

Struktura materiału dwójłomnego jest bardzo podobna do materiału dichroicznego, przynajmniej z punktu widzenia światła padającego. Tak jak w materiale dichroicznym, ustawienie atomów tworzy płaszczyzny, w których ruch elektronów jest dość łatwy, a prostopadle do tych płaszczyzn — trudny. Główna różnica między materiałem dichroicznym a materiałem dwójłomnym polega na tym, że materiał dwójłomny nie jest barwny. W kategoriach praktycznych znaczy to, że energia światła padającego nie może być pochłaniana przez bardziej aktywny ruch elektronów w materiale. Musimy zatem rozpatrzyć inny mechanizm, dzięki któremu takie materiały mogą być używane jako polaryzatory.

3.4.4.1 Kalcyt jako przykład materiału dwójłomnego

Strukturę kalcytu, o wzorze chemicznym $CaCO_3$, pokazano na rys. 3.27. Chociaż, na pierwszy rzut oka, wygląda ona zupełnie inaczej niż turmalinu, to po bliższym przyjrzeniu się można zauważyć pewne podobieństwa. Po pierwsze, w strukturze występują trójkątne grupy CO_3, których wszystkie płaszczyzny są równoległe (rys. 3.27a).

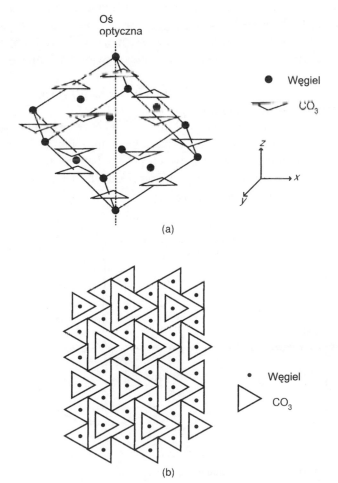

Rys. 3.27 Struktura kalcytu:
a — prostopadła,
b — równoległa do osi optycznej

Po drugie, jeśli popatrzymy na tę strukturę wzdłuż osi optycznej, to znowu zauważymy dobrą symetrię w kierunkach równoległych do tych płaszczyzn (rys. 3.27b). Mamy więc ponownie do czynienia ze strukturą, w której pole elektryczne drgające równolegle do osi x będzie „widziało" dokładnie takie same właściwości materiału jak pole drgające równolegle do osi y, podczas gdy pole elektryczne drgające równolegle do osi z (oś optyczna kalcytu) będzie „widziało" inne właściwości. Co więc powoduje, że kalcyt zachowuje się jak polaryzator?

3.4.4.2 Zmiany współczynnika załamania światła w zależności od kierunku

Światło przenika przez materiał przezroczysty wzbudzając elektrony w tym materiale. Elektrony drgają wprzód i w tył pod wpływem pola elektrycznego promieniowania świetlnego. Każdy elektron zachowuje się jak mała antenka i znowu wypromieniowuje energię, która wzbudza elektrony dalej w materiale, stające się znowu małymi antenkami itd. Możemy teraz zrozumieć, dlaczego w niektórych materiałach współczynnik załamania zależy od kierunku, jeśli wyobrazimy sobie związanie elektronów z jądrem jako układ pewnych mas i sprężyn. Elektrony w tym układzie są związane ze znajdującym się pośrodku jądrem za pomocą sprężyn o określonej sprężystości. Sprężystość wyraża, jak silnie elektrony w powłoce są związane z jądrem. Wszystkie możliwe kierunki będziemy, jak zwykle, odnosić do trzech osi x, y, z. Taki model przedstawiono schematycznie na rys. 3.28.

W tym modelu jądro atomu w materiale izotropowym, na przykład w szkle, jest związane ze swymi elektronami sprężynami o jednakowej sprężystości (rys. 3.28a). Jeśli elektron jest przemieszczany w kierunku równoległym do jednego z zestawów sprężyn, to będzie drgał z charakterystyczną częstotliwością, taką samą, jakby elektron był przemieszczany równoległe do któregokolwiek z dwóch pozostałych zestawów sprężyn. Inaczej jest w materiale anizotropowym, takim jak np. kalcyt. Tutaj para sprężyn w kierunku z ma inną sprężystość niż pozostałe dwie pary (rys. 3.28b). Zatem elektron

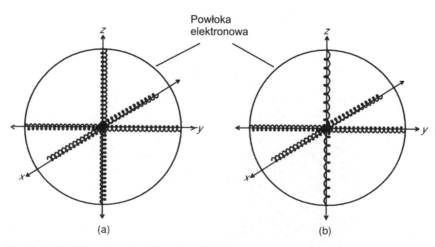

(a)   (b)

Rys. 3.28 Model powiązań elektronów z jądrem

przemieszczany w kierunku równoległym do kierunku z będzie miał inną charakterystyczną częstotliwość drgań niż ta, z którą by drgał przy przemieszczaniu w dwóch innych kierunkach.

Oświetlając materiał zmuszamy elektrony do drgań z częstotliwością padającego światła. Prędkość, z jaką światło porusza się w materiale, jest określona *różnicą* między częstotliwością światła i charakterystyczną częstotliwością drgań. Tak więc w materiale izotropowym ta różnica jest jednakowa dla wszystkich kierunków rozchodzenia się światła, a zatem prędkość światła jest taka sama we wszystkich kierunkach. W materiale anizotropowym jednak częstotliwości charakterystyczne zmieniają się wraz ze zmianą kierunku, a więc zmienia się też wspomniana różnica. Dlatego prędkość światła zależy wtedy od kierunku. Podaliśmy już poprzednio wzór $v = c/n$, w którym v jest prędkością światła w danym ośrodku, a c — w próżni. Wartość n to współczynnik załamania światła. A zatem, ponieważ w materiałach anizotropowych prędkość v zależy od kierunku, więc musimy wnioskować, że wartość współczynnika załamania światła też jest zależna od kierunku.

3.4.4.3 Zastosowanie kalcytu jako polaryzatora

Powszechnie stosowane są dwa polaryzatory wykonane z kalcytu — polaryzator Glan-Foucault i polaryzator Glan-Thompsona, oba o bardzo podobnej konstrukcji. Są zbudowane z dwóch prostokątnych pryzmatów ciętych w taki sposób, aby oś optyczna kalcytu była prostopadła do trójkątnych ścian (rys. 3.29).

Dwa złączone pryzmaty rozdzielone szczeliną tworzą polaryzator. W polaryzatorze Glan-Foucault szczelina jest powietrzna, a w polaryzatorze Glan-Thomsona jest wypełniona balsamem kanadyjskim (albo gliceryną lub olejem mineralnym, jeśli polaryzator ma być stosowany do promieniowania nadfioletowego). Zrozumienie działania polaryzatora ułatwia rys. 3.29b. Światło pada na polaryzator w sposób pokazany na

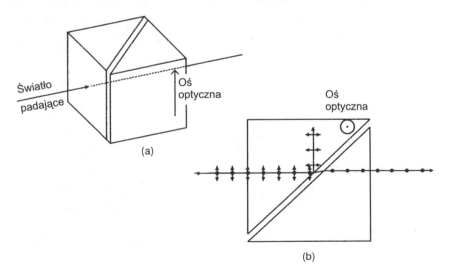

(a)

(b)

Rys. 3.29 Budowa polaryzatorów Glan-Foucault i Glan-Taylora
a — widok trójwymiarowy, b — widok płaski

rysunku. Składowa pola elektrycznego prostopadła do płaszczyzny papieru, zaznaczona na rysunku kropkami, jest równoległa do osi optycznej, która jest też prostopadła do płaszczyzny papieru. Tak więc dla tej składowej obowiązuje współczynnik załamania n_p. Składowa pola elektrycznego będąca w płaszczyźnie papieru jest prostopadła do osi optycznej kalcytu, a więc dla tej składowej obowiązuje współczynnik załamania n_n. Taki polaryzator działa na zasadzie całkowitego wewnętrznego odbicia.

3.4.4.4 Całkowite wewnętrzne odbicie

W celu zrozumienia zjawiska należy przyjrzeć się dokładniej zachowaniu się światła na granicy dwóch ośrodków przezroczystych. Na rys. 30a,b pokazano światło padające z dwóch stron na granicę powietrze/szkło. Przypomnijmy sobie prawo Snella wyrażające zależność między kątami padania i załamania oraz współczynnikami załamania jako

$$n_1 \sin\theta_1 = n_2 \sin\theta_2 \tag{3.27}$$

gdzie ośrodek 1 jest tym, od którego strony pada światło. Po przekształceniu tego wzoru otrzymamy

$$\sin\theta_2 = \left(\frac{n_1}{n_2}\right)\sin\theta_1 \tag{3.28}$$

Wiadomo, że wartość funkcji $\sin\theta$ mieści się między 0 i 1. Na rys. 3.30a ośrodkiem 1 jest powietrze o współczynniku załamania równym 1, a ośrodkiem 2 szkło o współczynniku załamania 1,5. Tak więc w tym przypadku $n_1/n_2 = 0,66$ a zatem $\sin\theta_2$ jest zawsze mniejszy od jedności. Jednak na rys. 3.30b mamy $n_1/n_2 = 1,5$, a więc wymaganie, żeby $\sin\theta_2$ był mniejszy od 1, będzie spełnione tylko jeśli $\sin\theta_1 \leqslant 0,66$. Co się dzieje, jeśli $\sin\theta_2$ przekroczy tę wartość? Otóż światło padające pod kątem, dla którego $\sin\theta_1 > 0,66$, nie może ulec załamaniu przechodząc ze szkła do powietrza. Zamiast tego całe światło ulega odbiciu z powrotem do szkła i uzyskujemy całkowite wewnętrzne odbicie. Z przeprowadzonych rozważań można wyciągnąć dwa wnioski:

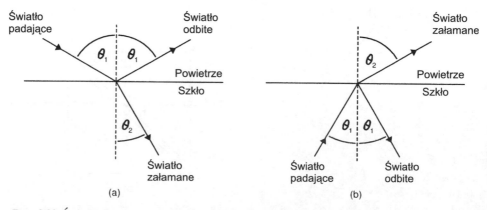

(a)   (b)

Rys. 3.30 Światło padające na granicę ośrodków powietrze/szkło od strony:
a — powietrza, b — szkła

1. Istnieje pewien minimalny kąt, przy którym następuje całkowite wewnętrzne odbicie.
2. Całkowite wewnętrzne odbicie następuje tylko wtedy, gdy światło przechodzi z ośrodka o większym współczynniku załamania do ośrodka o współczynniku mniejszym.

Kąt minimalny, przy którym zachodzi całkowite wewnętrzne odbicie jest określany jako kąt graniczny θ_c. Jest to kąt, dla którego $\sin\theta_2 = 1$, to znaczy że promień załamany będzie wtedy przechodził wzdłuż granicy między szkłem i powietrzem. Kąt graniczny jest więc wyrażony wzorem

$$\theta_c = \arcsin\left(\frac{n_2}{n_1}\right) \tag{3.29}$$

Ćwiczenie 7

Oblicz kąt graniczny dla światła padającego na granicę woda/powietrze od strony wody, przyjmując $n_{wody} = 1{,}33$.

Wracając do omawianego polaryzatora możemy zauważyć, że kąty graniczne dla światła polaryzowanego równolegle (θ_{cp}) i prostopadle (θ_{cn}) do osi optycznej, przy przechodzeniu z kalcytu do powietrza są, odpowiednio, równe

$$\theta_{cp} = \arcsin\left(\frac{1}{n_p}\right) \qquad \theta_{cn} = \arcsin\left(\frac{1}{n_n}\right)$$

A zatem, jeśli kąt padania światła na powierzchnię mieści się w obszarze między θ_{cp} a θ_{cn}, to jedna ze składowych może ulec całkowitemu wewnętrznemu odbiciu. Dla kalcytu i żółtego światła sodowego ($\lambda = 589$ nm) współczynniki załamania składowej równoległej i prostopadłej są równe odpowiednio: $n_p = 1{,}486$ i $n_n = 1{,}658$. A więc w polaryzatorze Glan-Foucault, który ma szczelinę powietrzną, $\theta_{cp} = 42{,}29°$ i $\theta_{cn} = 37{,}09°$ i granica ośrodków jest ustawiona pod takim kątem, żeby światło padające prostopadle na polaryzator, padało na granicę ośrodków pod kątem $38{,}5°$.

W przedstawionym przyrządzie optycznym równoległa składowa światła ulega całkowitemu wewnętrznemu odbiciu. Składowa prostopadła przechodzi przez polaryzator, jej kierunek po przejściu nieco się zmienia z powodu załamania na dwóch granicach powietrze/szkło. Przemieszczenie kierunku rozchodzenia się wiązki wyjściowej jest jedną z wad takich polaryzatorów (prócz dużego kosztu). Przy obracaniu polaryzatora przemieszczenie kierunku wiązki obraca się wraz z nim poruszając się po okręgu wokół pierwotnego kierunku wiązki. W niektórych zastosowaniach taki ruch jest niedopuszczalny i wybiera się raczej polaryzatory dichroiczne mimo ich mniejszego współczynnika polaryzacji.

3.5 RETARDERY (OPTYCZNE ELEMENTY OPÓŹNIAJĄCE)

Ostatnim przyrządem optycznym, który omówimy, jest *retarder — optyczny układ opóźniający*. Retardery zmieniają polaryzację fali padającej opóźniając jedną z jej składowych w stosunku do drugiej. Mogą być wykonywane z płytki z materiału dwójłomnego, która w tym przypadku jest nazywana *płytką falową*. Retardery mogą być też robione ze specjalnie ukształtowanych pryzmatów zwanych *rombami*. Ponieważ

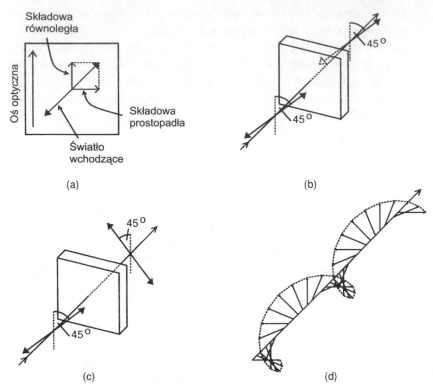

Rys. 3.31 Wyjaśnienie działania retarderów
a — rozkład fali spolaryzowanej liniowo na dwie składowe prostopadłe, *b* — sposób działania płytki pełnofalowej, *c* — sposób działania płytki półfalowej, *d* — światło spolaryzowane kołowo prawoskrętnie

płytki falowe są częściej spotykane, więc tylko nimi się zajmiemy. Jeśli rozmontujesz odtwarzacz płyt kompaktowych, z pewnością znajdziesz w nim płytkę falową. Płytkę wykonuje się przez cięcie i polerowanie materiału dwójłomnego, np. miki, w taki sposób, aby oś optyczna była równoległa do jednego z długich boków płytki. Jak działa taka płytka? Zrozumiemy to przyjrzawszy się rysunkowi 3.31*a*.

Na rysunku 3.31*a* światło spolaryzowane liniowo pada na płytkę pod pewnym kątem w stosunku do osi optycznej. Przeanalizujmy działanie płytki rozkładając światło na dwie składowe — równoległą do osi optycznej i prostopadłą do niej. Jeśli grubość płytki równa się *L*, to składowa równoległa przebędzie w niej drogę optyczną $n_p L$, a składowa prostopadła — $n_n L$. Obie składowe dotrą do drugiego końca płytki przesunięte w fazie w stosunku do siebie. To, co teraz się dzieje nie jest zupełnie tym samym, czego moglibyśmy oczekiwać na podstawie rozważań przeprowadzanych w rozdz. 2, a dotyczących interferencji w filtrach dielektrycznych. Tutaj składowe nie mogą interferować, gdyż są w stosunku do siebie ortogonalne (tzn. pod kątem 90°). Różnica faz $\Delta\Phi$ powoduje zmianę stanu polaryzacji wiązki wyjściowej i jest określona wzorem

$$\Delta\Phi = \frac{2\pi}{\lambda} L(|n_p - n_n|) \tag{3.30}$$

Chociaż wielkość $\Delta\Phi$ może przyjmować wartości w granicach od 0 do 2π (360°), to jak dotąd najczęściej są stosowane płytki pełnofalowe oraz pół- i ćwierćfalowe.

3.5.1 Płytka pełnofalowa ($\Delta\Phi = 2\pi$)

W takiej płytce jedna składowa dociera o pełną długość fali dalej niż druga, stąd pochodzi nazwa płytki. W tym przypadku polaryzacja wiązki wyjściowej jest taka sama jak wejściowej (rys. 3.31b).

3.5.2 Płytka półfalowa ($\Delta\Phi = \pi$)

W takiej płytce jedna składowa dociera o pół długości fali dalej niż druga. Jeśli światło padające jest spolaryzowane o 45° w stosunku do osi optycznej, to po przejściu przez płytkę wiązka będzie nadal spolaryzowana liniowo, lecz będzie to polaryzacja prostopadła w stosunku do polaryzacji wiązki wejściowej, jak to przedstawiono na rys. 3.31c.

Praca własna

Wykonaj samodzielnie płytkę półfalową naklejając kawałek przezroczystej taśmy samoprzylepnej na kawałek szkła. Spójrz na jasne światło przez dwa skrzyżowane kawałki polaroidu i następnie włóż pomiędzy nie szkło z naklejoną taśmą. Gdy taśma jest ustawiona wzdłuż kierunku polaryzacji jednego z kawałków polaroidu, niczego nie zobaczymy. Lecz gdy taśmę obrócimy o 45°, światło będzie przepuszczane tam, gdzie jest taśma; taśma skręca polaryzację padającego światła o 90°. Dlaczego taśma działa w ten sposób? (Wskazówka: przemyśl podobieństwa w wytwarzaniu taśmy samoprzylepnej i polaroidu zanim został on nasycony substancją zawierającą jod).

3.5.3 Płytka ćwierćfalowa ($\Delta\Phi = \pi/2$)

W płytce ćwierćfalowej jedna składowa fali dociera o ćwierć długości fali dalej niż druga. Jeśli światło padające jest spolaryzowane o 45° w stosunku do osi optycznej, to uzyskujemy nowy rodzaj światła spolaryzowanego, zwanego *światłem spolaryzowanym kołowo*. Na rys. 3.31d pokazano falę spolaryzowaną kołowo. Podczas rozchodzenia się takiej fali jej amplituda pozostaje stała, lecz wektor pola elektrycznego się obraca. Fala na rys. 3.31d jest spolaryzowana kołowo prawoskrętnie, gdyż wektor pola elektrycznego obraca się zgodnie z kierunkiem wskazówek zegara (jeśli patrzeć w kierunku rozchodzenia się fali).

Praca własna

Możesz wykonać płytkę ćwierćfalową stosując plastykową folię do żywności. Kawałek szkła owiń około dwunastoma warstwami folii, zwracając uwagę na to, żeby każda warstwa była nawinięta w tym samym kierunku. Potem dodawaj kolejno jeszcze po jednej warstwie folii, aż przy obracaniu między skrzyżowanymi polaryzatorami uzyskasz stałe natężenie światła przechodzącego przez szkło owinięte folią. Wtedy jest to płytka ćwierćfalowa.

Należy pamiętać, że dla danej wartości L, wartość $\Delta\Phi$ zależy od długości fali światła padającego. Nie uzyska się oczekiwanego skutku umieszczając płytkę przeznaczoną dla światła 633 nm przed wiązką o długości fali 514 nm!

Przykład 11

Pytanie: Płytka półfalowa ma być wykonana z miki, o współczynnikach załamania $n_p = 1{,}599$, $n_n = 1{,}594$. Płytka jest przeznaczona do światła sodowego o długości fali 590 nm. Jaka powinna być grubość płytki?

Odpowiedź: Powinniśmy uzyskać $\Delta\Phi = \pi$. Korzystając z równania (3.30), po przekształceniu i podstawieniu otrzymamy

$$L = \frac{\lambda}{2(|n_p - n_n|)} = \frac{590 \cdot 10^{-9}}{2(1{,}599 - 1{,}594)} = 59 \ \mu m$$

3.6 PODSUMOWANIE

- Soczewki idealne mają powierzchnie asferyczne, podczas gdy soczewki stosowane w praktyce są soczewkami sferycznymi.
- Jeśli stosuje się przybliżenie, zwane przyosiowym, to można wyprowadzić praktyczne równanie soczewki określające położenie, powiększenie i odwrócenie obrazu przedmiotu, jaki daje soczewka.
- W soczewkach występują aberracje będące odchyleniami od działania idealnego. Aberracje chromatyczne zachodzą z powodu zależności współczynnika załamania materiału soczewki od długości fali, a aberracje monochromatyczne — w wyniku nie spełnienia warunków przyjętego przybliżenia przyosiowego.
- Nawet soczewki wolne od aberracji nie mogą dawać obrazu idealnego ze względu na zjawisko dyfrakcji. Ogranicza ono minimalny rozmiar plamki, jaki może dać soczewka w wyniku ogniskowania.
- Działanie zwierciadła można opisać takimi samymi równaniami, jakie stosuje się do opisu działania soczewek.
- Zasada działania polaryzatorów jest oparta na wykorzystaniu różnic w łatwości przemieszczania elektronów w różnych kierunkach w ośrodku polaryzującym.
- Polaryzatory dichroiczne działają na zasadzie różnic w absorpcji światła o różnej polaryzacji.
- Polaryzatory z podwójnym załamaniem światła (dwójłomne) działają dzięki wykorzystaniu różnic we współczynnikach załamania dla światła o różnych polaryzacjach; w rezultacie następuje wybranie światła o jednej polaryzacji w wyniku wewnętrznego całkowitego odbicia.
- Całkowite wewnętrzne odbicie jest zjawiskiem, podczas którego całe światło padające na granicę dwóch ośrodków ulega odbiciu.
- Całkowite wewnętrzne odbicie następuje tylko wówczas, gdy światło pada z ośrodka o większym współczynniku załamania do ośrodka o współczynniku mniejszym i kąt padania jest większy od pewnej wartości granicznej θ_c.
- Polaryzację światła można zmienić stosując płytkę falową, wartość zmiany zależy od rodzaju płytki.

3.7 ZADANIA

3.1 Światło pada na ściankę pryzmatu szklanego pod kątem 47° w stosunku do prostopadłej do powierzchni. Pod jakim kątem wiązka światła wychodzi z pryzmatu, jeśli współczynnik załamania światła jest równy 1,5; a kąty wewnętrzne pryzmatu mają 60°?

3.2 Jak można by zmodyfikować równanie (3.7), gdyby źródło światło było umieszczone w ośrodku o współczynniku załamania n_s? Stosując wyprowadzone przez siebie zmodyfikowane równanie, przeredaguj odpowiedź w przykładzie 2, zakładając, że źródło punktowe umieszczono w wodzie, która ma współczynnik załamania równy 1,33.

3.3 Soczewka płasko-wypukła jest wykonana ze szkła o $n = 1,5$ i $r_1 = 2$ m. Oblicz ogniskową tej soczewki.

3.4 Przedmiot umieszczono w odległości 10 cm od przedniej powierzchni soczewki rozpraszającej o ogniskowej 5 cm. Gdzie powstanie obraz?

3.5 Dwie soczewki dwuwypukłe znajdują się w odległości 10 cm od siebie. Ogniskowa soczewki *1* ma 5 cm, a ogniskowa soczewki *2* wynosi 7 cm. Przedmiot umieszczono w odległości 8 cm przed pierwszą soczewką. Gdzie powstanie obraz tego przedmiotu, jakie będzie jego powiększenie i czy będzie odwrócony?

3.6 Rozwiąż jeszcze raz zadanie **3.5** stosując metodę wykreślania torów promieni.

3.7 Prosta soczewka dwuwypukła jest wykonana z fluorku wapnia, który ma współczynnik załamania równy 1,439 dla długości fali 436 nm i 1,433 dla 644 nm. Promienie krzywizn obu powierzchni soczewki są równe 20 cm. Oblicz:
a) wartości ogniskowych f_B (dla światła niebieskiego) i f_R (dla światła czerwonego) tej soczewki,
b) wartość osiowej aberracji chromatycznej,
c) wartość bocznej aberracji chromatycznej
dla przedmiotu o wysokości 1 cm umieszczonego w odległości 30 cm od soczewki.

3.8 Soczewkę z astygmatyzmem Seidla zastosowano do uzyskania obrazu cyfry 5. Które części tej cyfry będą zobrazowane w ognisku dla części obwodowej, a które — dla promieniowej?

3.9 Światło o długości fali 1,3 μm przechodzi przez prostokątną szczelinę o szerokości 10 μm i wysokości 5 μm. Jakie są kąty ugięcia w kierunku pionowym i poziomym?

3.10 Polaryzator charakteryzuje się współczynnikiem polaryzacji 100 : 1. Co to znaczy?

3.11 Polaryzator Glan-Thompsona zawiera balsam kanadyjski wypełniający szczelinę miedzy dwoma kalcytowymi pryzmatami. Współczynnik załamania tego balsamu jest równy 1,54. Jaki powinien być minimalny kąt padania na wewnętrzne powierzchnie szkła, aby polaryzator pracował prawidłowo ($n_p = 1,486$; $n_n = 1,658$)?

Literatura

Literatura w języku angielskim

Książek z dziedziny optyki napisano tak wiele, że trudno byłoby je zliczyć. Trzeba po prostu przejrzeć wiele z nich, aby wybrać tę, w której sposób ujęcia materiału najlepiej wam odpowiada. Jednak pod względem łatwości wykładu, z uniknięciem trudnej matematyki, zdecydowanie najlepsza jest książka:

1. *Heht E.*: Optics. Wydanie 2. Addison-Wesley, 1989

Literatura uzupełniająca w języku polskim

1. *Bobrowski Cz.* : Fizyka — krótki kurs, wyd.7. WNT, Warszawa 1999
2. *Halliday D., Resnick R.*: Fizyka, tom 2. wyd. 11. PWN, Warszawa 1999
3. *Palais J.C.*: Zarys telekomunikacji światłowodowej. WKŁ, Warszawa 1991

4   ŹRÓDŁA ŚWIATŁA

4.1   WPROWADZENIE

W naszym codziennym życiu widzimy wokół siebie wiele źródeł światła. Ogólnie biorąc, można je podzielić na dwie kategorie: szerokopasmowe i o widmie liniowym. Do źródeł szerokopasmowych zaliczamy np. Słońce i rozgrzane metale, a także rozżarzony żarnik wolframowy. Źródła o widmie liniowym dzielą się na źródła o wielu liniach widma (np. lampy wyładowcze) i z linią pojedynczą (np. lampy elektroluminescencyjne i lasery). W tym rozdziale najpierw omówimy źródła szerokopasmowe, a następnie przejdziemy do źródeł o widmie liniowym, które są powszechnie stosowane w optoelektronice.

4.2   ŹRÓDŁA SZEROKOPASMOWE

Dominującym źródłem światła w naszym codziennym życiu (o ile nie pracujemy tylko na nocne zmiany lub w suterenie bez okien) jest światło słoneczne. Jest ono wytwarzane w wyniku reakcji syntezy termojądrowej zachodzącej wewnątrz Słońca. Słońce wytwarza promieniowanie elektromagnetyczne o zakresie częstotliwości od ok. 10^{11} do ok. 10^{15} Hz (od 3 mm do 300 nm). Słońce, jak wiemy, dostarcza zarówno światła (fale krótsze) jak i ciepła (fale dłuższe). Słońce zalicza się do *źródeł szerokopasmowych*, gdyż:
- daje promieniowanie o szerokim zakresie długości fali, czyli o szerokim paśmie,
- w całym tym zakresie długości fali wytwarza promieniowanie elektromagnetyczne.

W istocie rzeczy te stwierdzenia nie są w pełni słuszne dla Słońca, gdyż pierwiastki występujące w atmosferze Słońca, np. sód, pochłaniają energię odpowiadającą pewnym specyficznym długościom fali i to światło nie występuje w widmie promieniowania słonecznego.

Słońce jest, z dobrym przybliżeniem, tym, co nazywamy *ciałem doskonale czarnym* emitującym światło. Mówiąc w skrócie oznacza to, że źródło traci energię tylko przez emisję. Nie ma żadnej straty energii przez konwekcję lub przewodzenie. W ciałach doskonale czarnych rozkład emitowanej energii w funkcji częstotliwości ma pewien specyficzny kształt, który przedstawiono na rys. 4.1. Patrząc na ten rysunek proszę zwrócić uwagę, że rozkład zależy od temperatury ciała doskonale czarnego i maksimum rozkładu przesuwa się w stronę większych częstotliwości w miarę wzrostu temperatury. Jest to bardzo przydatne, gdyż na podstawie długości fali odpowiadającej maksimum rozkładu można obliczyć temperaturę ciała emitującego promieniowanie. Korzysta się ze wzoru

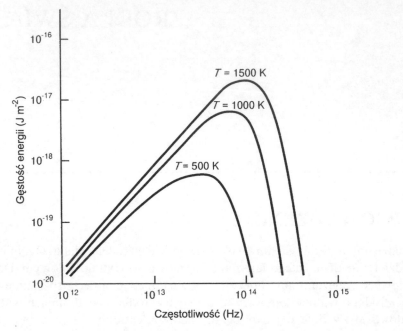

Rys. 4.1 Rozkład energii emitowanej przez ciało doskonale czarne w funkcji częstotliwości

$$\lambda_{max}T = 2,9 \cdot 10^{-3} \tag{4.1}$$

Jeśli zmierzymy charakterystykę zmian energii promieniowania źródła w funkcji częstotliwości, to na tej podstawie możemy wyznaczyć temperaturę źródła.

Przykład 1

Pytanie: Charakterystyka rozkładu promieniowania słonecznego osiąga maksimum przy długości fali ok. 500 nm. Korzystając z tej informacji oblicz temperaturę na powierzchni Słońca.

Odpowiedź:

$$T = \frac{2,9 \cdot 10^{-3}}{\lambda_{max}} = \frac{2,9 \cdot 10^{-3}}{500 \cdot 10^{-9}} = 5800 \text{ K}$$

Innym, znanym z codziennego życia, dobrym przykładem ciała doskonale czarnego emitującego światło jest żarówka — źródło światła z żarzonym włóknem wolframowym. Włókno jest umieszczone w próżni, nie występuje więc konwekcja ciepła, a drut wolframowy jest bardzo cienki, co ogranicza utratę ciepła przez przewodzenie. Tak więc większość energii jest przekazywana przez promieniowanie.

4.2.1 Powstawanie światła o szerokim paśmie częstotliwości

Wiemy już, że światło powstaje w wyniku przejść elektronów między poziomami energetycznymi w atomach. Dotychczas jednak rozważaliśmy tylko oddzielne atomy. W takich oddzielnych, odizolowanych od siebie atomach energie na poszczególnych poziomach są ściśle określone, a więc przejścia między tymi poziomami energetycznymi dają światło o bardzo dokładnie określonej energii i długości fali. A jednak źródła szerokopasmowe dają światło o ciągłym widmie długości fali. Jak to się dzieje? Odpowiedź wynika ze stanu materii wytwarzającej światło — źródła szerokopasmowe są zwykle ciałami stałymi.

Jeśli mamy do czynienia z wyizolowanym atomem jakiegoś pierwiastka, to możemy narysować wykres poziomów energetycznych składający się z oddzielnych, dobrze określonych poziomów energetycznych. Jeśli weźmiemy pojemnik zawierający dobrze odizolowane od siebie atomy jakiegoś pierwiastka, na przykład pierwiastka w postaci gazowej, wtedy taki wykres poziomów energetycznych jest nadal słuszny dopóty, dopóki atomy są od siebie wystarczająco daleko, żeby poziomy energetyczne nie zachodziły na siebie. W ciele stałym jednak, atomy znajdują się tak blisko, że ich poziomy energetyczne zachodzą na siebie, powodując powstawanie nowych poziomów. Po narysowaniu nowych wykresów poziomów energetycznych natychmiast zauważymy, że pierwotne, wyraźnie określone poziomy energetyczne pojedynczego, odizolowanego atomu lub gazu rozszerzyły się, tworząc pasma energetyczne w ciele stałym (rys. 4.2). Ogólnie biorąc można stwierdzić, że:

- rozszerzenie pasma jest większe w poziomach o największych energiach, gdyż na nie najbardziej wpływa wzajemne oddziaływanie atomów,
- jeśli atomy są gęściej upakowane, to pasma stają się szersze,
- pasmo o większej energii może rozszerzyć się tak bardzo, że zachodzi na pasmo o mniejszej energii, a pojedyncze pasmo może się rozdzielić.

Powstawanie pasm wynika całkowicie z reguły zakazu Pauliego. Uzyskany wykres poziomów energetycznych nazywamy strukturą pasmową substancji.

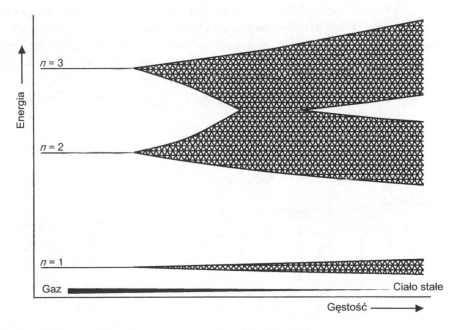

Rys. 4.2 Powstawanie pasm energetycznych w ciele stałym

W rozdz. 2 stwierdzono, że w izolowanym atomie:

- na poziomie energetycznym $n = 1$ mogą się znajdować maksymalnie 2 elektrony, ten poziom ma dwa stany dozwolone na pojedynczej orbicie kołowej,
- na poziomie energetycznym $n = 2$ może znajdować się maksymalnie 8 elektronów, ten poziom ma osiem dozwolonych stanów, po dwa na trzech orbitach o kształcie hantli i na jednej orbicie kołowej itd.

Kiedy umieszczamy atomy razem, to cokolwiek by się nie działo, musi pozostać utrzymana całkowita liczba stanów dozwolonych. A więc, jeśli umieścimy dwa atomy razem, wtedy poziom energetyczny $n = 1$ musi mieć cztery stany dozwolone, a poziom $n = 2$ musi mieć 16 stanów dozwolonych. Jeśli umieścimy razem trzy atomy, to poziom energetyczny $n = 1$ musi mieć sześć stanów dozwolonych, a poziom $n = 2$ aż dwadzieścia cztery takie stany. A zatem gdy umieścimy razem N atomów, poziom $n = 1$ musi mieć $2N$ stanów dozwolonych, a poziom $n = 2$ musi ich mieć $8N$ itd. — podobnie dla dalszych poziomów energetycznych.

Teraz dopiero dochodzimy do istoty problemu. Reguła zakazu Pauliego głosi, że poziom energetyczny $n = 1$ ma tylko dwa stany, a poziom $n = 2$ — może mieć ich tylko osiem. A więc skąd mają się wziąć te wszystkie stany dodatkowe? Okazuje się, że powstają nowe poziomy energetyczne, nieco różniące się od pierwotnych. Tak więc dla dwóch atomów pojedyncze poziomy energetyczne atomów odizolowanych od siebie rozdzielają się na dwa poziomy, dla N atomów rozdzielają się na N poziomów energetycznych, z których każdy ma normalną liczbę dopuszczalnych stanów. Oczywiście w ciele stałym liczba atomów oddziaływujących na siebie jest bardzo duża, a więc powstaje bardzo wiele poziomów energetycznych, które tworzą pasma pokazane na rys. 4.2. Poziomy energetyczne w pasmach są tak blisko siebie, że mogą być uważane za kontinuum, w którym wszystkie energie w pasmach są możliwe. Oto jest więc odpowiedź na pytanie, dlaczego ciała stałe mogą emitować światło o szerokim paśmie częstotliwości. Przejścia elektronów następują nie między poziomami, lecz między pasmami energetycznym, co bardzo znacznie rozszerza zakres możliwych długości fali. Na rys. 4.3 pokazano na przykład, że przejście może następować między wierzchołkiem pasma górnego i dnem dolnego lub między dnem pasma górnego i wierzchołkiem dolnego. Są też możliwe wszelkie przejścia pośrednie.

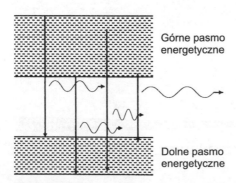

Górne pasmo energetyczne

Dolne pasmo energetyczne

Rys. 4.3 Możliwe przejścia między pasmami energetycznymi w ciele stałym

Ćwiczenie 1

Wyjaśnij, nie zaglądając do książki, dlaczego w ciałach stałych występują pasma energetyczne, a w gazach — poziomy energetyczne.

4.3 ŹRÓDŁA O WIELU LINIACH WIDMA

Z punktu widzenia optoelektroniki, źródła szerokopasmowe nie są korzystne, głównie właśnie dlatego, że mają szerokie pasmo częstotliwości, a więc zawierają nie tylko szerokie linie widma w zakresie światła widzialnego, lecz także promieniowanie podczerwone czyli cieplne. Jednak rozpatrywanie tych źródeł daje informacje, które okażą się przydatne w dalszej części tego rozdziału. Źródła o widmie liniowym, które emitują często światło o widmie złożonym z kilku linii o dokładnie określonej długości fali, są znacznie bardziej użyteczne. Są one podstawą dla większości laserów gazowych, wśród których laser helowo-neonowy istotną rolę w optoelektronice.

4.3.1 Lampa wyładowcza

Lampy wyładowcze działają w wyniku przepływu prądu w plazmie. *Plazma* jest zjonizowaną materią w stanie gazowym, zawierającą:

- cząsteczki gazu elektrycznie obojętne,
- cząsteczki naładowane (jony dodatnie i ujemne, elektrony),
- fotony.

Plazmę można wytwarzać w dość prosty sposób, co pokazano na rys. 4.4a. Najczęściej stosuje się plazmę powstającą w lampach wyładowczych (rys. 4.4b).

Rozładowanie jest inicjowane przyłożeniem napięcia między elektrody. Zawsze istnieje pewna liczba wolnych elektronów, w wyniku np. jonizacji promieniowaniem kosmicznym, zanieczyszczeniami promieniotwórczymi lub promieniowaniem naturalnym. Te elektrony, przyśpieszane przez przyłożony do elektrod potencjał, uzyskują energię

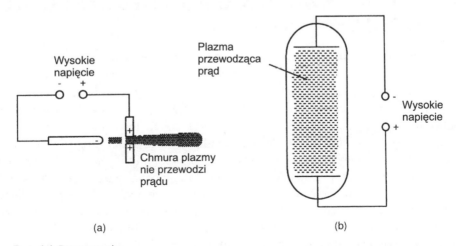

(a)   (b)

Rys. 4.4 Powstawanie:
a — chmury plazmowej, *b* — plazmy w lampie wyładowczej

wystarczającą do uwolnienia innych elektronów w wyniku zderzeń z nimi. Mamy więc wolne elektrony o ładunku ujemnym oraz jony dodatnie. Nowo uwolnione elektrony też uzyskują dość energii do uwalniania dalszych elektronów, które z kolei będą uwalniały następne, wywołując zjawisko lawinowe. W tym procesie część elektronów jest rozpraszana na ścianki lampy, gdzie wychwytują je atomy znajdujące się na powierzchni ścianek. W ten sposób powstają ciężkie jony ujemne, które ograniczają dalsze rozpraszanie elektronów w kierunku ścianek. Przeciwnie jony dodatnie są przyśpieszane w kierunku ścianki z powodu jej dodatniego ładunku. Jony te są następnie neutralizowane przez odzyskanie elektronu. Po osiągnięciu stanu ustalonego dociera do ścianki, w jednostce czasu, taka sama liczba jonów jak elektronów, podczas gdy ładunek przestrzenny, tworzący prąd wyładowania, przesuwa się do elektrod. Zarówno obojętne cząsteczki gazu jak i jony mogą być w stanie podstawowym lub wzbudzonym i to właśnie przejścia między tymi stanami powodują emisję światła.

Łatwo zdacie sobie sprawę, że lampy wyładowcze są wam dobrze znane, gdy przyjrzycie się źródłom sztucznego światła wokół was. Lampy sodowe, służące do oświetlania ulic, są lampami wyładowczymi, podobnie jak lampy fluorescencyjne (świetlówki) używane w wielu domach i budynkach publicznych. Te ostatnie charakteryzują się tym, że na ogół zawierają argon dający światło w niebieskim i nadfioletowym krańcu widma, a więc w obszarze, dla którego czułość oka jest niezbyt duża. Jeśli będziecie mieli okazję, przypatrzcie się dokładniej lampie fluorescencyjnej. Zauważycie, że jest pokryta jakąś białą substancją. Jest to luminofor przetwarzający światło niebieskie i nadfiolet na światło o długości fali bliższej czerwonego krańca widma, dla którego czułość oka jest większa. Tematy dotyczące reakcji oka i luminoforów będą dokładniej omówione w rozdziale 9.

W lampach wyładowczych światło powstaje w wyniku przejść między poziomami energetycznymi w substancji w stanie gazowym. Dlatego energie, a więc i długości fali są ściśle określone.

4.4   ŹRÓDŁA ŚWIATŁA O POJEDYNCZEJ LINII WIDMA

Źródła o wielu liniach widma są wprawdzie potencjalnie nieco bardziej pożyteczne w optoelektronice niż źródła szerokopasmowe, lecz jednak wytwarzanie światła o dwóch lub więcej długościach fali powoduje, że i te źródła na ogół nie nadają się do zastosowań w optoelektronice. Można wprawdzie stosować filtry do usuwania światła o niepożądanej długości fali, ale jest to metoda raczej mało skuteczna. Na prawdę potrzebne jest źródło dające światło tylko o jednej długości fali. Wracając, do tego, co już powiedziano w rozdz. 2, przypomnijmy sobie, że w celu wyselekcjonowania światła o jednej długości fali można zastosować proces emisji wymuszonej. I rzeczywiście, lampa wyładowcza może być podstawą do zbudowania lasera helowo-neonowego, o czym przekonamy się na końcu rozdziału. Zanim do tego dojdziemy, zajmiemy się źródłem o pojedynczej linii widma, które w dużym stopniu przyczyniło się do rewolucji optoelektronicznej, której teraz jesteśmy świadkami. Mówimy o źródle półprzewodnikowym.

4.4.1 Czym jest półprzewodnik?

Rozważając przewodnictwo elektryczne różnych materiałów stwierdzamy, że półprzewodniki znajdują się pośrodku między nie przewodzącymi izolatorami a metalami, które zawsze przewodzą. To stwierdzenie jest słuszne dla warunków normalnych — tzn. np. temperatury pokojowej, ciśnienia 1 atmosfery i napięcia w „rozsądnych" granicach. Gdybyśmy radykalnie zmienili te warunki, to izolator może nagle stać się przewodnikiem. Przewodnictwo elektryczne polega na przepływie prądu. Można więc postawić pytanie: „Co powoduje, że metal różni się od półprzewodnika lub izolatora?" Odpowiemy na to pytanie przyjrzawszy się dokładniej, w jaki sposób elektrony w ciele stałym obsadzają pasma energetyczne.

4.4.2 Obsadzanie pasm energetycznych

Jak stwierdzono w p. 4.2.1 ciała stałe mają pasma energetyczne, a nie pojedyncze dyskretne poziomy energii. Poziomy, jak zawsze, mogą być obsadzane tylko zgodnie z regułą zakazu Paulicgo, ograniczającą liczbę elektronów mogących zajmować dany poziom energetyczny. Jeśli umieścimy ciało stałe w temperaturze zera bezwzględnego (0 K), to elektrony zajmą najniższe dozwolone poziomy energetyczne. Najwyższy poziom energetyczny całkowicie zajęty przez elektrony w temperaturze zera bezwzględnego jest nazywany pasmem walencyjnym. Poziom energetyczny powyżej pasma walencyjnego nazywamy pasmem przewodnictwa. Pasmo przewodnictwa w temperaturze 0 K może być częściowo zajęte lub zupełnie puste. Energię odpowiadającą wierzchołkowi pasma walencyjnego oznaczamy symbolem E_v, a odpowiadającą dnu pasma przewodnictwa jako E_c, jak to przedstawiono na rys. 4.5.

W miarę zwiększania temperatury ciała stałego elektrony uzyskują dodatkową energię cieplną określoną wzorem

$$E_T = k_B T \tag{4.2}$$

gdzie:
k_B — stała Boltzmanna,
T — temperatura bezwzględna.

Ze wzoru (4.2) uzyskuje się energię w dżulach. W dziedzinie półprzewodników przyjęto określać energię w elcktronowoltach (eV). Przeliczenie jest proste, gdyż $1 \text{ eV} = 1,6 \cdot 10^{-19}$ J.

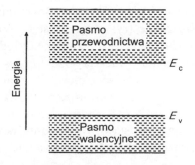

Rys. 4.5 Pasma przewodnictwa i walencyjne oraz związane z nimi poziomy energetyczne

Niektóre elektrony, w wyniku uzyskania dodatkowej energii, mogą przechodzić na wyższe poziomy energetyczne, jeśli takie poziomy są dostępne. Właśnie dostępność tych wyższych poziomów (lub jej brak) określa właściwości elektryczne ciała stałego.

Przykład 2

Pytanie: Oblicz energię cieplną elektronów w temperaturze 293 K.
Odpowiedź: Można obliczyć, że

$$E_T = k_B T = 1{,}38 \cdot 10^{-23} \cdot 293 = 4 \cdot 10^{-21} \text{ J} = 0{,}025 \text{ eV}$$

4.4.3 Izolatory

W temperaturze 0 K pasmo walencyjne jest całkowicie zapełnione a pasmo przewodnictwa całkiem puste (rys. 4.6a). Ponadto przerwa energetyczna E_g, określona wzorem

$$E_g = E_c - E_v \tag{4.3}$$

jest tak duża, że w warunkach normalnych elektrony nie mogą uzyskać wystarczająco dużo energii, aby móc przejść do pasma przewodnictwa. Przewodnictwo elektryczne zależy od elektronów mogących przechodzić na puste poziomy energetyczne. Ponieważ nie ma takich poziomów w całkowicie zajętym paśmie walencyjnym, a pasmo przewodnictwa jest niedostępne, nie może być mowy o przewodnictwie, więc materiał o takim układzie pasm energetycznych jest *izolatorem elektrycznym*. Ogólnie biorąc izolatory mają przerwę energetyczną większą niż 10^{-18} J (6,25 eV).

W tym miejscu trzeba podkreślić znaczenie słowa „warunki normalne". Jeśli dostarczy się wystarczająco dużo energii, to można wyrwać elektrony z pasma walencyjnego i przemieścić je do pasma przewodnictwa, wywołując przebicie izolatora, a często także zniszczenie materiału. Dlatego w sprzęcie elektrycznym o działaniu uzależnionym od izolatorów (np. kabel koncentryczny, w którym przewód sygnałowy jest odizolowany od uziemionego oplotu) określa się maksymalną dopuszczalną energię nie powodującą przebicia. W praktyce jest definiowana maksymalna dopuszczalna różnica potencjałów między przewodem sygnałowym i oplotem.

Inną przyczyną przebicia może być takie rozgrzanie materiału przez dostarczaną energię w miejscu jej przepływu, że następuje stopienie sąsiadującego izolatora.

4.4.4 Metale

W *metalach* w temperaturze 0 K albo pasma walencyjne i przewodnictwa zachodzą na siebie, albo pasmo przewodnictwa jest częściowo zajęte (rys. 4.6c). Materiały o takiej strukturze pasm energetycznych są dobrymi przewodnikami elektrycznymi, gdyż elektrony mogą swobodnie przechodzić na dostępne wolne poziomy energetyczne.

4.4.5 Półprzewodniki

Półprzewodniki mają w temperaturze 0 K taką samą podstawową strukturę poziomów energetycznych jak izolator (rys. 4.6b), z jedną ważną różnicą — przerwa energetyczna

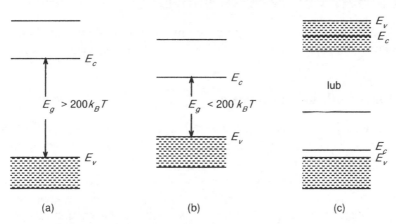

Rys. 4.6 Struktura pasm energetycznych:
a — izolatora, *b* — półprzewodnika, *c* — metalu

jest wystarczająco mała, aby umożliwić wzbudzenie, czyli przejście elektronu z pasma walencyjnego do pasma przewodnictwa przy dostarczeniu mu „rozsądnej" ilości energii. Pojęcie „rozsądna" ilość energii oznacza tu energię do 200 $k_B T$. Znaczy to, że w temperaturze pokojowej wystarczająca liczba elektronów ulega wzbudzeniu termicznemu i przejściu do pasma przewodnictwa, powodując niewielkie przewodnictwo elektryczne.

Szczególna cecha półprzewodników polega na tym, że elektrony nie są w nich jedynymi nośnikami ładunku powodującymi przewodzenie. Gdy elektron przechodzi z pasma walencyjnego do pasma przewodnictwa, to zostawia za sobą „dziurę" będącą stanem pustym, który może być zajęty przez inny elektron. Elektron „wskakując" do dziury pozostawia za sobą następną dziurę i ten proces powoduje, że dziura się porusza (rys. 4.7). A zatem dziury też uczestniczą w przewodzeniu w półprzewodniku. Elektron i dziura, którą pozostawia, noszą nazwę pary elektron–dziura. Ponieważ bryła półprzewodnika jest elektrycznie obojętna, więc przyjmuje się, że dziury mają ładunek dodatni neutralizujący ujemny ładunek uwolnionych elektronów. Dziury, pod wpływem przyłożonego pola elektrycznego, poruszają się więc w kierunku odwrotnym niż elektrony.

Ćwiczenie 2

Wyjaśnij, nie zaglądając do książki, przyczyny właściwości metali, półprzewodników i izolatorów.

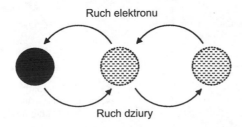

Ruch elektronu

Ruch dziury

Rys. 4.7 Ruch elektronu i dziury

4.4.6 Materiały półprzewodnikowe

Są dwa rodzaje półprzewodników — samoistne i niesamoistne. Ponieważ do wytwarzania półprzewodników niesamoistnych korzysta się z samoistnych, więc od nich zaczniemy omawianie.

4.4.6.1 Półprzewodniki samoistne

Jedynymi półprzewodnikami występującymi w warunkach naturalnych są krystaliczne krzem (symbol chemiczny Si) i german (Ge). Zarówno krzem jak i german należą do IV grupy układu okresowego pierwiastków. To znaczy, że w stanie nie wzbudzonym ich atomy mają cztery elektrony na powłoce zewnętrznej. W postaci krystalicznej atomy są kowalencyjnie ze sobą połączone. Atomy, zamiast oddawać elektrony, raczej dzielą się nimi tworząc wiązania. Każdy atom jest połączony z czterema innymi (rys. 4.8). Bryła krzemu lub germanu ma właściwości *półprzewodnika samoistnego*, jeśli struktura krystaliczna jest idealna czyli nie zawiera atomów zanieczyszczeń i defektów siatki krystalicznej. Półprzewodnik o takich właściwościach nie ma żadnych nośników ładunku w temperaturze 0 K. W większych temperaturach są termicznie generowane pary elektron–dziura. Te elektrony i dziury nazywamy nośnikami mniejszościowymi, gdyż powstają w dość małych ilościach. Na przykład w temperaturze pokojowej w krzemie jest 10^{13} nośników ładunku w 1 cm^3. Jest to bardzo mało w porównaniu z metalem, który ma ok. 10^{28} nośników na 1 cm^3.

4.4.6.2 Półprzewodniki niesamoistne

Mała liczba nośników ładunku jest jedną z wad półprzewodników samoistnych, gdyż z tego powodu mogą one przewodzić tylko niewielki prąd. Natężenie prądu zależy bowiem od gęstości nośników, zgodnie ze wzorem

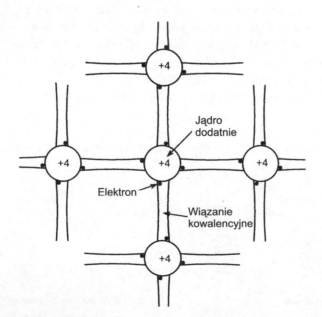

Rys. 4.8 Schematyczne przedstawienie struktury czystego germanu lub krzemu

$$I = nqAv_d \qquad (4.4)$$

gdzie:

I — natężeniem prądu,

n — liczba nośników w jednostce objętości,

q — ładunek nośnika ($-1,6 \cdot 10^{-19}$ C dla elektronu i $+1,6 \cdot 10^{-19}$ C dla dziury),

A — powierzchnia przekroju półprzewodnika,

v_d — prędkość ruchu nośników.

Liczbę nośników ładunku można zwiększyć celowo wprowadzając zanieczyszczenia do struktury krystalicznej w procesie zwanym domieszkowaniem. Domieszki dają wzrost całkowitej liczby nośników i powodują, że jeden z rodzajów nośników staje się dominujący, np. dziury występują w większości. Półprzewodniki zmodyfikowane w ten sposób stają się *półprzewodnikami niesamoistnymi*, które mogą być dwóch typów.

Przykład 3

Pytanie: Kawałek krzemu, będącego półprzewodnikiem samoistnym, przewodzi prąd o natężeniu 3 µA w złączu o powierzchni 400 µm × 400 µm. Wiedząc, że jest ok. 10^{13} nośników na cm³, oblicz szybkość ruchu nośników ładunku.

Odpowiedź: Podstawiając odpowiednie wartości do wzoru (4.4) otrzymujemy

$$v_d = \frac{I}{nqA} = \frac{3 \cdot 10^{-6}}{10^{13} \cdot (400 \cdot 10^{-4})^2 \cdot 1,6 \cdot 10^{-19}} = 1,17 \cdot 10^3 \ \mathrm{cm\,s^{-1}}$$

4.4.6.3 Półprzewodnik typu *n*

Półprzewodnik typu *n* powstaje w wyniku zamiany niektórych atomów krzemu lub germanu atomami pierwiastków grupy V takich jak fosfor (P) lub arsen (As). Atomy pierwiastków grupy V mają 5 elektronów na powłoce zewnętrznej, z których tylko 4 są

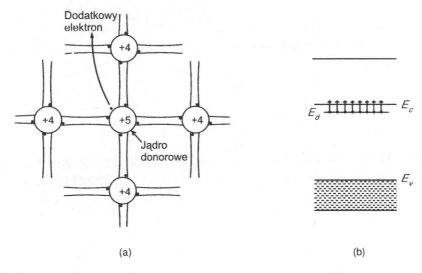

(a)   (b)

Rys. 4.9 Półprzewodnik typu *n*

a — schematyczne przedstawienie jego struktury, *b* — wykres poziomów energetycznych

niezbędne do tworzenia wiązania kowalentnego. Piąty elektron może więc być łatwo uwolniony i uczestniczyć w przewodzeniu prądu (rys. 4.9a). Można to zrozumieć rozpatrując wykres poziomów energetycznych półprzewodnika z domieszkami atomów pierwiastków z grupy V (rys. 4.9b). Te domieszki powodują powstanie nowego poziomu energetycznego E_d znajdującego się nieco poniżej dna pasma przewodnictwa. Ten nowy poziom jest zapełniony w temperaturze 0 K. Niewielka ilość energii wystarcza do przeniesienia elektronów z tego poziomu do poziomu przewodnictwa. Tak więc w temperaturze pokojowej wszystkie w zasadzie elektrony z tego dodatkowego poziomu są jakby „podarowane" (ang. *donated*) pasmu przewodnictwa, stąd ich nazwa — domieszki donorowe. Ponieważ te dodatkowe elektrony w paśmie przewodnictwa nie powstały w wyniku generacji par elektron–dziura, więc nie ma tam odpowiadających im dziur. Elektronów jest zatem więcej niż dziur i dlatego elektrony w półprzewodniku typu *n* nazywamy większościowymi nośnikami ładunku, a dziury — mniejszościowymi.

4.4.6.4 Półprzewodnik typu *p*

W półprzewodniku typu *p* niektóre atomy krzemu lub germanu są zastąpione atomami pierwiastków grupy III, takich jak bor (B), aluminium (Al) lub gal (Ga). Atomy pierwiastków grupy III mają tylko 3 elektrony na powłoce zewnętrznej i dlatego jedno z wiązań z sąsiednimi atomami krzemu lub germanu jest niekompletne. Mówiąc inaczej jest tam „dziura" (rys. 4.10a), która może dość łatwo przesuwać się z miejsca na miejsce, umożliwiając przewodzenie elektryczne. Podobnie jak poprzednio, łatwiej zrozumieć to zjawisko przyjrzawszy się wykresowi poziomów energetycznych półprzewodnika z domieszkami atomów pierwiastka grupy III (rys. 4.10b). W półprzewodniku typu *p* wprowadzenie domieszek też powoduje powstanie nowego poziomu energetycznego E_a, który w tym przypadku znajduje się nieco powyżej wierzchołka pasma walencyjnego. Ten dodatkowy poziom jest pusty w temperaturze 0 K. Niewielka ilość energii wystarcza

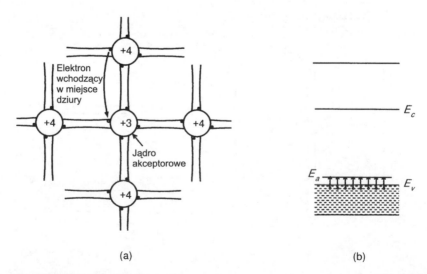

(a)　　　　　　　　　　　　　　(b)

Rys. 4.10 Półprzewodnik typu *p*
a — schematyczne przedstawienie jego struktury, *b* — wykres poziomów energetycznych

do przeniesienia elektronów z pasma walencyjnego na dodatkowy poziom energetyczny. Tak więc, przy wzroście temperatury, wzbudzenie termiczne elektronów z pasma walencyjnego umożliwia im przejście na „akceptorowy" poziom energetyczny. W poziomie walencyjnym powstają wtedy dziury. Dziury nie powstały przez generację par elektron–dziura, więc nie mają odpowiadających im elektronów w paśmie walencyjnym. Dziur jest więc więcej niż elektronów i one są większościowymi nośnikami ładunku, podczas gdy elektrony są mniejszościowymi.

4.4.7 Dioda złączowa *pn*

Teraz, gdy już wiemy, co to jest półprzewodnik, zapytajmy, do czego może on służyć. Podstawą urządzenia półprzewodnikowego emitującego światło, w istocie rzeczy bardzo wielu urządzeń półprzewodnikowych, jest złączowa dioda *pn*. Jak wskazuje jej nazwa, dioda powstaje przez wytworzenie złącza między półprzewodnikami typu *p* i *n*. Można sobie wyobrazić, że następuje to przez przyłożenie do siebie brył półprzewodników obu typów. W praktyce takie urządzenie nie zadziałałoby i w rzeczywistości diodę wykonuje się z jednej bryły półprzewodnika. Jednak to proste wyobrażenie jest bardzo przydatne przy rozważaniu działania diody.

Każda oddzielna bryła półprzewodnika jest elektrycznie obojętna. Możemy ją sobie wyobrażać jako złożoną z jąder krzemu lub germanu o ładunku $+4$ otoczonych czterema elektronami oraz jąder domieszek akceptorowych o ładunku $+3$ otoczonych trzema elektronami lub jąder domieszek donorowych o ładunku $+5$ otoczonych pięcioma elektronami. Taki obraz dla atomów donorowych i akceptorowych przedstawiono schematycznie na rys. 4.11*a*. W rzeczywistości elektrony i dziury będą się oczywiście poruszały wśród siatki krystalicznej, lecz przedstawiony model jest prosty i przyjemny.

Gdy półprzewodniki obu typów połączy się razem (rys. 4.11*b*), to wolne elektrony w półprzewodniku typu *n* są przyciągane przez dziury w półprzewodniku typu *p*, a więc przechodzą przez złącze i zapełniają dziury. To zjawisko, zwane rekombinacją, uwalnia energię równą wartości przerwy energetycznej E_g. W obszarze typu *n* pozostają po elektronach wolne dziury, a więc podczas gdy elektrony przechodzą z obszaru *n* do *p*, to dziury przemieszczają się w kierunku przeciwnym. Teraz powstaje problem: obszary półprzewodnika po obu stronach złącza nie są już elektrycznie obojętne. Elektrony zapełniły dziury wokół atomów akceptorowych, a więc jądra o ładunku $+3$ w obszarze typu *p* są teraz otoczone przez cztery elektrony, co powoduje, że ładunek wypadkowy jest ujemny. Jądra donorowe o ładunku $+5$ w obszarze typu *p* straciły po jednym z otaczających je elektronów, co powoduje, że ładunek wypadkowy jest dodatni. A zatem ładunek dodatni gromadzi się w pobliżu złącza od strony obszaru typu *n*, a ładunek ujemny — od strony obszaru typu *p*. Przeciwdziała to ruchowi nośników. Wreszcie zgromadzony ładunek jest tak duży, że dalsza dyfuzja nośników całkowicie ustaje (rys. 4.11*c*). Powstaje rozciągający się po obu stronach złącza obszar pozbawiony poruszających się nośników. Jest to tzw. *obszar zubożony* o szerokości W, której typowa wartość jest równa 1 µm. Na tym obszarze powstaje różnica potencjałów U_0, zwana barierą potencjału (lub napięciem kontaktowym), typowo kilka dziesiątych wolta. Dokładne wartości W i U_0 zależą od rodzaju półprzewodnika, ilości domieszek oraz od temperatury, według wzoru

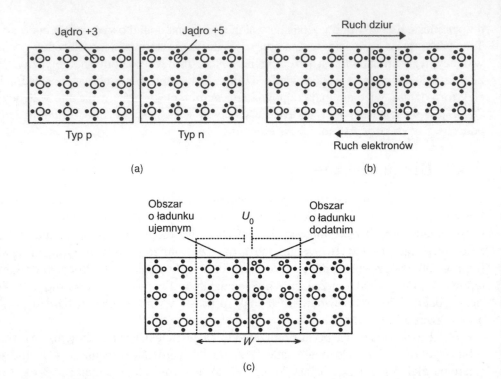

Rys. 4.11 Schematyczne przedstawienie atomów donorowych i akceptorowych oraz elektronów i dziur:

a — w oddzielnych bryłach półprzewodników, *b* — bezpośrednio po złączeniu obu brył, *c* — po ustaniu ruchu nośników większościowych

$$U_0 = \left(\frac{k_B T}{q}\right)\ln\left(\frac{N_a N_d}{n_i^2}\right) \qquad W = \left[\frac{2\varepsilon\varepsilon_0 U_0}{q}\left(\frac{1}{N_a} + \frac{1}{N_d}\right)\right]^{1/2} \qquad (4.5)$$

gdzie:

N_a — koncentracja domieszek akceptorowych w materiale typu *p*,

N_d — koncentracja domieszek donorowych w materiale typu *n*,

n_i — koncentracja nośników (mniejszościowych) generowanych termicznie,

ε — względna przenikalność elektryczna półprzewodnika,

ε_0 — przenikalność elektryczna próżni ($8{,}85 \cdot 10^{-14}$ F·cm^{-1}),

q — ładunek nośników.

Mając takie złącze możemy spolaryzować je w kierunku zaporowym lub w kierunku przewodzenia.

Przykład 4

Pytanie: Diodę złączową wykonano z krzemu typu *p* o koncentracji domieszek $N_a = 10^{15}$ cm^{-3} i typu *n* o koncentracji domieszek $N_d = 10^{18}$ cm^{-3}. Zakładając, że względna przenikalność elektryczna półprzewodnika jest równa 11,8, oblicz:

a) barierę potencjału na złączu,

b) szerokość obszaru zubożonego w temperaturze 20°C.

Odpowiedź: Koncentracja nośników generowanych termicznie w krzemie wynosi $n_i = 10^{13}\text{cm}^{-3}$, $\varepsilon_0 = 8,85 \cdot 10^{-14} \text{ F}\cdot\text{cm}^{-1}$ oraz $q = 1,6 \cdot 10^{-19}$ C. A zatem

$$U_0 = \left(\frac{k_B T}{q}\right)\ln\left(\frac{N_a N_d}{n_i^2}\right) = \frac{1,38 \cdot 10^{-23} \cdot 293}{1,6 \cdot 10^{-19}} \ln\left(\frac{10^{15} \cdot 10^{18}}{(10^{13})^2}\right) = 0,41 \text{ V}$$

$$W = \left[\frac{2\varepsilon\varepsilon_0 U_0}{q}\left(\frac{1}{N_a} + \frac{1}{N_d}\right)\right]^{1/2} =$$

$$= \left[\frac{2 \cdot 11,8 \cdot 8,85 \cdot 10^{-14} \cdot 0,41}{1,6 \cdot 10^{-19}}\left(\frac{1}{1 \cdot 10^{15}} + \frac{1}{1 \cdot 10^{18}}\right)\right]^{1/2} = 73 \text{ μm}$$

Ćwiczenie 3

Materiał typu n zawiera więcej atomów donorowych na cm^3 niż materiał typu p — akceptorowych. Gdzie, Waszym zdaniem, będzie wtedy się rozciągał obszar zubożony:
a) jednakowo w obszarach typu p i typu n,
b) głównie w obszarze typu n,
c) głównie w obszarze typu p?
(Wskazówka: Przygotuj odpowiedź posługując się szkicem podobnym do rys. 4.11*b*, przedstawiając większą koncentrację donorów jako większą ilość domieszek na jednostkę powierzchni).

4.4.7.1 Polaryzacja wsteczna

W celu spolaryzowania diody w kierunku wstecznym doprowadza się do niej napięcie w taki sposób, żeby złącze od strony obszaru p stało się ujemne w stosunku do strony obszaru n (rys. 4.12*a*). Taka polaryzacja powoduje dalsze rozszerzenie obszaru zubożonego w wyniku wyciągania dziur i elektronów poza obszar złącza. Powoduje też wzrost bariery potencjału do wartości $U_0 + U_r$, gdzie U_r jest napięciem wstecznym doprowadzonym do diody. Taki wzrost bariery potencjału powoduje, że przejście przez

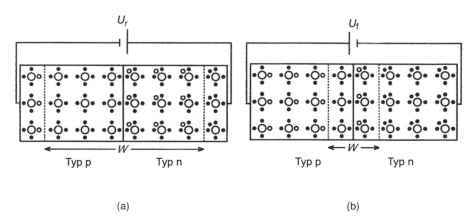

(a) (b)

Rys. 4.12 Złącze spolaryzowane w kierunku:
a — wstecznym, b — przewodzenia

złącze staje się dla nośników większościowych jeszcze trudniejsze i przepływ prądu wywołany przez te nośniki jest pomijalnie mały. Jednak nośniki mniejszościowe nadal mogą być generowane termicznie i nawet przy polaryzacji wstecznej płynie przez złącze pewien mały prąd, zwany *prądem upływu*, zwykle rzędu kilku mikroamperów.

4.4.7.2 Polaryzacja w kierunku przewodzenia

W celu spolaryzowania diody w kierunku przewodzenia doprowadza się do niej napięcie w taki sposób, żeby złącze od strony obszaru p stało się dodatnie w stosunku do strony obszaru n (rys. 4.12b). To powoduje zmniejszenie różnicy potencjałów na złączu do wartości $U_0 - U_f$, gdzie U_f jest napięciem w kierunku przewodzenia doprowadzonym do diody. W wyniku zmniejszenia bariery potencjału nośniki większościowe mogą łatwiej przechodzić przez złącze i ulegać rekombinacji. Przy wzroście napięcia polaryzującego w kierunku przewodzenia obszar zubożony się zwęża. Wreszcie zwęża się do zera i powstaje obszar aktywny, czyli obszar przejścia. Szerokość tego obszaru po obu stronach złącza zależy od tego, jak daleko wnikają nośniki zanim ulegną rekombinacji. Podobnie, więc jak w przypadku obszaru zubożonego, szerokość zależy od poziomu domieszkowania i od temperatury. Przy polaryzacji w kierunku przewodzenia główny udział w przepływie prądu mają nośniki większościowe. Dlatego natężenie prądu jest znacznie większe, kilka miliamperów lub więcej, zależnie od typu diody. Prąd w kierunku przewodzenia bywa nazywany *prądem wstrzykiwania* (ang. *injection current*). Zależność między natężeniem prądu diody i doprowadzonym do niej napięciem wyraża się wzorem

$$I = I_0 \left[\exp\left(\frac{qU}{k_B T} \right) - 1 \right] \tag{4.6}$$

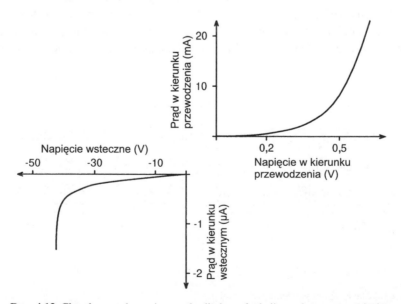

Rys. 4.13 Charakterystyka zmian prądu diody w funkcji przyłożonego napięcia

gdzie:

I_0 — prąd upływu,

U — napięcie doprowadzone do diody, w kierunku przewodzenie lub wstecznym ($+U_F$ lub $-U_R$).

Na rys. 4.13 przedstawiono wykres zmian prądu diody w funkcji napięcia. Proszę zwrócić uwagę na różne skale na osiach napięcia i prądu w kierunku przewodzenia i wstecznym oraz na przebicie diody następujące po przekroczeniu pewnej wartości napięcia wstecznego.

Ćwiczenie 4

Oblicz prąd przewodzenia diody, jeśli napięcie w kierunku przewodzenia jest równe 0,2 V w temperaturze pokojowej a prąd upływu $I_0 = 1{,}25 \cdot 10^{-6}$ A.

4.4.8 Emisja światła w półprzewodnikach

Rekombinacja nośników w złączu powinna wytwarzać foton, jeśli złącze *pn* ma być zastosowane jako element optyczny. Jednak w półprzewodnikach krzemowych i germanowych ta energia jest zamieniana na ciepło i ogrzewa siatkę krystaliczną półprzewodnika. Dzieje się tak dlatego, gdyż german i krzem należą do klasy półprzewodników z tzw. *skośną przerwą energetyczną* (ang. *indirect bandgap*), w których elektron rekombinując z dziurą musi utracić część swego pędu. Fotony mogą odebrać tylko bardzo niewielki ułamek pędu, który utraci elektron, a więc reszta musi być oddana w jakiś inny sposób, np. przez drgania siatki krystalicznej (ciepło). Ten proces jest dość skomplikowany, gdyż uczestniczą w nim elektron, foton i drgania siatki. Proces jest znacznie prostszy jeśli cały pęd i energię elektronu odbierają drgania siatki. Aby uzyskać wydajną emisję światła, trzeba szukać półprzewodników, w których elektron musi stracić tylko energię. Potrzebne są więc półprzewodniki z tzw. *prostą przerwą energetyczną* (ang. *direct bandgap*).

Przykładem półprzewodnika z prostą przerwą energetyczną może być arsenek galu (GaAs). Jest to stop galu i arsenu należący do klasy półprzewodników trzy–pięć (III–V), ponieważ ich główne składniki należą do grupy III i V układu okresowego. Takie półprzewodniki są domieszkowane atomami pierwiastków z II grupy w celu uzyskania półprzewodnika typu *p* lub grupy VI (typ *n*). W arsenku galu zastąpienie atomu galu przez aluminium ($Ga_xAl_{1-x}As$) lub arsenu fosforem ($GaAs_xP_{1-x}$) powoduje zmianę wartości przerwy energetycznej i może także zmienić rodzaj półprzewodnika z materiału o prostej przerwie energetycznej na materiał o tzw. *skośnej przerwie energetycznej* (*indirect bandgap*).

Można obliczyć długość fali światła emitowanego przy rekombinacji elektronów i dziur

$$\lambda = \frac{hc}{E_g} \tag{4.7}$$

Jak widać do obliczenia długości fali światła emitowanego potrzebna jest wartość przerwy energetycznej E_g. Dzieje się tak dlatego, gdyż w półprzewodniku w temperaturze pokojowej jest stosunkowo mało elektronów w paśmie przewodnictwa i dziur w paśmie walencyjnym. Ponieważ układ zawsze stara się zminimalizować swą energię, więc elektrony znajdują się możliwie jak najbliżej dna pasma przewodnictwa, a dziury jak najbliżej wierzchołka pasma walencyjnego. Najbardziej prawdopodobnym jest więc przejście od energii E_c do E_v, co oczywiście odpowiada wartości przerwy energetycznej.

4.4.9 Dioda elektroluminescencyjna

Dioda elektroluminescencyjna (zwana też diodą świecącą lub LED — *ang. light-emitting diode*) znalazła wiele zastosowań, gdyż jest prosta i proste są też układy nią sterujące. Ograniczeniami stosowania diody są długi czas odpowiedzi i dość duża szerokość linii widmowej emitowanego światła. Nie da się modulować światła typowej diody elektroluminescencyjnej z szybkością większą niż 1 MHz, a szerokość linii widma wynosi ok. 30– –40 nm. Zaletą jest liniowa zależność mocy światła uzyskiwanego z diody od jej prądu. Linia widma jej światła jest jednak wystarczająco wąska, aby światło było odbierane przez oko ludzkie jako jednobarwne, dzięki czemu ma wiele zastosowań w wyświetlaczach.

Dioda elektroluminescencyjna jest w zasadzie spolaryzowanym na przewodzenie złączem *pn* wykonanym z półprzewodnika, który z dobrą wydajnością emituje światło, gdy elektron i dziura rekombinują w złączu lub blisko niego. Wybór półprzewodnika zależy od żądanej długości fali. Na przykład diody przeznaczone do wyświetlania powinny pracować w zakresie światła widzialnego, a do łączności światłowodowej mają dawać długość fali 860 nm, 1,3 μm lub 1,55 μm w zależności od systemu.

4.4.9.1 Konstrukcja diod elektroluminescencyjnych

Projektując diodę elektroluminescencyjną przede wszystkim trzeba zadecydować, jaki zastosujemy półprzewodnik. Obecnie uzyskuje się z tych diod światło o bardzo szerokim zakresie długości fali. Niektóre z nich podano w tablicy 4.1. Jak widać, można kupić nawet diodę o świetle niebieskim, choć jej świecenie jest raczej słabe.

Następnym problemem jest uzyskanie z diody jak najsilniejszego światła. Wymaga to pewnych przemyśleń. Wewnętrzna wydajność diod elektroluminescencyjnych z tzw. prostą przerwą energetyczną, określana przez liczbę fotonów wytwarzanych drogą rekombinację par elektron–dziura, jest zwykle bardzo dobra i może sięgać 100%. Niestety, to osiągnięcie jest w pewnym stopniu osłabione przez trudności z wy-prowadzeniem z diody światła już wytworzonego. Jest to tzw. *zewnętrzna wydajność* diody elektroluminescencyjnej związana z dwoma głównymi mechanizmami strat światła:

TABLICA 4.1 ZESTAWIENIE MATERIAŁÓW STOSOWANYCH DO WYTWARZANIA DIOD ELEKTROLUMINESCENCYJNYCH ORAZ UZYSKIWANYCH DŁUGOŚCI FALI. ZAKRES DŁUGOŚCI FALI W GaAs i GaP UZYSKUJE SIĘ PRZEZ DOMIESZKOWANIE PÓŁPRZEWOD-NIKA ATOMAMI TAKICH PIERWIASTKÓW JAK Si, N, Zn LUB O.

Materiał	Długość fali [nm]	Barwa
GaAs	910–1020	podczerwień
$GaAs_{0,35}P_{0,65}$	632	czerwona
$GaAs_{0,15}P_{0,85}$	589	żółta
GaP	570–700	zielono-czerwona
SiC	427	niebieska

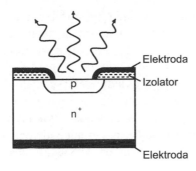

Rys. 4.14 Konstrukcja diody elektroluminescencyjnej, w której zminimalizowano powtórną absorpcję emitowanego światła

Elektroda
Izolator
p
n⁺
Elektroda

1. Powtórną absorpcją emitowanych fotonów prowadzącą do generacji nowej pary elektron–dziura.
2. Odbiciem od granicy między półprzewodnikiem i powietrzem.

    Straty spowodowane pierwszym mechanizmem można zmniejszyć skracając drogę fotonów przed ich wyjściem z diody. To minimalizuje prawdopodobieństwo ich powtórnej absorpcji. Foton w półprzewodniku z prostą przerwą energetyczną przebywa (typowo) drogę ok. 1 μm zanim ulegnie powtórnej absorpcji. Na rys. 4.14 przedstawiono konstrukcję diody elektroluminescencyjnej, w której uwzględniono omawiany problem. Warstwa półprzewodnika tworzącego powierzchnię emitującą światło jest cienka. Jest to półprzewodnik typu *p*, gdyż ruchliwość elektronów jest większa niż dziur, a zatem więcej rekombinacji par elektron–dziura następuje po stronie *p* złącza. Jeszcze bardziej wykorzystuje się tę właściwość stosując półprzewodnik typu *n* silnie domieszkowany, aby jeszcze więcej elektronów (na jednostkę czasu) można było przepchnąć przez złącze. Materiały silnie domieszkowane są oznaczane przez znak „ + ” po typie półprzewodnika, np. *n*⁺. Nie wszystkich trudności da się uniknąć, gdyż nie można wykonać zbyt cienkiej górnej warstwy, ze względu na stan powierzchni, która ma defekty i przeszkadza w procesach rekombinacji oraz ogranicza wydajność diody.

    Drugi mechanizm strat ma dwie przyczyny, które zilustrowano na rys. 4.15. Pierwsza wynika z prostego faktu, że na granicy szkła z powietrzem występuje

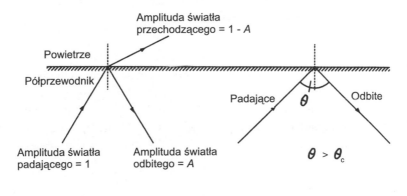

Rys. 4.15 Straty na granicy półprzewodnik/szkło spowodowane odbiciem Fresnela i całkowitym wewnętrznym odbiciem
A — amplitudowy współczynnik odbicia, przy czym *R* jest proporcjonalny do A^2 (przyp. tłum.)

niedopasowanie wartości współczynnika załamania światła (gęstości optycznej). Niedopasowania, analogiczne do tego, występują w wielu dziedzinach techniki; niektóre z nich są pożyteczne, a niektóre kłopotliwe. Na przykład różnice gęstości różnych części ciała powodują odbicia ultradźwięków, co umożliwia „zaglądanie" w głąb ciała. Z drugiej strony, trudność dopasowania jednego układu elektrycznego do wejścia drugiego może wynikać z niepożądanych odbić sygnałów elektrycznych powodujących złą pracę całego systemu. Podobne efekty występują w zjawisku świetlnym zwanym odbiciem Fresnela. Dla światła padającego prostopadle na granicę dwóch ośrodków energetyczny współczynnik odbicia R (określający, jaka część światła jest odbijana wstecz) wyraża się wzorem

$$R = \left(\frac{n_1 - n_2}{n_1 + n_2}\right)^2 \qquad (4.8)$$

gdzie: n_1 i n_2 — współczynniki załamania obu ośrodków.

Nawet dla światła padającego prostopadle straty spowodowane tym zjawiskiem mogą być duże, jeśli współczynniki załamania obu ośrodków bardzo się różnią. Taka właśnie sytuacja ma miejsce przy przechodzeniu światła przez półprzewodniki.

Przykład 5

Pytanie: Oblicz, jaka część światła padającego odbija się od granicy między półprzewodnikiem i powietrzem, jeśli światło pada prostopadle. Współczynnik załamania półprzewodnika jest $n_{półprzewodnika} = 3{,}6$.

Odpowiedź: Współczynnik załamania powietrza jest równy 1. A zatem

$$R = \left(\frac{n_1 - n_2}{n_1 + n_2}\right)^2 = \left(\frac{3{,}6 - 1}{3{,}6 + 2}\right)^2 = 0{,}32$$

Światło jest także tracone w wyniku całkowitego wewnętrznego odbicia, ponieważ przechodzi z ośrodka o większej do ośrodka o mniejszej gęstości. Pamiętamy, że kąt graniczny całkowitego wewnętrznego odbicia jest określony wzorem

$$\theta_c = \arcsin\frac{n_2}{n_1} \qquad (4.9)$$

gdzie $n_1 > n_2$
i całe światło padające pod kątem większym od granicznego ulega odbiciu z powrotem do wnętrza diody elektroluminescencyjnej. W tym przypadku, ponieważ współczynniki załamania obu ośrodków znacznie różnią się od siebie, kąt θ_c jest bardzo mały i dlatego światło padające na tę granicę, nawet pod dość małym kątem, ulega całkowitemu wewnętrznemu odbiciu.

Ćwiczenie 5

Oblicz kąt graniczny dla światła padającego na granicę półprzewodnik/powietrze od strony półprzewodnika, jeśli $n_{półprzewodnika} = 3{,}6$.

Jeśli rozważyć oba omawiane mechanizmy straty światła łącznie, można uzyskać wzór wyrażający, jaki ułamek światła F nie jest absorbowany i opuszcza materiał

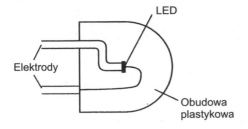

Rys. 4.16 Obudowanie diody elektroluminescencyjnej kopułką plastykową w celu zminimalizowania strat spowodowanych odbiciem Fresnela i całkowitym wewnętrznym odbiciem

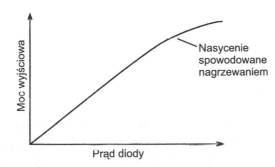

Rys. 4.17 Wykres mocy wyjściowej diody elektroluminescencyjnej w funkcji prądu diody

$$ F \approx \frac{1}{4}\left(\frac{n_2}{n_1}\right)^2\left[1-\left(\frac{n_1-n_2}{n_1+n_2}\right)^2\right] \qquad (4.10) $$

Z podanego wzoru wynika, że im większa jest różnica współczynników załamania obu ośrodków, tym większa część światła jest tracona. Prostym sposobem zmniejszenia tych strat jest obudowanie diody kopułką plastykową (rys. 4.16). Plastyk redukuje straty spowodowane zarówno zjawiskiem Fresnela, jak i całkowitym wewnętrznym odbiciem na granicy półprzewodnik/plastyk, gdyż współczynnik załamania plastyku wynosi ok. 1,5, a więc jest nieco bardziej zbliżony do tego współczynnika dla półprzewodnika. Całkowite wewnętrzne odbicie na granicy plastyk/szkło jest też minimalizowane, gdyż kształt kopułki powoduje, że większość światła uderza w tę granicę pod kątem mniejszym niż θ_c i jest raczej załamywane na zewnątrz, a nie całkowicie wewnętrznie odbijane.

Na rys. 4.17 pokazano zmiany mocy światła wychodzącego z diody elektroluminescencyjnej w funkcji prądu diody. Przy dużych prądach moc światła emitowanego zaczyna ulegać nasyceniu ponieważ dioda się nagrzewa i jej wydajność wytwarzania światła zmniejsza się. Ważną cechą tego wykresu jest liniowy odcinek zależności mocy świetlnej od prądu diody, znajdujący się poniżej nasycenia. Dzięki temu dioda elektroluminescencyjna świetnie nadaje się do systemów, w których informacja jest przesyłana w formie analogowej.

4.4.9.2 Udoskonalone konstrukcje diod elektroluminescencyjnych (LED)

Ze względu na łatwość sterowania i zasilania diod elektroluminescencyjnych opracowano wiele ich wersji, mogą one być stosowane np. w transmisji światłowodowej. Poprawę właściwości diody elektroluminescencyjnej pod względem szerokości linii widmowej

Źródła światła o pojedynczej linii widma **103**

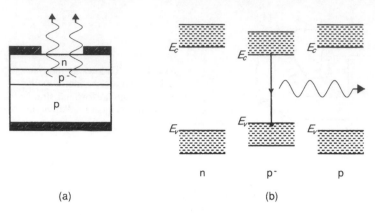

Rys. 4.18 Heterozłączowa dioda elektroluminescencyjna
a — struktura, *b* — poziomy energetyczne

i czasu odpowiedzi można tak na prawdę uzyskać tylko przekształcając ją w diodę laserową. Istnieją jednak pewne ulepszenia, przy których dioda nadal pozostaje elektroluminescencyjną, lecz niektóre jej wady, ograniczające obszar zastosowań, zostają usunięte.

Heterozłączowa dioda elektroluminescencyjna

Omawiając budowę diody elektroluminescencyjnej stwierdziliśmy już, że warstwa emitująca diody powinna być cienka, aby ograniczyć ponowną absorpcję światła wytwarzanego w półprzewodniku, lecz że stan jej powierzchni zakłóca proces rekombinacji, zmniejszając wydajność emisji. Problem ten rozwiązano stosując strukturę heterozłączową, w której słabo domieszkowany obszar półprzewodnika p^- jest umieszczony między dwoma obszarami p i n normalnie domieszkowanymi (rys. 4.18*a*).

Działanie takiej struktury polega na tym, że przerwa energetyczna E_g w obszarze p^- jest mniejsza niż w obszarach p i n (rys. 4.18*b*) i rekombinacja elektronów i dziur następuje w obszarze p^-. To znaczy, że wytwarzane światło nie ma dość energii, aby spowodować wytwarzanie par elektron–dziura w obszarach p lub n, gdy światło wychodzi z diody. Światło nie jest więc absorbowane w tych warstwach, a obszar p^- można wykonać tak cienki, aby — bez problemów z efektami powierzchniowymi — nie powodował znaczącej powtórnej absorpcji światła. Obszar ten p^- nazywa się *warstwą aktywną diody*.

Krawędziowa dioda elektroluminescencyjna

Zwykła dioda elektroluminescencyjna emituje światło ze swej powierzchni. Światło jest więc wysyłane z dość dużego obszaru (typowo 300 μm × 300 μm) i nie jest zbyt dokładnie ukierunkowane. Sprzężenie takich diod ze światłowodami jest bardzo mało wydajne. Krawędziowe diody elektroluminescencyjne mają podwójną strukturę heterozłączową (rys. 4.19). Układ poziomów energetycznych utrzymuje dziury i elektrony w warstwie aktywnej, co daje dobrą wydajność rekombinacji i wytwarzania światła. Ponieważ współczynniki załamania światła warstw granicznych są mniejsze niż warstwy aktywnej, więc światło wytwarzane w warstwie aktywnej jest w niej utrzymywane

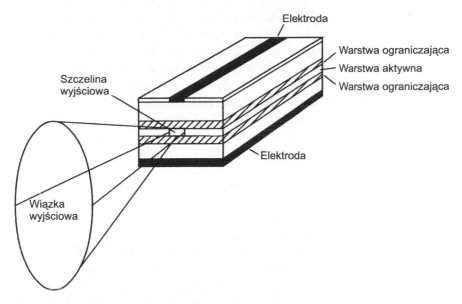

Rys. 4.19 Struktura krawędziowej diody elektroluminescencyjnej

w wyniku całkowitego wewnętrznego odbicia i jest wyprowadzane wzdłuż osi diody, aby wyjść z jej krawędzi. Rozbieżność wiązki i powierzchnia emisji są wtedy dość małe. Typowe wartości kąta rozbieżności to 60° w kierunku prostopadłym do powierzchni warstw półprzewodnika i 15° równolegle do warstw.

Ćwiczenie 6

Oblicz rozbieżność (w miliradianach) wiązki wychodzącej z krawędziowej diody elektroluminescencyjnej:
a) prostopadle,
b) równolegle do warstw.

4.4.10 Dioda laserowa

Typowa *dioda laserowa* jest w swej strukturze bardzo podobna do heterozłączowej diody elektroluminescencyjnej (LED). Jednak, jak już wiemy, główna różnica między światłem laserowym a zwykłym polega na tym, że laserowe jest wytwarzane w wyniku emisji wymuszonej, wymagającej inwersji obsadzeń poziomów energetycznych w materiale i dużej gęstości promieniowania. Dowiedzieliśmy się już, jak można uzyskać dużą gęstość promieniowania zamykając światło przez całkowite wewnętrzne odbicie i zapewniając, żeby w warstwie aktywnej następowała rekombinacja. Pozostaje więc pytanie: jak osiągnąć inwersję obsadzeń poziomów?

Pojęcie „inwersja obsadzeń" w urządzeniach półprzewodnikowych oznacza jednoczesną dużą koncentrację i elektronów i dziur w obszarze aktywnym. W zwykłym złączu *pn* spolaryzowanym w kierunku przewodzenia obszar aktywny jest zubożony w nośniki większościowe, gdyż zaraz po wstrzyknięciu ich przez złącze do tego obszaru ulegają rekombinacji z nośnikami przeciwnego rodzaju uwalniając energię i potem poruszają się dalej. W obszarze aktywnym potrzebny jest nadmiar nośników większościowych, co można osiągnąć tylko przez modyfikację półprzewodnika, z którego wykonano urządzenie; musimy użyć półprzewodnika zdegenerowanego.

W półprzewodnikach zdegenerowanych poziom domieszkowania jest bardzo wysoki, typowo 10^{23} atomów domieszek na 1 cm^3. Jeśli złącze utworzono z półprzewodnika zdegenerowanego i zastosowano wystarczająco duży prąd wstrzykiwany, to elektrony i dziury przepływają przez złącze w tak dużej liczbie, że występuje nadmiar nośników większościowych w obszarze aktywnym. Występuje więc inwersja obsadzeń i powstają warunki do powstania akcji laserowej.

4.4.10.1 Działanie diody laserowej

Koncentracja elektronów i dziur w obszarze aktywnym zależy od prądu wstrzykiwania, a więc od wartości napięcia polaryzującego. W przypadku małych prądów, liczba wstrzykiwanych nośników większościowych jest mała i dlatego inwersja obsadzeń nie zachodzi. Światło jest wtedy wytwarzane w wyniku emisji spontanicznej. Przy wzroście wstrzykiwanego prądu osiąga się sytuację, przy której następuje inwersja obsadzeń i emisja wymuszona zaczyna dominować nad spontaniczną. Ma to miejsce przy granicznym prądzie laserowania I_T. Wreszcie, przy dalszym wzroście wstrzykiwanego prądu, dioda zaczyna emitować światło laserowe o jednej długości fali z typową

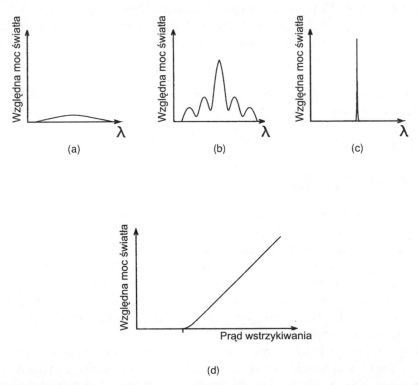

(a)   (b)   (c)

(d)

Rys. 4.20 Zależność względnej mocy światła uzyskiwanego z diody laserowej w funkcji długości fali: *a* — przy małym prądzie wstrzykiwanym, *b* — przy prądzie równym progowemu, *c* — przy prądzie większym od progowego oraz *d* — zależność względnej mocy światła od wstrzykiwanego prądu

szerokością linii widmowej od 3 do 5 nm. Na rys. 4.20*a-c* przedstawiono różne fazy emisji światła laserowego w diodzie laserowej.

4.4.10.2 Budowa diody laserowej

Budowa typowej diody laserowej jest podobna do krawędziowej diody elektrolumines-cencyjnej z tym, że jak powiedziano wcześniej, w celu uzyskania inwersji obsadzeń stosuje się w niej półprzewodnik zdegenerowany. Optyczna wnęka rezonansowa jest utworzona przez wypolerowanie dwóch końców diody, aby działały jak zwierciadła. W powiązaniu z zamknięciem światła w obszarze aktywnym przez całkowite wewnętrzne odbicie utrzymuje to gęstość promieniowania wystarczająco dużą do uzyskania akcji laserowej. Uzyskiwana wiązka jest nieco lepiej skolimowana niż w diodzie elektro-luminescencyjnej, typowa rozbieżność wynosi $8° \times 15°$, choć nie jest to bardzo dobrze skolimowana wiązka, jakiej oczekuje się od lasera. Rozbieżność wiązki jest spowodowana dyfrakcją światła przy wyjściu z lasera, która jest znaczna, gdyż wymiary okienka wyjściowego są bardzo zbliżone do długości fali. Sytuację komplikuje jeszcze fakt, że okienko wyjściowe ma kształt prostokątny, a zatem rozbieżność wiązki w kierunku równoległym do warstw diody jest mniejsza niż w kierunku prostopadłym. Przekrój wiązki jest więc eliptyczny i nie można jej skolimować lub zogniskować w sposób właściwy stosując soczewki sferyczne. Trzeba użyć soczewek specjalnych, jeśli jest konieczna kolimacja lub zogniskowanie wiązki. Wreszcie, ponieważ „zwierciadlanc" końce diody nic są posrebrzone, światło może wychodzić z diody zarówno przez powierzchnię przednią, jak i tylną. Jest to pożyteczne, gdyż jedną powierzchnię fotodiody można wykorzystywać do monitorowania mocy wyjściowej Takie pomiary są bardzo ważne ze względu na konieczność utrzymywania mocy wyjściowej w określonych granicach, aby zapobiec uszkodzeniu diody. Fotodiody monitorujące są integralną częścią układu sterowania diody laserowej.

4.4.11 Sterowanie i zasilanie diod elektroluminescencyjnych i laserowych

Bardzo łatwe zasilanie i sterowanie jest jedną z zalet diod elektroluminescencyjnych i przyczyną, dla której tak wiele pracy włożono w rozwój konstrukcji tych diod do zastosowań w telekomunikacji. Jedynym obliczeniem, jakie należy wykonać jest obliczenie wartości rezystora włączanego szeregowo z diodą w celu ograniczenia płynącego przez nią prądu do wartości dopuszczalnej przez producenta. Wartość R_s oblicza się z prawa Ohma

$$U = IR_s \qquad (4.11)$$

gdzie:
U — doprowadzone napięcie,
R_s — rezystancja rezystora szeregowego,
I — prąd.
Na rys. 4.21*a* przedstawiono bardzo prosty układ sterowania diody elektroluminescen-cyjnej.

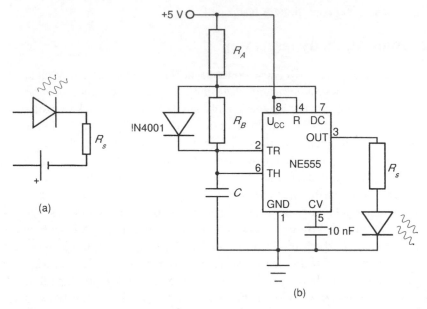

(a)

(b)

Rys. 4.21 Układy sterowania i zasilania diody elektroluminescencyjnej służące do uzyskiwania światła:
a — ciągłego, b — modulowanego

Często oczywiście istnieje potrzeba modulowania światła diody elektroluminescencyjnej. Można to zrealizować stosując układ czasowy typu 555. Na rys. 4.21b przedstawiono układ sterowania diody elektroluminescencyjnej z układem 555. Na wyjściu uzyskuje się przebieg prostokątny o częstotliwości określonej wzorem

$$f = \frac{1}{0,693(R_A + R_B)C} \qquad (4.12)$$

Napięcie wyjściowe ma na przemian wartość 0 V i wartość nieco mniejszą niż napięcie zasilające U_{CC}. Typowe wartości napięcia zasilającego mieszczą się w granicach od 4,5 do 16 V i zgodnie z tymi wartościami trzeba obliczyć rezystancję R_s. Współczynnik wypełnienia k będący stosunkiem czasu, gdy napięcie jest równe napięciu zasilającemu do czasu pełnego okresu, można obliczyć ze wzoru

$$k = \frac{R_A}{R_B} \qquad (4.13)$$

Przykład 6

Pytanie: Dioda elektroluminescencyjna ma pracować z baterią 1,5 V. Jaka jest minimalna wymagana wartość rezystora w obwodzie sterowania diody, jeśli maksymalny prąd diody wynosi 20 mA?

Odpowiedź:

$$R = \frac{U}{I} = \frac{1,5}{20 \cdot 10^{-3}} = 75 \ \Omega$$

Projektowanie układów do zasilania i sterowania diod laserowych wymaga więcej pomysłowości, gdyż prąd graniczny diod laserowych zmniejsza się przy wzroście temperatury otoczenia. Z tego wynika, że w miarę nagrzewania się diody dany stały prąd wstrzykiwania coraz bardziej przekracza próg. Dioda po włączeniu, podczas swej pracy, nagrzewa się, więc praca diody bez odpowiednio zaprojektowanego układu sterującego może skończyć się jej zniszczeniem. Dlatego układy sterowania diod laserowych zawierają automatyczną regulację mocy. Do tego celu korzysta się z wyjścia monitorującej fotodiody na diodzie laserowej w pętli sprzężenia zwrotnego regulującej prąd wstrzykujący diody laserowej. Układy sterujące dają też zwykle możliwość „powolnego startu", aby ochronić diodę przed nagłym wzrostem mocy. Na rys. 4.22*a* przedstawiono typowy układ sterowania diodą laserową, który ma obie wymienione cechy.

     Oczywiście, nie trzeba samemu konstruować takiego układu. Obecnie, podobnie jak wiele innych układów i ten układ jest wytwarzany w postaci scalonej. Na rys. 4.22*b* pokazano schemat blokowy scalonego układu sterującego typu IR3C01/IR3C01N produkowanego przez firmę Sharp, do którego po prostu wtyka się diodę laserową i doprowadza się włączający ją i wyłączający sygnał cyfrowy. Wartość napięcia U_R zależy od typu zastosowanej diody laserowej i jest podana przez producenta.

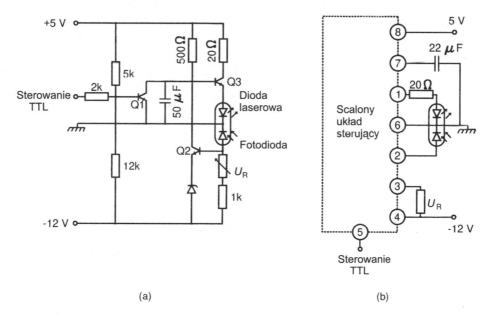

(a)   (b)

Rys. 4.22 Układy sterowania impulsową diodą laserową:
a — zbudowany z elementów dyskretnych, *b* — ze scalonym układem sterującym

4.4.12 Laser helowo-neonowy (He-Ne)

Lasery półprzewodnikowe są małe (rzędu $0,1$ mm $\times$ $0,1$ mm $\times$ $0,3$ mm), bardzo wydajne (40% lub więcej) a ich wyjście może być łatwo modulowane prze regulację prądu wstrzykiwania. Pracują z małą mocą elektryczną (wartości napięcia polaryzującego są rzędu pojedynczych woltów, a prądu wstrzykiwania 150 mA lub mniej) i mogą dostarczać w sposób ciągły moc świetlną w zakresie od mikrowatów do dziesiątek miliwatów. W wielu zastosowaniach lasery He-Ne zastąpiono diodami laserowymi. Laser He-Ne jest jednak nadal narzędziem chętnie stosowanym w systemach optoelektronicznych i dlatego wart jest omówienia. Z punktu widzenia zastosowania laser He-Ne ma dwie duże zalety w stosunku do diody laserowej. Po pierwsze daje światło o długości fali 633 nm, a więc łatwo widziane przez ludzkie oko, podczas gdy wiele diod laserowych pracuje z długością fali 800 nm lub większą. Ich promieniowanie nie jest więc widziane przez człowieka, nawet jeśli jego moc jest niebezpiecznie duża. Po drugie, wiązka światła z lasera He-Ne ma bardzo małą rozbieżność, rzędu 0,1 mrad. Można więc łatwo ogniskować światło tego lasera w jedną niewielką plamkę, na przykład w celu wprowadzenia go do światłowodu. W wielu przypadkach laser He-Ne jest więc doskonały jako źródło laserowe dobrze udowadniające zasadę działania tego rodzaju urządzeń.

4.4.12.1 Budowa i działanie lasera He-Ne

Laser He-Ne składa się z rury opróżnionej z powietrza i wypełnionej mieszaniną zawierającą ok. 10 części helu na 1 część neonu, o ciśnieniu ok. 0,013 atmosfery (rys. 4.23). Końce tuby mogą być zamknięte albo zwierciadłami przyklejonymi na stałe, albo szklanymi okienkami ustawionymi pod kątem Brewstera. W tym przypadku zwierciadła umieszcza się na zewnątrz. Tylko te lasery, które są wyposażone w okienka Brewstera dają światło spolaryzowane. Gaz w rurze jest wzbudzany w wyniku doprowadzenia do elektrod wysokiego napięcia (rzędu ok. 1,5 kV). W gazie powstaje wyładowanie jarzeniowe, które może dawać przewodzenie prądu. Rezystor obciążający ogranicza prąd, jaki może popłynąć po wzbudzeniu wyładowania, chroniąc źródło zasilające przed zniszczeniem.

Praca własna

Jeśli macie okazję obejrzeć rurę (nieczynnego!) lasera He-Ne, ustawcie ją w taki sposób, aby przez rurę spojrzeć na światło w pomieszczeniu. Jaki kolor ma wtedy to światło i dlaczego?

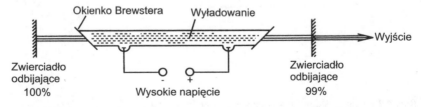

Rys. 4.23 Budowa lasera He-Ne

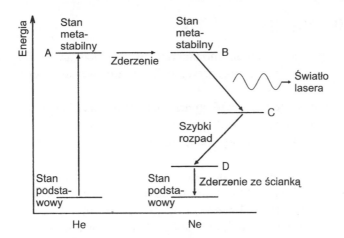

Rys. 4.24 Wykres poziomów energetycznych dla przejścia 633 nm w laserze He-Ne

Na rys. 4.24 przedstawiono uproszczony wykres poziomów energetycznych w laserze He-Ne. Taki laser ma faktycznie cztery przejścia między poziomami, mogące dać akcję laserową, wszystkie konkurujące ze sobą. Wyboru długości fali światła laserowego dokonuje się stosując filtry dielektryczne jako zwierciadła. Na rys. 4.24 pokazano tylko wykres poziomów energetycznych dla przejścia laserowego 633 nm. Akcja laserowa przebiega w sposób następujący: przepływ prądu wyładowania wzbudza atomy helu do stanu metastabilnego o poziomie energetycznym A. Te atomy zderzają się następnie z atomami neonu przekazując im swą energię i wzbudzając je do stanu metastabilnego o poziomie energetycznym B. Przejścia z poziomu C do poziomu D są bardzo szybkie, a więc powstaje inwersja obsadzeń między poziomami B i C i wytwarzanie światła laserowego. Ostateczny powrót z poziomu D do stanu podstawowego następuje w wyniku zderzeń atomów ze ścianami rury.

Inaczej niż w przypadku innych rodzajów laserów gazowych, nie da się uzyskać z lasera He-Ne większej mocy po prostu budując większy laser lub doprowadzając większy potencjał do elektrod. Przyczyny tego są następujące:

1. Szybkie przejście z poziomu C do poziomu D jest, faktycznie, przejściem promienistym dającym takie światło, jakie kojarzymy sobie ze zwykłą lampą neonową. To sugeruje, że poziom C może być obsadzany bezpośrednio w wyniku wyładowania, w przeciwnym razie lampy neonowe nie świeciłyby. Wzrost napięcia (i prądu) wyładowania zwiększa bezpośrednie obsadzenie poziomu C, aż wreszcie inwersja obsadzeń ustaje i akcja laserowa się zatrzymuje.

2. Ostatni etap powrotu do stanów podstawowych w laserze He-Ne jest wspomagany przez zderzenia atomów neonu ze ściankami rury. Jeśli zwiększymy promień rury w celu zwiększenia mocy wyjściowej przez wzrost liczby atomów ulegających wzbudzeniu z zachowaniem takiej samej ich gęstości (a także gęstości prądu), wtedy trudniej będzie niektórym atomom dotrzeć do ścianek rury, gdyż będą dalej od ścianek. Wpływa to na obsadzenie poziomu C i, w istocie rzeczy, moc wyjściowa lasera zmniejsza się wraz ze wzrostem promienia rury r, jest proporcjonalna do $1/r$.

Moc wyjściowa lasera He-Ne z wymienionych przyczyn jest ograniczona do 100 mW lub mniej. Najpopularniejsze są lasery o mocy 10 mW lub mniejszej.

4.5 PODSUMOWANIE

- Temperaturę ciała doskonale czarnego można określić na podstawie długości fali odpowiadającej maksimum widma energetycznego promieniowania emitowanego przez to ciało.
- W widmie promieniowania emitowanego przez ciała stałe występują pasma energetyczne, a gazów — linie energetyczne.
- Właściwości elektryczne ciał stałych wynikają ze struktury ich pasm walencyjnego i przewodnictwa.
- Półprzewodniki mogą być samoistne, typu n lub typu p.
- Podstawowym elementem diod elektroluminescencyjnych (LED) i laserowych jest złącze pn będące złączem między półprzewodnikami typu p i n.
- Tylko niektóre materiały półprzewodnikowe mogą być stosowane do wytwarzania światła.
- Całkowita wydajność diody elektroluminescencyjnej i laserowej zależy zarówno od wewnętrznej wydajności kwantowej, jak i od łatwości z jaką światło może opuścić diodę
- Struktura diody laserowej jest bardzo podobna do heterozłączowej diody elektroluminescencyjnej wytwarzanej ze zdegenerowanego (silnie domieszkowanego) półprzewodnika.
- Wiązka wyjściowa diody laserowej ma znaczną rozbieżność spowodowaną zjawiskiem ugięcia świata.
- Sterowanie i zasilanie diody elektroluminescencyjnej jest łatwe, podczas gdy diody laserowe wymagają układu zabezpieczającego diodę przed przeciążeniem.
- Źródłem laserowym dobrze udowadniającym zasadę działania tego rodzaju urządzeń jest laser He-Ne, którego maksymalna moc wyjściowa wynosi typowo 100 mW.

4.6 ZADANIA

4.1 Powierzchnia emitera będącego ciałem doskonale czarnym ma temperaturę 3000 K. Oblicz długość fali, przy której w widmie emitowanego światła występuje maksimum.

4.2 Trzy materiały mają przerwy energetyczne o następujących wartościach: materiał A — 3,1 eV; materiał B — 0,5 eV; materiał C — 6,0 eV. Zidentyfikuj materiały stwierdzając, który jest metalem, który półprzewodnikiem, a który izolatorem. W jakiej temperaturze ten izolator zaczął by przewodzić?

4.3 Oblicz prędkość dryfu elektronów w drucie o promieniu 0,5 mm przewodzącym prąd o natężeniu 1 A, w którym $n = 10^{28}$ cm^{-3}.

4.4 Złączową diodę pn wykonano z domieszkowanego krzemu zawierającego $2 \cdot 10^{16}$ donorów na cm^3 w obszarze typu n i $4 \cdot 10^{15}$ akceptorów na cm^3 w obszarze typu p. Przyjmując, że gęstość nośników w krzemie jako półprzewodniku samoistnym jest 10^{13} cm^{-3}, oblicz wartość bariery potencjału tego złącza. Pamiętając, że $\ln(ab) = \ln(a) + \ln(b)$, przekształć wzór na U_o w równaniu (4.5) i oblicz, jaki w tej barierze jest udział strony obszaru n i strony obszaru p.

4.5 Korzystając z wartości parametrów podanych w zadaniu **4.4** oblicz szerokość obszaru zubożonego w tym złączu.
(Dla krzemu $\varepsilon = 11,8$, a $\varepsilon_0 = 8,85 \cdot 10^{-14}$ F·cm^{-1}).

4.6 Dioda ma prąd upływu 0,5 μA. Oblicz, jakie napięcie w kierunku przewodzenia należy do niej przyłożyć, aby uzyskać prąd przewodzenia o natężeniu 5 A.

4.7 Oblicz wartość F na granicy dioda GaAs/powietrze, gdzie $n_{GaAs} = 3,6$. Powtórz swoje obliczenia dla przypadku, gdy dioda jest pokryta plastykiem o współczynniku załamania 1,55.

4.8 Wiązka na wyjściu diody laserowej ma rozbieżność $8° \times 15°$. Oblicz wymiary okienka wyjściowego, jeśli światło ma długość fali 870 nm.

4.9 Układ do modulacji wiązki wyjściowej diody elektroluminescencyjnej ma być skonstruowany przy użyciu scalonego układu czasowego typu 555. Oblicz wymagane wartości rezystora R_B i kondensatora C, jeśli współczynnik wypełnienia ma być równy 10% przy częstotliwości modulacji 1 kHz i rezystancji $R_A = 1$ MΩ.

4.10 Oblicz moc wewnątrz rury lasera He-Ne, jeśli moc wyjściowa jest równa 10 mW, a zwierciadło wyjściowe odbija 95% światła. Na tej podstawie określ, ile fotonów na sekundę jest wytwarzanych we wnęce lasera, jeśli długość fali wytwarzanego światła jest równa 633 nm.

Literatura

Literatura w języku angielskim

Źródła światła rozważane w tym rozdziale wiążą się merytorycznie z dość szerokim obszarem fizyki, którego — ogólnie biorąc — nie obejmuje żadna pojedyncza książka. W zakresie źródeł półprzewodnikowych można skorzystać z dwóch pierwszych książek wymienionych na poniższej liście, a w zakresie laserów He-Ne — z dwóch następnych. Wszystkie te książki zawierają opisy ułatwiające zrozumienie zjawisk bez konieczności korzystania z matematyki. W dziedzinie źródeł szerokopasmowych można sięgnąć do książek z fizyki ogólnej, takich jak ostatnia książka wymieniona na liście. Fizyka plazmy jest dość trudna, nie zalecamy więc książek specjalistycznych.

1. *Streetman B.G.*: Solid State Electronic Devices. Prentice Hall International, 1990
2. *Singh J.*: Semiconductor Devices: An Introduction. McGraw Hill, 1994
3. *Hecht E.*: Optics. Wydanie 2. Addison-Wesley, 1989
4. *Verdeyen J.T.*: Laser Electronics. Wyd. 2. Prentice Hall International, 1981
5. *Fishbane P.M., Gasiorowicz S., Thornton S.T.*: Physics for Scientists and Engineers. Prentice Hall International, 1993.

Literatura uzupełniająca w języku polskim

1. *Palais J.C.*: Zarys telekomunikacji światłowodowej. WKŁ, Warszawa 1991
2. *Pawlaczyk A.*: Elementy i układy optoelektroniczne. WKŁ, Warszawa 1984
3. *Siuzdak J.*: Wstęp do współczesnej telekomunikacji światłowodowej. WKŁ, Warszawa 1999

5 ŚWIATŁOWODY

5.1 WPROWADZENIE

Zastosowanie optyki jako środka łączności rywalizującego z kablami i mikrofalami było nie do pomyślenia zanim we wczesnych latach siedemdziesiątych nie opracowano światłowodów. Łączność optyczną w przestrzeni swobodnej stosowali już starożytni Grecy, którzy za pomocą latarń ustawionych w rzędy i kolumny przesyłali dość skomplikowane sygnały. Znacie też, być może, heliograf wysyłający sygnały przez odbijanie światła słonecznego za pomocą luster. Jednak głównymi wadami tych systemów była mała szybkość i duża zawodność ich pracy; przy złej pogodzie sygnały nie były widoczne. Ten fakt ograniczał zastosowanie łączności optycznej w przestrzeni swobodnej. Potrzebny był więc system prowadzący światło, działający niezależnie od pogody. Od przeszło stu lat wiedziano, że światło może być prowadzone w ośrodkach przezroczystych. W 1923 roku w firmie AT&T Bell w Stanach Zjednoczonych udowodniono, że światło może być prowadzone w szkle. Lecz *łączność światłowodowa* stała się rzeczywistością dopiero wtedy, gdy tłumienność w światłowodzie optycznym zredukowano z 1000 dB km^{-1} w 1968 roku do poniżej 20 dB km^{-1} w 1970 i gdy w firmie Corning opracowano proces wytwarzania światłowodów. Obecnie typowe światłowody mają tłumienność $0{,}2 \text{ dB km}^{-1}$ i mogą przenosić dane z częstotliwościami gigahercowymi na długości rzędu dziesiątek kilometrów. Takie są teraz światłowody. W tym rozdziale dowiemy się, jak światłowody działają, jak są wytwarzane i co w praktyce ogranicza ich stosowanie.

5.2 ZASADY DZIAŁANIA ŚWIATŁOWODÓW

Światłowody są elementami prowadzącymi światło wykonanymi ze szkła, polimeru lub ich mieszaniny. Prowadzą światło na zasadzie zjawiska całkowitego wewnętrznego odbicia, które jako pierwszy zademonstrował John Tyndall w 1854 roku przedstawiając zasadę prowadzenia światła w wodzie. Schemat tego doświadczenia pokazano na rys. 5.1.

Jak pamiętacie, całkowite wewnętrzne odbicie było omawiane na końcu rozdziału 3. Wykazaliśmy tam, że istnieje pewien kąt graniczny całkowitego wewnętrznego odbicia i że zachodzi ono tylko wówczas, gdy światło przechodzi z ośrodka o większym współczynniku załamania światła do ośrodka o współczynniku mniejszym.

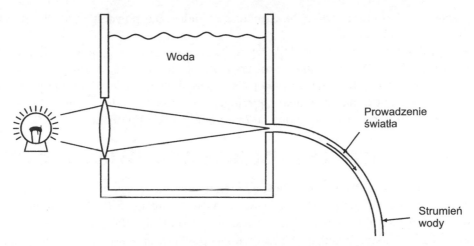

Woda

Prowadzenie
światła

Strumień
wody

Rys. 5.1 Schematyczne przedstawienie doświadczenia wykonanego przez Johna Tyndalla w celu zademonstrowania zasady całkowitego wewnętrznego odbicia

Teraz trzeba rozważyć, co się będzie działo w układzie o strukturze planarnej (zwanym po angielsku *sandwich* ze względu na kształt podobny do kanapki) zbudowanym z materiału o większym współczynniku załamania umieszczonym wewnątrz materiału o współczynniku mniejszym. Widzimy, że światło padające pod kątem większym od θ_c będzie prowadzone w warstwie wewnętrznej w wyniku kolejnych odbić od granic tej warstwy (rys. 5.2a). Liczba odbić na danej długości wyraźnie zależy od kąta padania, a więc światło o kącie padania tylko niewiele większym od granicznego θ_c będzie odbijane wiele razy, podczas gdy światło o kącie padania 90° nie będzie wcale odbijane, jeśli warstwa jest idealnie płaska.

Światłowody nie są, oczywiście, strukturami planarnymi, lecz mają kształt walca z rdzeniem z materiału o większym współczynniku załamania otoczonym płaszczem z materiału o mniejszym współczynniku (rys. 5.2b). Płaszcz stwarza stałe warunki całkowitego wewnętrznego odbicia i wzmacnia światłowód mechanicznie. W przekroju, wykonanym wzdłuż światłowodu, wygląda on podobnie jak struktura

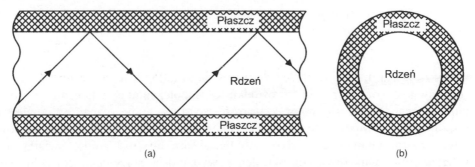

(a)   (b)

Rys. 5.2 Kolejne odbicia światła spowodowane zjawiskiem całkowitego wewnętrznego odbicia: *a* — struktura planarna (typu „sandwich") złożona z materiału o większym współczynniku załamania światła (rdzeń) i z umieszczonego z obu stron materiału o mniejszym współczynniku (płaszcz), *b* — przekrój poprzeczny włókna światłowodowego

planarna pokazana na rys. 5.2a. Struktura cylindryczna powoduje jednak, że występują dwa rodzaje promieni:

- promienie o kierunku południkowym, których drogi przecinają oś światłowodu,
- promienie ukośne odbijane wokół krańców rdzenia tworzące drogę spiralną (podobną do zewnętrznej krawędzi spiralnej klatki schodowej), która nigdy nie przecina osi.

Modelowanie promieni spiralnych jest dość trudne i dlatego w prostych obliczeniach parametrów światłowodów są one zwykle pomijane.

5.3 APERTURA NUMERYCZNA ŚWIATŁOWODU

Wiemy już, że całkowitemu wewnętrznemu odbiciu ulega tylko światło padające na granicę rdzeń/płaszcz pod kątem większym od granicznego θ_c. W strukturze planarnej (typu „sandwich") rozpatrzenie wszystkich promieni, dla których $\theta \geqslant \theta_c$ na całej głębokości struktury, padających zarówno na powierzchnie górną jak i dolną, dałoby klin światła całkowicie wewnętrznie odbitego. Jednak, ponieważ światłowód ma kształt cylindryczny, klin staje się stożkiem, nazywanym stożkiem *akceptacji światłowodu*. Względne wymiaru tego stożka są bardzo ważnymi parametrami światłowodu: krótki stożek o dużej podstawie powoduje dużą łatwość wprowadzenia wiązki do światłowodu. Jeśli natomiast stożek jest długi i cienki, to kąt graniczny jest większy i trudniej jest wprowadzić światło do światłowodu. Te wymiary względne można wyrazić przez bezwymiarowy parametr zwany *aperturą numeryczną NA*, określony wzorem

$$NA = \left(n_{core}{}^2 - n_{clad}^2\right)^{1/2} \tag{5.1}$$

gdzie:

n_{core} — współczynnik załamania materiału rdzenia,
n_{clad} — współczynnik załamania materiału płaszcza.

Przykład 1

Pytanie: Oblicz aperturę numeryczną światłowodu, w którym $n_{core} = 1{,}51$ i $n_{clad} = 1{,}48$.
Odpowiedź:

$$NA = \left(n_{core}^2 - n_{clad}^2\right)^{1/2} = \left[(1{,}55)^2 - (1{,}48)^2\right]^{1/2}$$

Apertura numeryczna jest pojęciem bardzo ogólnym, którego pierwotną definicją jest wzór

$$NA = \sin\alpha \tag{5.2}$$

gdzie: α — kąt między tworzącą stożka i osią światłowodu (rys. 5.3).
Jeśli światło rozchodzi się w ośrodku o współczynniku załamania n, to aperturę numeryczną oblicza się mnożąc wartość apertury numerycznej w powietrzu przez współczynnik n. Możliwość wyznaczenia apertury numerycznej światłowodu jest ważna, gdyż aperturę numeryczną można obliczać też np. dla źródeł światła, soczewek i detektorów. Umożliwia to określenie wydajności sprzęgania różnych elementów w światłowodzie. Straty spowodowane sprzęganiem poszczególnych elementów są często głównym źródłem strat w światłowodach, dlatego tak ważne jest obliczanie tego parametru.

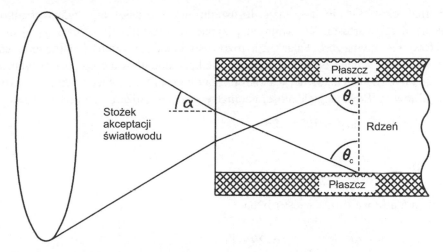

Rys. 5.3 Apertura numeryczna światłowodu

5.4 MODY W ŚWIATŁOWODZIE

Dotychczas stwierdziliśmy, że tylko światło padające na granicę rdzeń/płaszcz pod kątem większym niż θ_c może ulegać całkowitemu wewnętrznemu odbiciu na tej granicy. Powstaje pytanie, czy całe to światło rozchodzi się wzdłuż światłowodu. Odpowiedź brzmi: nie. Żeby ją zrozumieć, musimy dokładnie rozważyć zachowanie się światła w światłowodzie.

Na rys. 5.4 linią ciągłą narysowano drogę promienia światła wzdłuż światłowodu. Należy pamiętać, że droga promienia pokazuje kierunek rozchodzenia się światła i jest zawsze prostopadła do czoła fali (linii łączącej punkty o jednakowej fazie sąsiednich fal). Jedno z czół fali promienia AB na rys. 5.4 zaznaczono linią przerywaną. Pomyślmy, co się stanie, jeśli czoło fali z jednej części fali (części AB) spotka się z czołem innej części (CD) w punkcie C. W tym punkcie nastąpi interferencja dwóch fal. Jeśli oba czoła fal są w dokładnie tej samej fazie, to następuje interferencja wzmacniająca i uśredniona w czasie amplituda wypadkowa jest równa sumie uśrednionych amplitud obu czół fali.

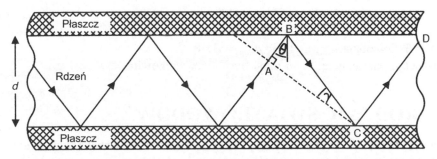

Rys. 5.4 Czoło fali z punktu A promienia AB spotyka się w punkcie C z czołem fali promienia CD. Obie fale ulegają więc interferencji

Jeśli jednak czoła fal nie są w fazie, to uśredniona w czasie amplituda wypadkowa jest mniejsza od tej wartości. W skrajnym przypadku interferencji wygaszającej amplituda wypadkowa jest równa zero. Fala będzie rozprzestrzeniać się wzdłuż światłowodu jeśli ulega interferencji wzmacniającej. Mamy więc warunek, że dodatkowa droga przebywana od A do C powinna być równa całkowitej wielokrotności długości fali, a więc równa $m\lambda$, gdzie m jest liczbą całkowitą. Stosując zależności geometryczne stwierdzamy na podstawie rys. 5.4, że

$$AB = BC\sin\gamma = BC\cos 2\theta \tag{5.3}$$

oraz

$$BC = \frac{d}{\cos\theta} \tag{5.4}$$

A zatem dodatkowa droga s jest równa

$$s = AB + BC = \frac{d}{\cos\theta}(\cos 2\theta + 1) \tag{5.5}$$

Stosując zależność $\cos 2\theta = 2\cos^2\theta - 1$ uzyskujemy następujący warunek interferencji wzmacniającej

$$s = 2d\cos\theta = m\lambda_g \tag{5.6}$$

gdzie: λ_g — długość fali światła w rdzeniu światłowodu.
Zależność między tą długością fali a długością fali λ w przestrzeni swobodnej jest następująca

$$\lambda = n_{core}\lambda_g \tag{5.7}$$

Wzór na dodatkową drogę można więc zapisać też jako

$$2n_{core}d\cos\theta = m\lambda \tag{5.8}$$

Przyjmując, że λ i d mają wartości ustalone można zauważyć, że tylko przy pewnych wartościach kąta θ powyższe równanie może być spełnione. Promienie odpowiadające tym kątom są modami światłowodu. Promień o modzie $m = 0$ jest tym, który porusza się wzdłuż osi światłowodu. Możemy określić maksymalną liczbę modów m_{max}, które mogą występować w światłowodzie, przekształcając powyższe równanie i pamiętając, że m_{max} wystepuje wtedy, gdy $\theta = \theta_c$.

Ćwiczenie 1

Oblicz maksymalną liczbę modów, jakie może przenieść światłowód z rdzeniem o średnicy 50 µm dla światła, które w przestrzeni swobodnej ma długość fali 860 nm. W tym światłowodzie $n_{core} = 1{,}51$, $n_{clad} = 1{,}48$
(Wskazówka: pamiętajcie, że m musi być liczbą całkowitą).

5.5   RODZAJE ŚWIATŁOWODÓW

Występują dwa podstawowe rodzaje światłowodów: o *skokowej* (ang. *step index*) lub o *gradientowej* zmianie współczynnika załamania (GRIN — ang. *gradient index*, zwane radientowymi). Światłowody o skokowej zmianie współczynnika załamania dzielą się

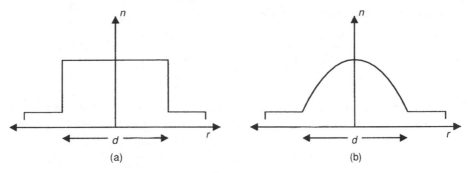

Rys. 5.5 Profile współczynnika załamania światła w światłowodach o: skokowej (a) i gradientowej (GRIN) (b) zmianie współczynnika załamania. Średnicę rdzenia oznaczono przez d

jeszcze na dwie grupy: *wielomodowe* i *jednomodowe*. Profile współczynnika załamania w światłowodach obu rodzajów przedstawiono na rys. 5.5.

W światłowodach o skokowej zmianie współczynnika załamania ten współczynnik jest stały na całej średnicy rdzenia i potem jego wartość zmienia się nagle na granicy rdzeń/płaszcz. W światłowodach typu GRIN współczynnik załamania jest największy pośrodku rdzenia i zmniejsza się w kierunku granicy rdzeń/płaszcz. Ten profil ma zwykle kształt paraboliczny. Typowe średnice rdzenia/płaszcza w szklanych światłowodach telekomunikacyjnych: wielomodowych o skokowej zmianie współczynnika załamania oraz o gradientowej zmianie tego współczynnika są odpowiednio równe 50/125 μm i 62,5/125 μm. Światłowody plastykowe są na ogół nieco grubsze. Szklane światłowody jednomodowe o skokowej zmianie współczynnika załamania mają rdzenie o bardzo małej średnicy, typowo od 5 do 10 μm. Jak wskazuje na to ich nazwa, mogą przenosić tylko mod $m = 0$ (promień osiowy). Aby określić, czy światłowód jest jednomodowy, posługujemy się parametrem zwanym znormalizowaną grubością warstwy, oznaczanym symbolem V. W rzeczywistości ten parametr nie jest grubością, lecz wartością niemianowaną zależną od wszystkich ważnych wielkości, takich jak długość fali, współczynniki załamania i fizyczna grubość rdzenia. Grubość warstwy V jest określona wzorem

$$V = \frac{\pi d n_{core}}{\lambda}\left[1 - \left(\frac{n_{clad}}{n_{core}}\right)^2\right]^{1/2} = \frac{\pi d}{\lambda} NA \tag{5.9}$$

Warunkiem, żeby światłowód był jednomodowy jest $V \leqslant 2,405$. Trzeba zwrócić uwagę, że wzór na V zawiera długość fali w przestrzeni swobodnej, a więc światłowód, który jest jednomodowy dla jednej długości fali, może nim nie być dla innej.

Przykład 2

Pytanie: Oblicz maksymalną możliwą średnicę rdzenia, jeśli światłowód o współczynnikach $n_{core} = 1,51$ i $n_{clad} = 1,48$ ma być jednomodowy dla światła długości fali 870 nm.
Odpowiedź:

$$V = \frac{\pi d n_{core}}{\lambda}\left[1 - \left(\frac{n_{clad}}{n_{core}}\right)^2\right]^{1/2} \leqslant 2,405$$

Przekształcając dany wzór uzyskujemy

$$d \leqslant \frac{2,405\lambda}{\pi n_{core}\left[1-\left(\dfrac{n_{clad}}{n_{core}}\right)^2\right]^{\frac{1}{2}}} = \frac{2,405 \cdot 870 \cdot 10^{-9}}{\pi \cdot 1,51\left[1-\left(\dfrac{1,48}{1,51}\right)^2\right]^{\frac{1}{2}}} = 2,2 \ \mu m$$

Przed zakończeniem tej części rozdziału należy zwrócić uwagę, że wzór (5.1) na aperturę numeryczną ma zastosowanie tylko do wielomodowych światłowodów o skokowej zmianie współczynnika załamania. Dla światłowodów jednomodowych o skokowej zmianie współczynnika załamania oraz światłowodów typu GRIN obliczenia apertury numerycznej są skomplikowane i jej wartość podaje producent.

5.6   WYTWARZANIE ŚWIATŁOWODÓW SZKLANYCH

Światłowody są wytwarzane z bardzo czystego szkła kwarcowego. Płaszcz jest wykonywany z najczystszego szkła, podczas gdy do szkła, z którego jest wykonany rdzeń, dodaje się bardzo starannie kontrolowane ilości domieszek zwiększających współczynnik załamania w stosunku do współczynnika załamania w płaszczu. Powszechnie stosowaną metodą wytwarzania światłowodów jest proces chemicznego osadzania z fazy gazowej, zwany *procesem CVD* (ang. *chemical vapour deposition*), który przedstawiono na rys. 5.6.

Płaszcz światłowodu stanowi rura wykonana z bardzo czystego szkła kwarcowego (SiO_2) o średnicy 15 mm i długości 1 m. Materiał tworzący rdzeń wdmuchuje się do środka rury w postaci chlorków w stanie gazowym. Jako domieszkę zwiększającą współczynnik załamania szkła kwarcowego zwykle dodawany jest german. Do rury wdmuchuje się więc mieszaninę $SiCl_4$ i $GeCl_4$. Rura, przesuwana obok źródła ciepła, jest lokalnie nagrzewana do temperatury $1200 \div 1600°C$. W tych temperaturach w rurze

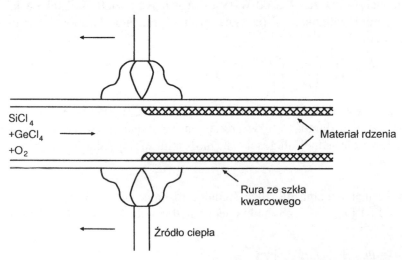

SiCl$_4$
+GeCl$_4$
+O$_2$

Materiał rdzenia

Rura ze szkła kwarcowego

Źródło ciepła

Rys. 5.6 Wytwarzanie preformy światłowodu w procesie chemicznego osadzania z fazy gazowej (CVD)

osadza się krzemionka (SiO_2) w stanie stałym i tlenek germanu, w wyniku następujących reakcji chemicznych:

$$SiCl_4 + O_2 \rightarrow SiO_2 + 2Cl_2$$
$$GeCl_4 + O_2 \rightarrow GeO_2 + 2Cl_2$$

Rura, podczas przesuwania, jest obracana, aby zapewnić równomierne osadzanie. Przesuwa się ją do przodu i do tyłu obok źródła ciepła tak długo, aż powstanie wystarczająco gruba warstwa materiału rdzenia. Jeśli ma to być światłowód o skokowej zmianie współczynnika załamania, to względna koncentracja $GeCl_4$ w mieszaninie gazowej pozostaje stała podczas całego procesu osadzania. Jeśli natomiast ma powstać światłowód o gradientowej zmianie współczynnika załamania, to zawartość $GeCl_4$ należy stopniowo zwiększać w miarę osadzania kolejnych warstw. Gdy już powstanie warstwa odpowiedniej grubości, rurę nagrzewa się do temperatury 2000°C. Rura następnie kurczy się tworząc pręt. W ten sposób powstaje preforma światłowodu.

Sam światłowód wytwarza się podgrzewając w piecu jeden koniec preformy i wyciągając z niego włókno światłowodu (rys. 5.7). Świeżo wytworzone włókno ma bardzo dobrą wytrzymałość mechaniczną. Na jego powierzchni są jednak mikroskopijne uszkodzenia spowodowane dotykaniem oraz wilgocią w atmosferze. Uszkodzenia przedostają się do włókna i mogą osłabić jego wytrzymałość nawet o dwa rzędy wielkości (100-krotnie). Dlatego włókno zaraz po wyciągnięciu jest pokrywany plastykiem

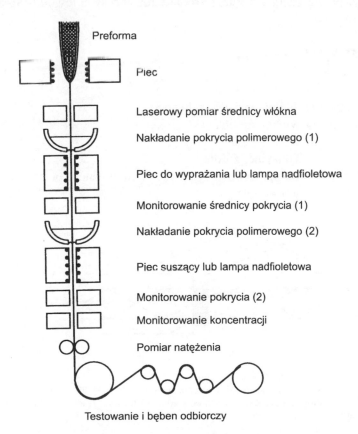

Preforma

Piec

Laserowy pomiar średnicy włókna

Nakładanie pokrycia polimerowego (1)

Piec do wyprażania lub lampa nadfioletowa

Monitorowanie średnicy pokrycia (1)

Nakładanie pokrycia polimerowego (2)

Piec suszący lub lampa nadfioletowa

Monitorowanie pokrycia (2)

Monitorowanie koncentracji

Pomiar natężenia

Testowanie i bęben odbiorczy

Rys. 5.7 Wytwarzanie światłowodu

w celu zabezpieczenia. To pokrycie daje światłowodowi dobrą wytrzymałość mechaniczną i chroni od wpływów chemicznych.

Nawet po zabezpieczeniu, światłowody mogą się łamać. Dlatego przy ich nawijaniu na bęben (w celu magazynowania) stosuje się silny naciąg. Lepiej bowiem, żeby światłowód złamał się w fabryce niż dopiero po zainstalowaniu, gdyż jego naprawa byłaby trudna i kosztowna. Zwykle, między kolejnymi złamaniami, można wytworzyć kilka kilometrów światłowodu.

Praca własna

Dowiedz się, jak są wytwarzane światłowody plastykowe.

5.7 SPRZĘŻENIE ŹRÓDŁA ŚWIATŁA ZE ŚWIATŁOWODEM

Najłatwiejszym sposobem wprowadzenia światła do światłowodu jest po prostu dociśnięcie końca włókna światłowodowego do źródła światła (rys. 5.8). Jest to połączenie dociskowe. Sprawność sprzężenia η określa, jaka część wiązki ze źródła wchodzi do światłowodu pod właściwymi kątami ulegając całkowitemu wewnętrznemu odbiciu. Obliczenie tej sprawności polega więc na znajomości apertur numerycznych zarówno źródła jak i włókna oraz średnic powierzchni emisyjnej źródła i rdzenia światłowodu. Sprawność η oblicza się ze wzoru:

$$\eta = \left(\frac{NA_f}{NA_s}\right)^2 MIN\left[1, \left(\frac{a}{r_s}\right)^2\right] t \tag{5.10}$$

gdzie:
NA_f — apertura numeryczna włókna światłowodowego,
NA_s — apertura numeryczna włókna źródła,
a — promień rdzenia,
r_s — promień powierzchni emisyjnej źródła,
t — zmienna dotycząca strat spowodowanych odbiciem Fresnela przy wchodzeniu światła do światłowodu, zwykle $t = 0,95$.

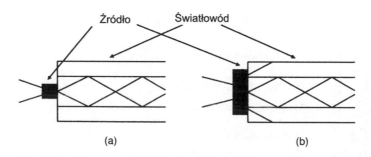

(a)   (b)

Rys. 5.8 Wprowadzanie światła do światłowodu
a — średnica źródła jest mniejsza od średnicy rdzenia światłowodu, całe światło wchodzi do rdzenia światłowodu, b — średnica źródła jest większa od średnicy rdzenia, część światła jest tracona w płaszczu światłowodu

Funkcja MIN $[1, (a/r_s)^2]$ oznacza, że jeśli $0 < (a/r_s)^2 < 1$, to MIN $[1, (a/r_s)^2] =$ $= (a/r_s)^2$. Po krótkim zastanowieniu stwierdzimy, że wartość $(a/r_s)^2$ jest zawsze mniejsza od 1, jeśli średnica powierzchni emisyjnej źródła jest większa niż średnica rdzenia światłowodu. Jeśli natomiast większa jest średnica rdzenia, to MIN $[1, (a/r_s)^2] = 1$.

Ćwiczenie 2

Oblicz sprawność sprzężenia światłowodu połączonego dociskowo ze źródłem o aperturze numerycznej równej 1 (np. dioda elektroluminescencyjna). Apertura numeryczna włókna światłowodowego wynosi 0,45; średnica rdzenia — 50 µm, a powierzchni emisyjnej źródła — 40 µm. Wykonaj ponowne obliczenie dla średnicy źródła zwiększonej do 100 µm.

Sprawność sprzężenia można zwiększyć umieszczając soczewkę między źródłem i włóknem światłowodowym. Soczewka jest szczególnie potrzebna, jeśli średnica źródła jest większa niż średnica rdzenia. Wtedy soczewka może zogniskować światło w plamkę o średnicy równej lub mniejszej od średnicy rdzenia. Trzeba dobrać taką soczewkę, aby:
a) jej apertura numeryczna była mniejsza lub równa aperturze włókna światłowodu,
b) średnica zogniskowanej plamki uzyskiwanej z soczewki była mniejsza lub równa średnicy rdzenia światłowodu.

Apertura numeryczna soczewki w powietrzu jest zależna od jej średnicy i ogniskowej, zgodnie ze wzorem

$$NA = \frac{D}{2f} \qquad (5.11)$$

gdzie:
D — średnica soczewki,
f — ogniskowa soczewki.

Przykład 3

Pytanie: Źródło dające światło o długości fali 870 nm ma być sprzężone ze światłowodem, którego rdzeń ma średnicę 10 µm, a apertura numeryczna jest równa 0,3 oraz $n_{core} = 1,51$. Zaproponuj soczewkę, która będzie skuteczna w tym przypadku. Pamiętaj, że rozmiar plamki wynosi 2,44 $\lambda f /D$.
Odpowiedź: Zacznij od apertury numerycznej pamiętając, że w włóknie światłowodu powinna ona być większa niż w powietrzu o czynnik n_{core}. A zatem

$$NA_{lens} = \frac{D}{2f} \leqslant 0,2$$

gdzie: NA_{lens} — apertura numeryczna soczewki.
Stąd $D = 0,4f$.

Teraz zajmijmy się rozmiarem plamki podstawiając do równania wartość d wyrażoną w f, otrzymamy

$$rozmiar\ plamki \geqslant \frac{2,44\lambda f}{0,4f} = 6,1\lambda = 5,3\ \mu m$$

Następnie obliczamy maksymalną wartość średnicy D, korzystając w obliczeniach z maksymalnej dopuszczalnej wielkości plamki, która w tym przykładzie wynosi 100 μm:

$$D_{max} = \frac{2{,}44\lambda f}{10 \cdot 10^{-6}} = 0{,}2f$$

Tak więc idealna soczewka powinna spełniać warunek: $0{,}2\,f < D < 0{,}4f$.

Sprawność sprzężenia wyraża się często w decybelach, zgodnie z zależnością

$$\eta(\mathrm{dB}) = 10\log\eta \tag{5.12}$$

Przeliczanie sprawności wyrażonej w decybelach na wartość niemianowaną wykonuje się według wzoru

$$\eta = 10^{\eta(\mathrm{dB})/10} \tag{5.13}$$

5.8   STRATY MOCY W ŚWIATŁOWODACH

Mała sprawność sprzężenia może być głównym źródłem strat mocy w systemach światłowodowych. Straty w samym światłowodzie też mogą być znaczne, zwłaszcza przy dużych odległościach. Głównymi źródłami strat są : tłumienie, straty na zgięciach i straty na złączach.

5.8.1 Tłumienie

Przyczyną *tłumienia* światła w światłowodach są dwa zjawiska — pochłanianie i rozpraszanie. Na rys. 5.9 przedstawiono typowy wykres tłumienności w funkcji długości fali w światłowodzie ze szkła kwarcowego. Wykres dotyczy tłumienności spowodowanej rozpraszaniem. Światło rozchodzące się wzdłuż światłowodu w sposób spełniający kryteria całkowitego wewnętrznego odbicia i zgodności z modem światłowodu jest rozpraszane w różnych kierunkach i tracone, gdyż przestaje spełniać jedno lub oba te kryteria. Fotony są rozpraszane poza włókno światłowodu z powodu niewielkich zmian współczynnika załamania w szkle. Mogą one być wywołane bądź przez niepełne wiązania molekularne, bądź przez zmiany w rozmieszczeniu molekuł. Rozpraszanie tego rodzaju nosi nazwę rozpraszania Rayleigha, a jego natężenie jest proporcjonalne do $1/\lambda^4$. Można zauważyć, że przedstawione wartości rzeczywiste są bliskie granicy teoretycznej przedstawionej linią przerywaną. Piki na wykresie na rys. 5.9 są wywołane absorpcją światła przez molekuły we włóknie światłowodowym. Głównymi „winowajcami" są tu jony OH^-, które mogą się pojawiać z powodu wilgoci w środowisku podczas produkcji lub jako produkt uboczny jakiejś reakcji chemicznej w procesie produkcji. Przyglądając się wykresowi na rys. 5.9 zauważymy, że występują na nim „okna" dla długości fali ok. 860 nm, 1,3 μm. Tam tłumienność jest najmniejsza, W starszych systemach korzystano z okna 860 nm, lecz w miarę rozwoju źródeł i detektorów stosowane okna przesunęły się w kierunku fal dłuższych, a tłumienność się zmniejszyła, więc w wielu systemach stosuje się teraz długość fali 1,3 μm. Systemy następnej generacji będą pracować z długością fali 1,55 μm.

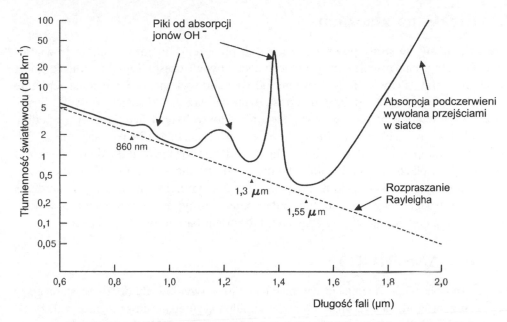

Rys. 5.9 Typowy wykres tłumienności w funkcji długości fali w światłowodzie ze szkła kwarcowego

Praca własna

Jeśli masz dostęp do jakichś telekomunikacyjnych kabli światłowodowych, to spróbuj stwierdzić z jaką długością fali pracują.

5.8.2 Straty na zgięciach

Rozważmy sytuację pokazaną na rys. 5.10. Promień rozchodzący się jako osiowy napotyka zgięcie światłowodu i pada na granicę rdzeń/płaszcz pod kątem mniejszym niż kąt graniczny θ_c. Promień ulega więc załamaniu poza światłowód. Zatem energia świetlna tego promienia jest tracona. *Straty na zgięciach* można zredukować ograniczając liczbę zgięć, lub — tam gdzie są one nieuniknione — zwiększając promień zakrzywienia.

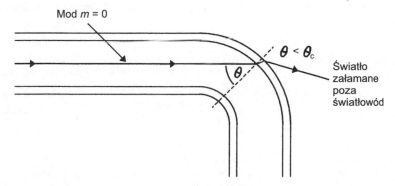

Rys. 5.10 Straty światła na zgięciu światłowodu

5.8.3 Straty na złączach

Już stwierdziliśmy, że straty powstają w miejscu połączenia między źródłem i światłowodem. Powstają one również przy połączeniach dwóch części światłowodu ze sobą. Wartość tych strat zależy w dużym stopniu od sposobu wykonania połączenia. Ogólnie biorąc *straty na złączach* rozłączalnych są większe niż na złączach stałych. Straty wynikają z niewspółosiowości włókien światłowodowych przy ich łączeniu, z odbić światła od końców włókien (jeśli występuje tam szczelina powietrzna) lub z ich niedopasowania (np. jeśli średnice włókien łączonych ze sobą nie są dokładnie jednakowe lub przekroje włókien nie są idealnie kołowe). Straty można zminimalizować przez staranne zaprojektowanie i wykonanie połączeń. Na ogół, im mniejsza jest średnica rdzenia, tym trudniej wykonać dobre połączenie. Firmy telekomunikacyjne wydają pokaźne sumy pieniędzy na złącza spawane, które dają bardzo dobre połączenie.

5.9   BILANS MOCY

Jednym ze sposobów upewnienia się, czy moc na wyjściu światłowodu będzie wystarczająco duża, jest przeprowadzenie *bilansu mocy*. Minimalna wymagana ilość światła zależy od czułości detektora. Wykonanie bilansu mocy polega na zestawieniu wartości mocy na wejściu łącza światłowodowego i wszystkich strat występujących po drodze. Bilans zwykle obejmuje też tzw. „margines projektowy" uwzględniający wszystkie straty, których nie da się łatwo obliczyć lub które można przewidzieć. Przykładami strat uwzględnianych w ramach marginesu projektowego są straty na zgięciach, a także gorsze niż przewidywane działanie łącza z powodu starzenia się elementów. Bilans mocy wykonuje się w decybelach, gdyż straty a także czułości odbiorników są zwykle wyrażane w tych jednostkach. Wynika stąd, że niektóre wartości trzeba przeliczyć na decybele. Przykład bilansu mocy podano poniżej.

Przykład 4

Pytanie: Ma być wykonane łącze światłowodowe z użyciem diody elektroluminescencyjnej (LED) dającej światło o długości fali 820 nm i mocy 2 mW. Powierzchnia emisyjna diody ma średnicę 40 μm. Dioda ma być sprzężona ze światłowodem o aperturze numerycznej 0,45 i średnicy rdzenia 50 μm. Łącze światłowodowe ma długość 5 km i pośrodku jest połączone złączem, które daje straty 0,1 dB. Zakładając, że światłowód ma tłumienność 8 dB · km^{-1} dla długości fali 820 nm, oblicz jaka powinna być czułość detektora:
a) w decybelach,
b) w watach.
Przyjmij margines projektowy równy 6 dB.
Odpowiedź: Oto bilans mocy

Wyjście źródła	$= 2$ mW $= 10 \lg(2 \cdot 10^{-3}/1 \cdot 10^{-3}) =$	**+3,0 dBm**
Straty sprzężenia ze źródłem	$= (NA_f/NA_s)^2 \, t = (0{,}45/1)^2 \cdot 0{,}95 = 0{,}192 =$	−7,2 dB
Straty w światłowodzie	$= 5 \cdot 8 =$	−40,0 dB
Straty na złączach	$= 0{,}1 \cdot 1 =$	−0,1 dB
Margines projektowy	$=$ jak podano $=$	−6,0 dB
Wyjście światłowodu	Moc wyjściowa minus wszystkie straty i margines projektowy	**−50,3 dBm**

Tak więc odbiornik powinien mieć czułość co najmniej — 50,3 dBm. Przypomnijmy sobie, że przeliczając jakąś wartość niemianowaną na decybele, logarytmujemy ją. Przy przeliczaniu strat wartość η jest stosunkiem mocy wprowadzonej do światłowodu do mocy na jego wyjściu. Uzyskany przez nas wynik nie jest jednak wyrażony w dB, lecz w dBm, co oznacza że wartość w mianowniku przy przeliczaniu na decybele była równa 1 mW. Proszę zwrócić uwagę, że przy obliczaniu mocy wyjściowej źródła podzieliliśmy moc 2 mW przez 1 mW. Teraz, korzystając ze wzoru (5.13) możemy przeliczyć uzyskany wynik z decybeli na miliwaty. Otrzymujemy

Moc wyjściowa (W) $= 10^{(-50,3/10)} = 0,0093$ mW $= 9,3$ μW

Uzyskaliśmy więc odpowiedzi: a) $-50,3$ dB, b) 9,3 μW.

5.10 DYSPERSJA W ŚWIATŁOWODACH

Słowo „dyspersja" oznacza rozpraszanie. W przypadku światłowodu pojęcie to odnosi się do rozpraszania impulsu świetlnego biegnącego wzdłuż światłowodu. Ładny, prostokątny impuls na wejściu światłowodu zmienia się z powodu dyspersji w rozmyty czasowo i rozszerzony impuls na jego wyjściu (rys. 5.11). Jest kilka przyczyn dyspersji, których skutki różnią od siebie w bardzo znacznym stopniu.

5.10.1 Dyspersja modowa w światłowodach o skokowej zmianie współczynnika załamania

W światłowodach o skokowej zmianie współczynnika załamania główną przyczyną dyspersji jest fakt, że różnym modom odpowiadają różne drogi wzdłuż światłowodu. Ponieważ drogi wszystkich modów przebiegają w materiale o tym samym współczynniku załamania, więc światło rozchodzące się w różnych modach potrzebuje różnych czasów na przebycie drogi od początku do końca światłowodu. Przeprowadzając analizę tego problemu dla najgorszego przypadku uwzględniamy różnicę czasów potrzebnych na przebycie światłowodu przez światło w modzie $m = 0$ (promień osiowy) i światło w modzie $m = m_{max}$ (promień wchodzący pod kątem bliskim granicznego). Dla modu $m = 0$ czas t_1 potrzebny na przebycie światłowodu wyraża się wzorem

$$t_1 = \frac{L}{v} = \frac{Ln_{core}}{c} \tag{5.14}$$

gdzie: L — długość światłowodu.

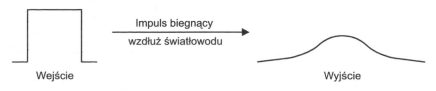

Impuls biegnący wzdłuż światłowodu

Wejście

Wyjście

Rys. 5.11 Rozmycie impulsu spowodowane dyspersją

Czas t_2 dla modu $m = m_{max}$ jest równy

$$t_2 = \frac{L}{v\sin\theta_{max}} = \frac{Ln_{core}}{c\sin\theta_c} \tag{5.15}$$

W tym wzorze wprowadziliśmy przybliżenie $\theta_{max} = \theta_c$. A zatem dyspersja, czyli różnica czasów między modami pierwszym i ostatnim, jest określona wzorem

$$\Delta t_{mod} = t_2 - t_1 = \frac{Ln_{core}}{c}\left(\frac{1}{\sin\theta_c} - 1\right) = \frac{Ln_{core}}{c}\left(\frac{n_1}{n_2} - 1\right) = \frac{Ln_{core}}{c}\left(\frac{n_{core} - n_{clad}}{n_{clad}}\right) \tag{5.16}$$

Wprowadzając przybliżenie $n_{core} \approx n_{clad}$ uzyskujemy

$$\Delta t_{mod} = L\Delta/c \tag{5.17}$$

gdzie: $\Delta = n_{core} - n_{clad}$

Ćwiczenie 3

Oblicz dyspersję impulsu świetlnego przesyłanego światłowodem o długości 5 km, w którym współczynnik załamania światła rdzenia n_{core} równa się 1,51, a współczynnik załamania światła płaszcza n_{clad} wynosi 1,48.

Dyspersja wskazuje, o ile poszerzony jest impuls po przejściu przez światłowód. W systemach optoelektronicznych warto często wiedzieć, jaki jest czas narastania impulsu, który uległ dyspersji. Jest to czas potrzebny do wzrostu impulsu od 10% do 90% jego wartości maksymalnej (dla impulsu idealnie prostokątnego czas ten jest oczywiście równy zeru). Czas narastania i dyspersja są powiązane zależnością

$$Czas\ narastania = 0,44 \times dyspersja \tag{5.18}$$

Różnicę między czasem narastania a dyspersją zilustrowano na rys. 5.12.

Trzeba zwrócić uwagę, że wartości dyspersji obliczone ze wzoru (5.17) dotyczą najgorszego przypadku, gdyż zakłada się na przykład, że mod $m = 0$ jest zawsze tylko modem $m = 0$. W praktyce światło jest często przesuwane do tyłu i do przodu między

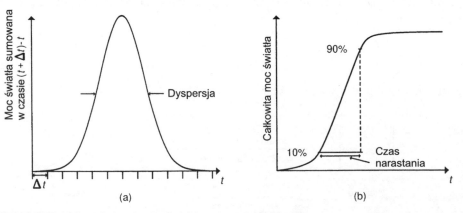

Rys. 5.12 Różnica między dyspersją (a) i czasem narastania (b)

modami, np. jest ono rozpraszane lub włókno światłowodowe jest zagięte. Średnio biorąc, można powiedzieć, że w długim światłowodzie światło, które zaczęło swą drogę w jednym modzie występuje potem przez pewien czas także w każdym z innych modów. Jest to tak zwane mieszanie modów powodujące, że wypadkowa dyspersja jest mniejsza, ponieważ średnio biorąc w modach niższego rzędu światło przebywało krócej, a w wyższego — dłużej niż to przewidywano w obliczeniach. W rezultacie Δt jest proporcjonalne do L^q, gdzie $0,5 < q < 1$. Można przyjąć, że mody są całkowicie zmieszane po przebyciu odległości 1 km, jeśli nie podjęto specjalnych kroków zapewniających wcześniejsze zmieszanie modów. Decyzja o wyborze zastosowanej wartości q zależy od doświadczenia osoby wykonującej obliczenia. Ogólnie, dla łącz długich, o długości wielu kilometrów, można przyjąć wartość q równą 0,5. W sieciach lokalnych (LAN), dla łącz np. w budynku lub na terenie kampusu można przyjąć $q = 0,7$. Dla łącz jeszcze krótszych trzeba zakładać $q = 1$. Jeśli ma się wątpliwości, to zawsze lepiej zrobić błąd z marginesem w kierunku bezpiecznym i pozostawić q równe jedności.

Dyspersja modowa jest poważnym ograniczeniem we wszelkich systemach, w których mają być przesyłane dane cyfrowe (impulsy świetlne) z dużą częstotliwością na dużą odległość. Rozpraszanie tych impulsów powoduje, że nie można ich przesyłać zbyt blisko siebie, gdyż w wyniku zlewania się impulsów stają się one nierozróżnialne na wyjściu łącza. Jak więc poradzić sobie z tym problemem? Są dwa rozwiązania:

1. Ograniczenie liczby modów do jednego, nie ma wtedy dyspersji modowej.
2. Ukształtowanie profilu współczynnika załamania rdzenia w taki sposób, żeby światło rozchodziło się tym szybciej, im dalej od osi się znajduje. Tak więc wszystkie mody będą za sobą wzajemnie nadążały.

Rozwiązanie 1. jest przewidziane do światłowodów jednomodowych o skokowej zmianie współczynnika załamania, rozwiązanie 2. zaś — do światłowodów gradientowych. Jednak w ten sposób nie usuwamy dyspersji całkowicie, a tylko dyspersję mającą największy wpływ, pozostawiając jednak inne jej rodzaje.

5.10.2 Dyspersja w światłowodach gradientowych (GRIN)

Jak sobie zapewne przypominacie, w p. 5.5 stwierdzono, że profil współczynnika załamania w światłowodach gradientowych (GRIN) ma kształt paraboliczny. Matematycznie można ten profil opisać wzorem

$$n(r) = n_{core}\left[1 - \frac{2\Delta}{n_{core}}\left(\frac{r}{a}\right)^\gamma\right]^{1/2} \tag{5.19}$$

gdzie:

a — promień rdzenia,
r — odległość od osi światłowodu,
n_{core} — współczynnik załamania na osi,
γ — zmienna wyrażająca szybkość, z jaką współczynnik załamania światła w rdzeniu zmienia się w funkcji r.

Jeśli parabola nie jest właściwie ukształtowana, to jednak może następować dyspersja modowa, gdyż światłowody gradientowe (GRIN) mogą przenosić więcej niż jeden mod (faktycznie mogą one przenosić około połowy liczby modów światłowodu o skokowej zmianie współczynnika załamania o takej samej średnicy rdzenia i współczynniku załamania w rdzeniu n_{core}). Dyspersja modowa osiąga minimum, gdy $\gamma \approx (1 - 1{,}2\Delta/n_{core})$. Jeśli zastosowano źródło monochromatyczne, to przy takiej wartości γ dyspersja jest równa

$$\Delta t_{GRIN} = \frac{L\Delta^2}{8cn_{core}} \qquad (5.20)$$

a więc, zapisując tę zależność inaczej

$$\frac{\Delta t_{GRIN}}{\Delta t_{\text{mod}}} = \frac{\Delta}{8n_{core}} \qquad (5.21)$$

Ćwiczenie 4

Oblicz optymalną dyspersję w światłowodzie takim jak w ćwiczeniu 3, lecz gradientowym. Uzyskany wynik porównaj z wynikiem z ćwiczenia 3.

Niestety wartość Δt_{GRIN} silnie zależy od wartości γ. Dlatego nawet małe zmiany założonej przy projektowaniu wartości γ, jakie mogą powstać przy produkcji, znacznie pogarszają właściwości dyspersyjne światłowodu.

W światłowodach gradientowych występuje też niekorzystne zjawisko zwane *dyspersją profilową*. Wiadomo, że źródła nie są idealnie monochromatyczne, emitowane światło ma długość fali mieszczącą się w pewnym przedziale. Innymi słowy linia widmowa tego światła ma pewną skończoną szerokość. W tym przypadku γ zależy zarówno od λ jak i od Δ. Co więcej, wartość $\Delta = n_{core} - n_{clad}$ też zmienia się z długością fali, gdyż — ogólnie biorąc — zmiany współczynnika załamania w rdzeniu w funkcji długości fali nie są takie same jak zmiany tego współczynnika w płaszczu. W rezultacie różne długości fali w wiązce światła będą się charakteryzowały różnymi wartościami γ, a więc różną dyspersją.

5.10.3 Dyspersja w światłowodach jednomodowych

W światłowodach jednomodowych występuje dyspersja dwóch rodzajów — materiałowa i falowodowa. Dyspersja materiałowa jest spowodowana zależnością współczynnika załamania szkła od długości fali. Dlatego w świetle zawierającym kilka składowych o różnych długościach fali, każda z tych składowych rozchodzi się z inną prędkością (gdyż $v = c/n$), powodując rozmycie czasowe impulsu świetlnego. Dyspersja materiałowa jest określona wzorem

$$\Delta t_{mat} = -D\sigma_\lambda L \qquad (5.22)$$

gdzie:
D — współczynnik dyspersji,
σ_λ — szerokość linii widma światła ze źródła.

Przykład 5

Pytanie: Oblicz dyspersję materiałową impulsu przesyłanego światłowodem kwarcowym o długości 10 km, w którym $D = 0{,}1\ \text{ns} \cdot \text{nm}^{-1} \cdot \text{km}^{-1}$ oraz $\sigma_\lambda = 40$ nm.

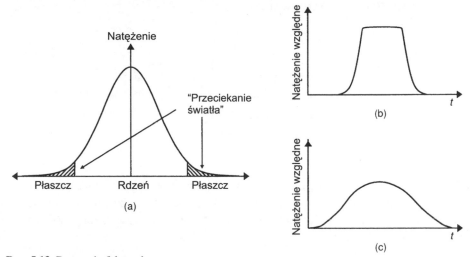

Rys. 5.13 Dyspersja falowodowa:
a — profil natężenia światła w światłowodzie dla modu $m = 0$, *b* — kształt impulsu wyjściowego w przypadku gdy niewiele światła rozchodzi się w płaszczu, *c* — kształt impulsu wyjściowego, gdy dużo światła rozchodzi się w płaszczu

Odpowiedź:

$$\Delta t_{mat} = -D\sigma_\lambda L = 0,1 \cdot 40 \cdot 10 = 40 \text{ ns}$$

Proszę zwrócić uwagę na jednostki, w których są wyrażane parametry. Jeśli D jest w $\text{ns} \cdot \text{nm}^{-1} \cdot \text{km}^{-1}$, to σ_λ powinna być wyrażana w nm, L — w km, a odpowiedź uzyskuje się w ns.

Nieco trudniejsza do zrozumienia jest dyspersja falowodowa. W tym celu musimy ponownie rozważyć działanie modu $m = 0$. Profil natężenia światła w modzie $m = 0$ w funkcji położenia w poprzek średnicy włókna przedstawiono na rys. 5.13*a*. Z wykresu wynika, że nie całe światło rozchodzi się w rdzeniu, jak poprzednio zakładaliśmy. W praktyce część światła „przecieka" do płaszcza. To światło nie jest tracone, gdyż rozchodzi się jako część modu $m = 0$. Ponieważ jednak rozchodzi się w ośrodku o mniejszym współczynniku załamania, więc jego prędkość jest większa niż światła rozchodzącego się w rdzeniu. A zatem następuje dyspersja. Wielkość tej dyspersji zależy oczywiście od tego, jaka część światła rozchodzi się w płaszczu. Jeśli jest to tylko mała część światła, to całkowity udział tego światła (przybywającego przed impulsem głównym) w kształcie impulsu wyjściowego jest mały (rys. 5.13*b*). Jeśli jednak dużo światła rozchodzi się w płaszczu, to może ono mieć znaczny wpływ na kształt impulsu wyjściowego i dyspersja jest odpowiednio większa (rys. 5.13*c*).

Ilość światła przemieszczającego się w płaszczu zależy od parametru *V*. Jeśli wartość *V* dąży do zera, to dyspersja wzrasta. Dyspersja falowodowa wyraża się wzorem

$$\Delta t_{wg} = -\left(\frac{n_{clad} L \Delta \sigma_\gamma}{n_{core} c\lambda}\right) z \qquad (5.23)$$

gdzie *z* zależy od *V*. Zmiany wartości *z* w funkcji *V* przedstawiono w tablicy 5.1.

TABLICA 5.1 ZMIANY WARTOŚCI z
W ZALEŻNOŚCI od V

V	z
1,3	1,0
2,405	0,2
> 3	dąży do zera

Ćwiczenie 5

Oblicz wartość dyspersji falowodowej w jednomodowym światłowodzie o długości 10 km pracującym blisko odcięcia (tj. $V \approx 2{,}405$) ze źródłem światła o długości fali 1,3 rm. W tym światłowodzie $n_{core} = 1{,}51$, $n_{clad} = 1{,}48$, szerokość linii widmowej źródła światła 10 nm.

5.11 OBLICZANIE CAŁKOWITEJ DYSPERSJI ŚWIATŁOWODU

Wartości dyspersji można obliczyć tylko dla światłowodów o skokowej zmianie współczynnika załamania. W światłowodach gradientowych, ze względu na ich dużą czułość, wartość dyspersji musi określać producent, na ogół dla pewnej określonej długości fali. Całkowita dyspersja w światłowodzie o skokowej zmianie współczynnika załamania jest określona wzorem

$$\Delta t_{tot} = \left[\Delta t_{mod}^2 + (\Delta t_{mat} + \Delta t_{wg})^2\right]^{1/2} \tag{5.24}$$

W światłowodach jednomodowych Δt_{mod} jest oczywiście równe zeru, a w światłowodach wielomodowych wartośc Δt_{wg} można przyjąć za pomijalnie małą.

Przykład 6

Pytanie: Światłowód ma dyspersję modalną 2 ns·km^{-1}, dyspersję materiałową 0,5 ns·km^{-1} i nie ma dyspersji falowodowej. Jaka jest całkowita dyspersja w tym światłowodzie? Jaki więc będzie czas narastania impulsu wychodzącego ze światłowodu? *Odpowiedź*:

$$\Delta t_{tot} = \left[\Delta t_{mod}^2 + \Delta t_{mat}^2\right]^{1/2} = \left[(2 \cdot 10^{-9})^2 + \Delta(0{,}5 \cdot 10^{-9})^2\right]^{1/2} = 2{,}1 \text{ ns}$$

z czego wynika czas narastania

$$\tau = 0{,}44 \cdot dyspersja = 0{,}9 \text{ ns}$$

5.12 OBLICZANIE CZASU NARASTANIA W ŁĄCZU

Łącze światłowodowe składa się w zasadzie z nadajnika (TX), odbiornika (RX) oraz włókna światłowodowego. Obliczenie czasu narastania w całym łączu jest ważne, gdyż ten czas określa szerokość przenoszonego pasma częstotliwości. Znając szerokość pasma można z kolei określić maksymalną szybkość przesyłania informacji w łączu. Analogowa szerokość pasma i czas narastania są związane zależnością

$$Pasmo = 0{,}35/\tau \qquad (5.25)$$

a całkowity czas narastania w łączu oblicza się z wzoru

$$\tau_{link} = (\tau_{TX}^2 + \tau_f^2 + \tau_{RX}^2)^{1/2} \qquad (5.26)$$

gdzie:

τ_{RX} — czas narastania wnoszony przez nadajnik,
τ_{TX} — czas narastania wnoszony przez odbiornik,
τ_f — czas narastania w światłowodzie.

Przykład 7

Pytanie: Ma być zbudowane łącze składające się z nadajnika charakteryzującego się czasem narastania 2 ns, włókna światłowodowego o dyspersji 2 ns $\cdot$ km^{-1} i odbiornika o paśmie 500 MHz.
Jaką szerokością pasma charakteryzuje się łącze o długości 10 km.
Odpowiedź: Najpierw trzeba przeliczyć dyspersję i szerokość pasma na czasy narastania. Dyspersja włókna światłowodowego $= 2 \cdot 10 = 20$ ns, więc czas narastania we włóknie światłowodowym $= 0{,}44 \cdot 20 = 8{,}8$ ns. Czas narastania w detektorze $= 0{,}35/$ szerokość pasma $= 0{,}35/500 \cdot 10^6 = 0{,}7$ ns.
Teraz z równania (5.26) można obliczyć czas narastania na wyjściu łącza

$$\tau_{link} = [(2 \cdot 10^{-9})^2 + (8{,}8 \cdot 10^{-9})^2 + (0{,}7 \cdot 10^{-9})^2]^{1/2} = 9{,}05 \text{ ns}$$

Szerokość pasma łącza (dla sygnału analogowego) jest więc równa

$$Pasmo = \frac{0{,}35}{9{,}05 \cdot 10^{-9}} = 38{,}7 \text{ MHz}$$

Obecnie powszechnie stosuje się przesyłanie danych w postaci cyfrowej, a nie analogowej. Między szerokością pasma dla sygnału analogowego a cyfrową szybkością transmisji bitów jest bardzo prosta zależność. Szybkość transmisji bitów $= 2 \times$ szerokość pasma (analogowa). Przetwarzanie analogowo-cyfrowe będzie omówione szczegółowo w rozdz. 10 przy opisie odtwarzacza płyt kompaktowych (CD).

5.13 PODSUMOWANIE

- Prowadzenie światła w światłowodzie następuje dzięki zjawisku całkowitego wewnętrznego odbicia.
- Światłowodowi można przyporządkować pewną aperturę numeryczną będącą miarą wartości kąta padania na granicę rdzeń/płaszcz, przy której zaczyna się całkowite wewnętrzne odbicie; apertura wskazuje, ile światła można wprowadzić do światłowodu.

- Nie całe światło ulegające całkowitemu wewnętrznemu odbiciu rozchodzi się wzdłuż światłowodu. Światłowody mają mody, które są związane z kątami padania światła, dla których zachodzi interferencja wzmacniająca czół fal poruszających się w tym samym kierunku.
- Istnieją światłowody następujących rodzajów: wielomodowe o skokowej zmianie współczynnika załamania, jednomodowe o skokowej zmianie współczynnika załamania oraz światłowody o gradientowej zmianie współczynnika załamania (w skrócie — gradientowe, GRIN)
- Światłowody szklane produkuje się wytwarzając preformę o prawidłowym profilu współczynnika załamania światła, który następnie jest z jednej strony wygrzewany i z niego jest wyciągane włókno światłowodowe.
- Straty w światłowodzie mogą być spowodowane pochłanianiem lub rozpraszaniem we włóknie światłowodowym, zagięciami światłowodu lub słabą jakością połączeń.
- Bilans mocy wykonuje się w celu określenia wartości sygnału wyjściowego światłowodu z uwzględnieniem wszystkich strat.
- Impulsy świetlne wprowadzone do światłowodu ulegają rozmyciu czasowemu z powodu dyspersji.
- Dyspersja o największym znaczeniu występuje w światłowodach wielomodowych, gdzie jest spowodowana różnicami dróg przebywanych przez poszczególne mody podczas przesyłania światła światłowodem.
- W światłowodach gradientowych problem dyspersji modowej rozwiązuje się pozwalając światłu poruszać się tym szybciej im jest dalej od środka rdzenia światłowodu. Taka eliminacja dyspersji modowej nie zawsze jest jednak idealna z powodu fluktuacji parametrów powstającej w procesie produkcyjnym. W światłowodach gradientowych występuje także dyspersja profilowa spowodowana faktem, że źródło daje światło o więcej niż jednej długości fali.
- Stosując światłowody jednomodowe rozwiązuje się problem dyspersji modowej, gdyż dopuszcza się rozchodzenie się tylko jednego modu. Jednak w tych światłowodach występuje też dyspersja materiałowa, której przyczyną jest różna prędkość rozchodzenia się światła o różnych długościach fali. Prócz tego występuje także dyspersja falowodowa wywołana przeciekaniem światła do płaszcza, gdzie rozchodzi się ono szybciej.
- Czas narastania, a zatem i szerokość pasma całego łącza światłowodowego zależy od czasów narastania w nadajniku i odbiorniku, a także we włóknie światłowodowym.

5.14 ZADANIA

5.1 Apertura numeryczna światłowodu o skokowej zmianie współczynnika załamania wynosi 0,45. Jaki jest współczynnik n_{core}, jeśli $n_{clad} = 1,485$?

5.2 Soczewka ma ogniskową 10 cm i średnicę 5 cm. Jaka jest jej apertura numeryczna?

5.3 Światłowód o skokowej zmianie współczynnika załamania ma rdzeń o średnicy 5 μm i współczynniki $n_{core} = 1,503$ i $n_{clad} = 1,495$. Określ:

a — minimalną długość fali, przy której ten światłowód jest jednomodowy,

b — zakres długości fali, w którym światłowód jest dwumodowy.

5.4 Światłowód ma średnicę rdzenia 30 μm i aperturę numeryczną 0,4. Jaka powinna być maksymalna średnica źródła i jego apertura numeryczna, aby sprzężenie było optymalne?

5.5 Źródło ma moc wyjściową 1 mW i jest dociskowo połączone ze światłowodem o stratach sprzężenia 12,5 dB. Jaka moc jest dostarczana do światłowodu?

5.6 Oblicz stosunek strat spowodowanych rozpraszaniem Rayleigha dla długości fali 633 nm i 1,3 μm.

5.7 Odbiornik wybrany do zastosowania w łączu z przykładu 4 ma czułość — 45 dBm, z czego wynika, że łącze nie będzie działać. Jaka może być maksymalna długość łącza, przy której będzie ono działać?

5.8 Światłowód o skokowej zmianie współczynnika załamania ma współczynniki załamania światła — w rdzeniu 1,500, w płaszczu 1,485. Oblicz dyspersję modową na kilometr światłowodu. Światłowód ma być zastosowany w łączu służącym do przesyłania sygnału o minimalnym czasie narastania 25 μs. Oblicz maksymalną dopuszczalną długość łącza, jeśli czas narastania sygnału w światłowodzie nie może być większy od jednej dziesiątej minimalnego czasu narastania sygnału.

5.9 W światłowodzie kwarcowym współczynnik dyspersji D można obliczyć ze wzoru

$$D = 1320 e^{-2,805\lambda} - 40$$

gdzie: D jest wyrażone w ps·nm^{-1} a λ w μm.

Korzystając z tego wzoru określ, jaką minimalną dyspersję materiałową mają: dioda elektroluminescencyjna (LED) emitująca światło o długości fali 1,33 μm z szerokością linii widma 50 nm oraz dioda laserowa, dająca światło o długości fali 800 nm i szerokości linii widma 5 nm.

5.10 Światłowód wielomodowy o skokowej zmianie współczynnika załamania charakteryzuje się współczynnikami załamania światła — w rdzeniu 1,503; a w płaszczu — 1,495. Stosując wzór podany w zadaniu **5.9** oblicz całkowitą dyspersję w światłowodzie o długości 10 km, jeśli zastosowano źródło światła o długości fali 780 nm i szerokości linii widma 50 nm.

5.11 Łącze z przykładu 7 ma być przerobione w taki sposób, aby miało szerokość pasma 100 MHz. Nie wolno przy tym skracać łącza, a więc trzeba zastąpić światłowód innym, o mniejszej dyspersji. Jaka jest maksymalna dopuszczalna dyspersja w tym nowym światłowodzie?

Literatura

Literatura w języku angielskim

Rozwój techniki światłowodowej i jej powszechne stosowanie są przyczynami powstania bardzo wielu publikacji obejmujących tę tematykę. Niektóre z nich są poświęcone tylko samym światłowodom, inne zawierają szerokie omówienie źródeł, detektorów i związanej z nimi elektroniki. Dwie prace, które poniżej rekomendujemy, należą do tych o szerokiej tematyce. Chociaż ich poziom przekracza nieco poziom wykładu w tej książce, to mamy nadzieję, że będą one lekturą interesującą.

1. *Wilson J., Hawkes J.F.B.*: Optoelectronics, An Introduction. Wydanie 2. Prentice Hall International, 1989
2. Optoelectronics, T393, units 9–10, Block 3. Electronics Materials and Devices. The Open University, 1985

Literatura uzupełniająca w języku polskim

1. *Einarsson G.*: Podstawy telekomunikacji światłowodowej. WKŁ, Warszawa 1998
2. *Palais J.C.*: Zarys telekomunikacji światłowodowej. WKŁ, Warszawa 1991
3. *Siuzdak J.*: Wstęp do współczesnej telekomunikacji światłowodowej. WKŁ, Warszawa 1999

6

URZĄDZENIA SPECJALIZOWANE

6.1   WPROWADZENIE

W tym rozdziale przyjrzymy się kilku specjalizowanym urządzeniom optycznym, które mogą być stosowane do odchylania wiązki światła, modulowania jej natężenia lub skręcania kąta polaryzacji. Są to na ogół urządzenia dość duże i wymagające zasilaczy o dużej mocy. Nie miało to znaczenia w początkowym okresie rozwoju optoelektroniki, ponieważ stosowane wówczas źródła światła też były nieporęczne i wymagały sporych zasilaczy. Od tamtej pory nastąpiło jednak bardzo znaczne zmniejszenie wymiarów i poboru mocy systemów. Tę tendencję wsparło powstanie półprzewodnikowych źródeł światła, które są urządzeniami małymi, o małym poborze mocy. Nie wymagają one zewnętrznej modulacji natężenia wiązki, ponieważ mogą być modulowane bezpośrednio. Mogą być włączane i wyłączane z częstotliwością rzędu gigaherców. Zewnętrzne modulatory i układy odchylające są jednak ciągle jeszcze przydatne, gdyż źródła innych typów nadal muszą być modulowane zewnętrznie. Na przykład zapis wzorca płyty kompaktowej (CD) jest realizowany przy użyciu lasera argonowo-jonowego dużej mocy. Laser argonowo-jonowy działa na podobnej zasadzie jak laser He-Ne i, podobnie jak on, nie może być po prostu włączany i wyłączany w celu modulacji mocy wiązki wyjściowej. Dlatego w tym przypadku stosuje się modulator zewnętrzny. Inną przyczyną stosowania modulatorów zewnętrznych jest to, że w laserze półprzewodnikowym z modulacją bezpośrednią zmienia się długość fali wiązki światła na wyjściu. W wielu zastosowaniach to zjawisko nie ma istotnego znaczenia, jednak w niektórych, jak np. w dalmierzach laserowych, jest ważnym elementem stosowanej metody. Jednak w tych przypadkach, gdy stałość długości fali jest istotna, stosuje się modulatory zewnętrzne nawet ze źródłami półprzewodnikowymi.

Inną przyczyną niechęci do stosowania dużych i nieporęcznych urządzeń zewnętrznych jest częsta konieczność ich dokładnego zestrojenia w systemie optycznym, bez którego systemy nie będą działały prawidłowo, o ile w ogóle zadziałają. Z tego powodu takie urządzenia są nieekonomiczne w zastosowaniach praktycznych, gdyż — na przykład — zbyt kosztowne jest korzystanie z usług wysoko kwalifikowanego inżyniera-optyka przy naprawie odtwarzacza CD, a tylko taki fachowiec jest w stanie prawidłowo zestroić cały system optyczny po pozbieraniu kawałków systemu rozsypanych na podłodze. Obecny trend polega na stosowaniu elementów optycznych, które można łatwo składać ze sobą, podobnie jak podzespoły elektroniczne. Takie elementy, właściwie zmontowane, mają gwarancję prawidłowej pracy bez dokładnego zestrajania. Wymagania rynkowe doprowadziły do opracowania urządzeń realizujących większość funkcji wykonywanych przez duże urządzenia (które omówimy), lecz mających formę łatwą do zintegrowania w nowoczesnych systemach optycznych. W ten sposób powstała całkiem nowa dziedzina — optyka zintegrowana. Krótki przegląd układów zintegrowanych znajdziecie na końcu tego rozdziału.

6.2   URZĄDZENIA ELEKTROOPTYCZNE

Właściwość niektórych materiałów zwaną podwójnym załamaniem albo dwójłomnością omówiono w rozdziale 3. W tych materiałach współczynnik załamania nie jest jednakowy dla wszystkich kierunków rozchodzenia się światła. Najprostszym materiałem elektrooptycznym jest materiał izotropowy, który staje się dwójłomny po przyłożeniu pola elektrycznego. W przykładzie przedstawionym na rys. 6.1 oś optyczna kryształu dwójłomnego jest równoległa do przyłożonego pola i kryształ, w takim położeniu ma współczynnik załamania n_p. We wszystkich kierunkach prostopadłych do osi optycznej współczynnik załamania kryształu równa się n_n. Zjawisko elektrooptyczne odkrył John Kerr w 1875 roku i dlatego jeden z typów modulatorów nosi nazwę komórki Kerra.

6.2.1 Modulator elektrooptyczny

Można teraz postawić pytanie „Jak zjawisko elektrooptyczne pomaga w modulacji natężenia wiązki światła?". Odpowiedź pomoże nam zrozumieć rys. 6.2 oraz opis układów opóźniających (retarderów) przedstawiony w rozdziale 3. Na rys. 6.2a pokazano światło spolaryzowane wchodzące do kryształu optoelektrycznego, z kierunkiem

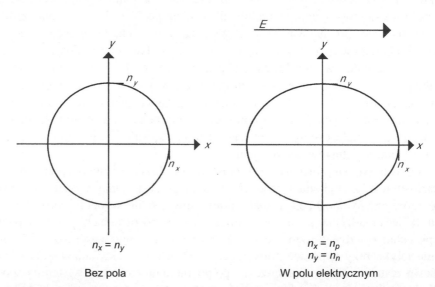

Rys. 6.1 Schematyczne przedstawienie powstawania dwójłomności w wyniku przyłożenia pola elektrycznego. Dla uproszczenia nie pokazano osi z, lecz $n_z = n_y$

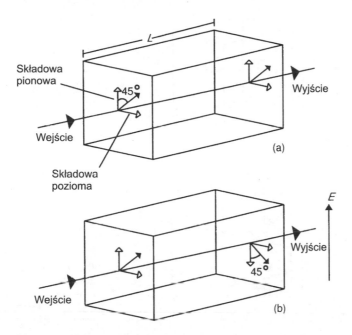

Rys. 6.2 Działanie kryształu elektrooptycznego w sytuacji, gdy:
a — nie jest przyłożone żadne pole elektryczne, *b* — przyłożono takie pole elektryczne, że dwie
składowe na wyjściu kryształu są przesunięte w fazie o 180°

polaryzacji 45° w stosunku do pionu. Tak jak to robiliśmy w rozdziale 3, można wiązkę
rozłożyć na dwie składowe — spolaryzowaną pionowo i spolaryzowaną poziomo,
rzeczywisty kierunek polaryzacji jest wypadkową tych dwóch. Kryształ na rys. 6.2 jest
izotropowy i współczynnik załamania dla obu składowych, poziomej i pionowej, jest
w nim jednakowy. Również drogi optyczne są takie same, równe nL. Wynika stąd, że
kierunek polaryzacji wiązki wyjściowej jest taki sam, jak wejściowej, inaczej mówiąc:
polaryzacja wyjściowa = polaryzacja wejściowa.

Do kryształu na rys. 6.2b przyłożono pole elektryczne, co sprawiło, że stał się
dwójłomny. Dla składowej pionowej światła spolaryzowanego współczynnik załamania
jest inny niż dla poziomej. Składowa pionowa wiązki będzie przebywała drogę $n_p L$, a dla
składowej poziomej ta droga będzie równa $n_n L$. Jeśli wartość pola elektrycznego
przyłożonego do kryształu dobrano w taki sposób, że składowa pionowa przebywa drogę
dokładnie o połowę długości fali większą niż składowa pozioma, to obie składowe, po
wyjściu z kryształu, będą w stosunku do siebie przesunięte w fazie o 180^0. Jedna składowa
przebędzie drogę o połowę długości fali dłuższą niż druga i kierunek polaryzacji światła po
wyjściu z kryształu jest prostopadły do kierunku polaryzacji na wejściu.

Kryształy stosowane w *modulatorach elektrooptycznych* na ogół nie są jednak
naturalnymi materiałami izotropowymi. Zwykle stosuje się dwuwodorowy fosforan
potasowy (KDP) lub dwudeuterowy fosforan potasowy (KD*P). Materiały te w stanie
naturalnym są anizotropowe. Kryształ jest ustawiany w taki sposób, aby bez przyłożonego
napięcia jedna z jego głównych osi x była w jednej linii z kierunkiem polaryzacji wiązki
wejściowej. Wówczas dla obu składowych wiązki wejściowej współczynnik załamania

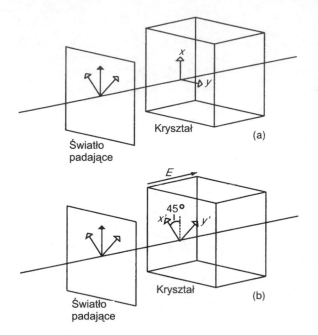

Rys. 6.3 Działanie kryształu z KDP:
a — bez przyłożonego pola,
b — z przyłożonym polem elektrycznym

światła jest jednakowy (rys. 6.3a). Gdy napięcie jest przyłożone równolegle do kierunku rozchodzenia się światła, osie x i y obracają się przyjmując nowe położenia x' i y'. Wtedy, jeśli kąt obrotu jest 45^0, to jedna składowa wiązki światła padającego „widzi" współczynnik załamania światła odpowiadający osi x, a druga — osi y (rys. 6.3b). Jeśli zaś kąt obrotu nie jest równy 45°, to obie składowe wiązki padającej będą „widziały" inne wartości współczynników załamania światła, o wartościach leżących gdzieś między n_x i n_y.

Można obliczyć, jakie napięcie trzeba przyłożyć, aby uzyskać obrócenie polaryzacji światła o 90°. To napięcie, zwane napięciem półfalowym U_π, oblicza się ze wzoru

$$U_\pi = \frac{\lambda}{2n^3 r_{63}}$$ (6.1)

gdzie:
λ — długość fali światła padającego (w przestrzeni swobodnej),
r_{63} — współczynnik elektrooptyczny.

Przykład 1

Pytanie: Jako modulator elektrooptyczny zastosowano kryształ wykonany z materiału KDP. Jakie jest napięcie półfalowe dla światła o długości fali 514,5 nm, jeśli $r_{63} = 10{,}6 \cdot 10^{-12}$ m·V^{-1} oraz $n = 1{,}51$?
Odpowiedź: Z równania (6.1) uzyskujemy

$$U_\pi = \frac{\lambda}{2n^3 r_{63}} = \frac{514{,}5 \cdot 10^{-9}}{2 \cdot 1{,}51^3 \cdot 10{,}6 \cdot 10^{-12}} = 7{,}05 \text{ kV}$$ (6.2)

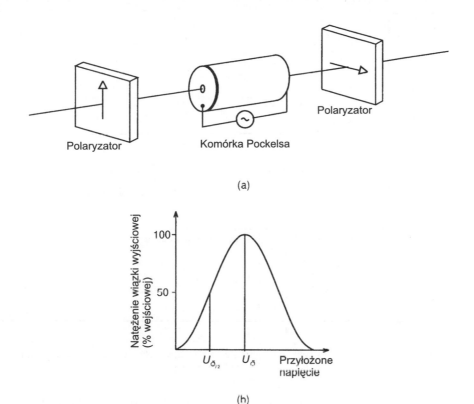

(a)

(b)

Rys. 6.4 Modulator elektrooptyczny (komórka Pockelsa):
a — budowa, *b* — względne zmiany wiązki wyjściowej w funkcji przyłożonego napięcia

Na rys. 6.4*a* przedstawiono budowę całego modulatora elektrooptycznego. Takie modulatory są często nazywane *komórkami Pockelsa*, gdyż jest w nich wykorzystane zjawisko Pockelsa. Polaryzator na wyjściu modulatora jest ustawiony krzyżowo w stosunku do wejściowego. Dzięki temu wiązka wyjściowa zmienia się od wartości minimalnej, gdy żadne pole nie jest przyłożone do maksymalnej przy przyłożeniu napięcia półfalowego, jak to przedstawiono na rys. 6.4*b*.

Zmiany natężenia wiązki wyjściowej w funkcji przyłożonego napięcia U są wyrażane wzorem

$$I = I_0 \sin^2\left(\frac{\pi U}{2U_\pi}\right) \tag{6.3}$$

Podana zależność ma charakter nieliniowy, a przy małych napięciach natężenie jest proporcjonalne do U^2. Nieliniowość powoduje, że sterowanie modulatorem jest nieco kłopotliwe. Problem można rozwiązać umieszczając płytkę ćwierćfalową między pierwszym polaryzatorem a komórką Pockelsa. Płytka ćwierćfalowa jest wykonana z materiału dwójłomnego i jej zastosowanie jest równoważne przyłożeniu do komórki Pockelsa napięcia $U_\pi/2$. Oznacza to, że nawet jeśli do samej komórki Pockelsa nie jest przyłożone żadne napięcie, to natężenie wiązki światła wysyłanego przez drugi polaryzator jest połową natężenia wejściowego uzyskiwanego z pierwszego polaryzatora. Jeśli teraz

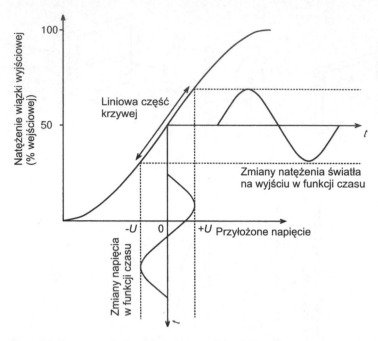

Rys. 6.5 Zastosowanie wstępnej polaryzacji napięciowej w celu uzyskania liniowej zależności natężenia wiązki światła na wyjściu od przyłożonego napięcia

do komórki Pockelsa przyłożymy napięcie $+U$, to całkowite wypadkowe przyłożone napięcie jest równe $(U_\pi/2) + U$, a zatem natężenie wyjściowej wiązki światła wzrasta. Jeśli zaś przyłożymy do komórki Pockelsa napięcie ujemne, to całkowite wypadkowe przyłożone napięcie będzie równe $(U_\pi/2) - U$, a więc natężenie wiązki światła na wyjściu zmniejsza się. Sens takiego rozwiązania polega na tym, że w środkowej części charakterystyki prądu w funkcji napięcia uzyskuje się prawie liniową zależność natężenia przesyłanego światła od przyłożonego napięcia (rys. 6.5). Dzięki temu można łatwiej sterować wyjściowym natężeniem światła modulatora. Natężenie wiązki wyjściowej jest liniowo zależne od napięcia na ogół w zakresie od $0{,}95U_\pi$ do $1{,}05U_\pi$.

Ćwiczenie 1

Wyjaśnij, nie zaglądając do książki, dlaczego do komórki Pockelsa w modulatorze jest przykładane napięcie $U_\pi/2$.

Światło musi, oczywiście, jakoś się dostać do modulatora i dlatego pośrodku elektrod na przedniej i tylnej ściance kryształu muszą się znajdować małe otwory, lub elektrody powinny być przezroczyste. Takie rozwiązania nie są jednak w pełni zadowalające. Rozwiązaniem problemu jest stosowanie materiałów elektrooptycznych, do których napięcie można przykładać prostopadle do kierunku rozchodzenia się światła. To wymaga stosowania innych materiałów, takich jak arsenek galu i ma tę dodatkową zaletę, że im dłuższy jest kryształ, tym mniejsze napięcie jest wymagane do osiągnięcia takiego samego efektu. Wadą materiałów jest niemożność ich stosowania w zakresie światła widzialnego, gdyż są przezroczyste tylko dla podczerwieni.

Modulatory elektrooptyczne mogą modulować natężenie wiązki światła na wyjściu z dużą szybkością. Głównym ograniczeniem maksymalnej częstotliwości ich działania są pojemność modulatora i czas potrzebny światłu na przejście przez kryształ. Problemy z pojemnością modulatora są ograniczone przez włączenie kryształu w rezonansowym układzie *LCR*. Maksymalną częstotliwość modulacji f_m oblicza się korzystając z faktu, że pole elektryczne przyłożone do kryształu nie powinno się zmienić w znaczny sposób w czasie, gdy światło przechodzi przez kryształ. Ten fakt można zapisać następująco

$$\frac{1}{f_m} \gg \frac{Ln}{c} \tag{6.4}$$

ponieważ czas przejścia światła jest *LN/c*.

Przykład 2

Pytanie: Modulator o długości 7 mm wykonano z kryształu KDP. Oblicz maksymalną możliwą częstotliwość modulacji przy użyciu takiego kryształu, jeśli KDP ma współczynnik załamania 1,5.

Odpowiedź: Przekształcając równanie (6.4) i wstawiając podane wartości otrzymamy

$$f_m \ll \frac{c}{Ln} = \frac{3 \cdot 10^{-8}}{7 \cdot 10^{-3} \cdot 1{,}5} = 2{,}86 \cdot 10^{10} \text{ Hz}$$

6.2.2 Elektrooptyczny układ odchylający (deflektor)

Elektrooptyczny układ odchylający działa na zasadzie zmiany współczynnika załamania „widzianego" przez wiązkę światła przechodzącą przez urządzenie. W praktyce realizuje się to za pomocą dwóch pryzmatów prostokątnych wykonanych z kryształu np. KDP, jak to pokazano na rys. 6.6. Kryształy są ukierunkowane w taki sposób, że jeśli górna część wiązki po przyłożeniu pola „widzi" wzrost współczynnika załamania o pewną wartość, to dolna jej część „widzi" zmniejszenie się tego współczynnika o taką samą wartość. Kąt odchylenia wiązki θ jest określony wzorem

$$\theta = \frac{Ln^3 r_{63} E_z}{D} \tag{6.5}$$

gdzie:
D — wysokość wiązki,
E_z — natężenie pola przyłożonego w kierunku z.

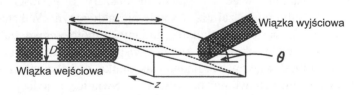

Rys. 6.6 Działanie elektrooptycznego układu odchylającego. Kierunek z jest kierunkiem w głąb stronicy książki

Proszę zwrócić uwagę, że kąt θ jest wyrażony w radianach. Przeliczenie z radianów na stopnie można wykonać pamiętając, że $180° = \pi = 3,142$ radianów.

Ćwiczenie 2

Układ odchylający o długości 10 mm jest wykonany z KDP. Jakie pole trzeba zastosować, żeby odchylić o 5° wiązkę o średnicy 1,5 mm? Jeśli pole przyłożono poprzecznie do szerokości kryształu 5 mm, to jakiemu to odpowiada napięciu? ($n = 1,5$ i $r_{63} = 10,6 \cdot 10^{-12}$ m·V^{-1}).

6.3 URZĄDZENIA AKUSTYCZNO-OPTYCZNE

Modulatory elektrooptyczne maja dwie główne wady:

• Wymagają dużych napięć, które przy szybkim przełączaniu mogą powodować zakłócenia.

• Trzeba stosować polaryzatory, często bardzo dobrej jakości, jeśli wymagane są dobre wyniki.

Jeśli jedna lub obie z wymienionych wad stają się problemem, to trzeba zastosować *modulator akustyczno-optyczny*. Prawdę mówiąc, można znaleźć takie urządzenie demontując stary aparat faksowy.

W modulatorze elektrooptycznym stosuje się materiał, którego współczynnik załamania zmienia się po przyłożeniu pola elektrycznego, podczas gdy w urządzeniu akustyczno-optycznym — materiał o współczynniku załamania zmieniającym się pod wpływem naprężenia. Jest to tzw. zjawisko elastooptyczne. Naprężenie ma postać siły ściskającej lub rozciągającej materiał. Do urządzenia akustyczno-optycznego naprężenie jest doprowadzane za pomocą przetwornika piezoelektrycznego. Piezoelektryki są bardzo interesującą klasą materiałów, gdyż ulegają odkształceniu pod wpływem przyłożonego napięcia. To znaczy, że pod wpływem przyłożonego napięcia przemiennego ulegają wibracjom, które przez przyłożenie piezoelektryka do innego materiału mogą być do niego przekazane. W materiałach piezoelektrycznych występuje też zjawisko odwrotne — wytwarzają one napięcie pod wpływem odkształcenia. Są więc dobrymi czujnikami ciśnienia, a zatem i dobrymi mikrofonami.

Przetworniki piezoelektryczne w urządzeniach akustyczno-optycznych pracują z częstotliwościami ultradźwiękowymi i fale dźwiękowe są wprowadzane do materiału urządzenia. Fale dźwiękowe są falami mechanicznymi, co znaczy, że przemieszczają się w materiale wywołując w jego cząsteczkach i atomach drgania w przód i w tył. Poruszające się fale dźwiękowe powodują przemiennie zagęszczenia i rozrzedzenia materiału. W materiale występują więc na przemian obszary o gęstości atomów lub cząsteczek albo większej albo mniejszej niż w stanie niezakłóconym. W kategoriach zjawisk optycznych ze zmian gęstości wynikają zmiany współczynnika załamania światła. Dla wiązki światła takie okresowe zmiany współczynnika załamania odpowiadające długości fali ultradźwięków wyglądają jak siatka dyfrakcyjna. Działanie zwykłej siatki dyfrakcyjnej przedstawiono na rys. 6.7. Światło o jednej długości fali pada prostopadle do siatki i ulega w niej ugięciu czyli dyfrakcji. Po drugiej stronie siatki pojawia się kilka wiązek światła, odpowiadających różnym rzędom

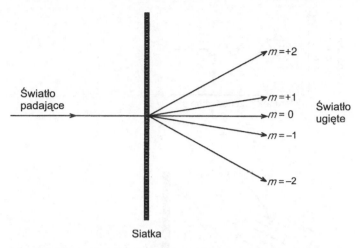

Rys. 6.7 Działanie siatki dyfrakcyjnej

dyfrakcji. Wiązka zerowego rzędu ($m = 0$) przechodzi przez siatkę na wprost bez ugięcia, wiązka pierwszego rzędu ($m = \pm 1$) ugina się pod kątem θ_1 itd. Większość światła jest w wiązce rzędu zerowego, natężenie zmniejsza się ze wzrostem wartości m. Działanie siatki dyfrakcyjnej można wyrazić równaniem

$$m\lambda - a\sin\theta_m \tag{6.6}$$

gdzie:
λ — długość fali światła padającego,
a — stała siatka dyfrakcyjna.

Jednak w większości urządzeń akustyczno-optycznych, ze względu na grubość materiału, nie występuje zwykła dyfrakcja, lecz dyfrakcja typu Bragga. W tej dyfrakcji światło padające ulega selektywnemu odbiciu. Jest to zjawisko, z którym już się zetknęliśmy przy omawianiu zastosowania selektywnego odbicia światła do wyboru długości fali we wnęce rezonansowej lasera. Teraz mamy do czynienia nie z warstwami materiału, lecz z maksimami i minimami współczynnika załamania, odległymi od siebie o długość fali akustycznej w materiale (rys. 6.8a). Warunek Bragga dotyczący odbicia światła padającego jest spełniony, gdy

$$\sin\theta_i = \sin\theta_r = \frac{m\lambda}{2\Lambda} = \sin\theta_B \tag{6.7}$$

gdzie:
θ_i — kąt padania,
θ_r — kąt odbicia,
Λ — długość fali akustycznej,
k_B — kąt Bragga.

Można zauważyć, że to równanie jest takie samo jak wzór (6.6), lecz tylko w szczególnym przypadku, gdy kąt padania jest równy kątowi odbicia światła.

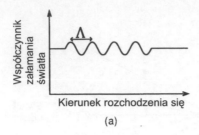

(a)

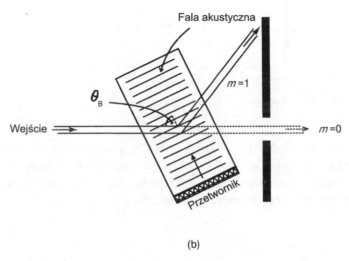

(b)

Rys. 6.8 Sieciowanie współczynnika załamania w materiale (*a*) i jego zastosowanie do zbudowania modulatora (*b*)

6.3.1 Modulator akustyczno-optyczny

Na rys. 6.8*b* przedstawiono schematycznie budowę modulatora akustyczno-optycznego. Fale ultradźwiękowe powstają w materiale po włączeniu przetwornika piezoelektrycznego. Dzięki temu następuje sieciowanie współczynnika załamania światła, o stałej równej Λ. Jeśli światło pada na urządzenie pod kątem równym kątowi Bragga, to ulega ono dyfrakcji i zostaje zatrzymane przez płytkę na wyjściu urządzenia. Po obróceniu kryształu piezoelektrycznego światło nie ulega już dyfrakcji i przechodzi przez urządzenie.

Spojrzawszy na równanie (6.7) zauważymy, że dla określonej długości fali świetlnej trzeba starannie dobrać częstotliwość akustyczną i kąt padania wiązki świetlnej, aby spełnić warunek Bragga. Jest to przyczyną jednego z ograniczeń urządzenia akustyczno-optycznego polegającego na tym, że całe światło powinno padać prawie dokładnie pod takim samym kątem, gdyż w innym razie urządzenie nie będzie pracować we właściwy sposób. W praktyce wynika stąd, że w tych urządzeniach można stosować tylko równoległe lub skolimowane wiązki światła. Maksymalna szybkość przełączania modulatora akustyczno-optycznego zależy od czasu potrzebnego fali akustycznej na przejście w poprzek wiązki świetlnej. A zatem zależy od szerokości wiązki w oraz od prędkości rozchodzenia się fali akustycznej. Minimalny czas odpowiedzi modulatora t_{min} jest więc określony wzorem

$$t_{min} = \frac{w}{v_a} \tag{6.8}$$

gdzie: v_a prędkość rozchodzenia się fali akustycznej.

Zmniejszając średnicę wiązki wejściowej można poprawić czas odpowiedzi.

Przykład 3

Pytanie: Akustyczno-optyczny układ odchylający wykonany z TeO_2 zastosowano do odchylania wiązki laserowej o średnicy 1,5 mm. Oblicz minimalny czas odpowiedzi modulatora, jeśli prędkość v_a w TeO_2 równa się $620 \; m \cdot s^{-1}$.

Odpowiedź: Korzystając z równania (6.8) i podstawiając podane wartości otrzymujemy

$$t_{min} = \frac{w}{v_a} = \frac{1,5 \cdot 10^{-3}}{620} = 2,4 \; \mu s$$

Modulatory akustyczno-optyczne dostępne na rynku mają pasmo częstotliwości do 50 MHz i kilkumilimetrowe otwory (apertury). Są zwykle wykonane z dwutlenku telluru (TeO_2) lub z molibdenianu ołowiu ($PbMoO_4$) z przetwornikami piezoelektrycznymi z niobianu litu ($LiNbO_3$). Są wykorzystywane w zastosowaniach podobnych jak modulatory elektrooptyczne, chociaż nie są tak szybkie. Ich dużą zaletą jest jednak to, że wymagają tylko niewielkich napięć sterujących (do ± 15 V), zarówno dla sygnałów jak i zasilaczy, oraz to, że mają rezystancję wejściową o bardzo typowej wartości 50 Ω i pobierają niewielką moc od 0,5 do 4 W. Sprawność modulatora oblicza się ze wzoru

$$Sprawność = I_{ugięte}/I_{padające} = \sin^2(MI_{akust}{}^{1/2}) \tag{6.9}$$

gdzie:

$I_{ugięte}$ — natężenie wiązki światła ugiętego w $W \cdot m^{-2}$,
$I_{padające}$ — natężenie wiązki światła padającego w $W \cdot m^{-2}$,
$I_{akust.}$ — natężenie fali akustycznej w $W \cdot m^{-2}$,
M — współczynnik charakteryzujący jakość materiału.

Z podanego wzoru wynika, że sprawność dyfrakcji można zmieniać przez zmianę mocy na wyjściu przetwornika piezoelektrycznego.

6.3.2 Akustyczno-optyczny układ odchylający (deflektor)

Akustyczno-optyczny układ odchylający jest zbudowany dokładnie tak samo jak modulator z tą różnicą, że ma na wyjściu płytkę z otworem zatrzymującą światło. Skanowanie wiązki następuje przez zmianę częstotliwości fali akustycznej. Zmiana częstotliwości Δf_a daje zmianę kąta, równą

$$\Delta \theta = \frac{\lambda}{n v_a} \Delta f_a \tag{6.10}$$

Niestety, ponieważ warunek Bragga nie jest teraz spełniony, gdyż kąt staje się większy, więc energia zawarta w wiązce ugiętej jest mniejsza. Ponadto, kąty odchylenia są małe,

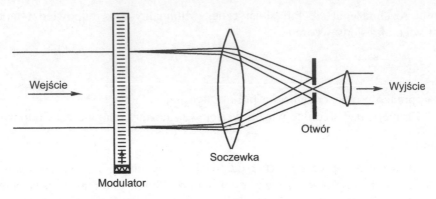

Rys. 6.9 Analogowy modulator akustyczno-optyczny

zwykle równe kilka stopni. Jednak, podobnie jak w przypadku modulatorów, łatwe do spełnienia wymogi sterowania powodują, że akustyczno-optyczne układy odchylające są bardzo atrakcyjne dla niektórych zastosowań.

6.3.3 Analogowy modulator akustyczno-optyczny

Opisany modulator akustyczno-optyczny daje na wyjściu sygnał o charakterze cyfrowym, tzn. wiązka wyjściowa albo jest, albo jej nie ma. Modulatory akustyczno-optyczne mogą być też stosowane jako urządzenia analogowe, lecz zazwyczaj w nieco inny sposób. W modulatorze analogowym światło pada na kryształ prostopadle (rys. 6.9), a materiał modulatora jest znacznie cieńszy. Tak więc modulator zachowuje się jak konwencjonalna siatka dyfrakcyjna o zmiennej stałej siatki. W takim modulatorze ilość światła ulegającego dyfrakcji rzędów $m \geqslant 1$ zależy od amplitudy sygnału modulującego. A więc zwiększając lub zmniejszając moc dostarczaną do przetwornika piezoelektrycznego można w prosty sposób zmieniać natężenie wiązki światła (rzędu $m = 0$) na wyjściu.

6.4 URZĄDZENIA MAGNETOOPTYCZNE

Dotychczas powiedzieliśmy, jak pole elektryczne lub naprężenie mechaniczne można wykorzystać do sterowania optycznymi właściwościami materiału. Teraz, omawiając ostatnią klasę urządzeń specjalizowanych, zobaczymy, w jaki sposób można zastosować do tego celu pole magnetyczne. Na ogół w tych zastosowaniach, w których jest możliwość wyboru, preferuje się urządzenia elektrooptyczne, gdyż pole elektryczne łatwiej jest wytworzyć niż magnetyczne. Istnieją jednak pewne zastosowania, w których można używać tylko *urządzeń magnetooptycznych* i właśnie nimi się zajmiemy. Najbardziej użyteczne urządzenia magnetooptyczne działają na zasadzie zjawiska Faradaya.

6.4.1 Zjawisko Faradaya

Zjawisko to po raz pierwszy zaobserwował Faraday w 1845 roku, stąd jego nazwa. Faraday zauważył, że płaszczyzna polaryzacji wiązki światła liniowo spolaryzowanego ulega skręceniu, gdy wiązka przechodzi przez ośrodek umieszczony w polu magnetycz-

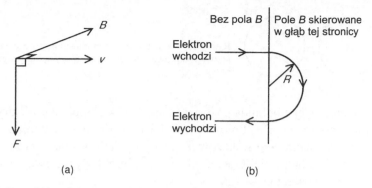

(a)   (b)

Rys. 6.10 Elektron poruszający się w kierunku prostopadłym do przyłożonego pola:
a — kierunek siły oddziaływującej na elektron, *b* — tor elektronu

nym. Powstaje pytanie, jak to się dzieje? Dowiedzieliśmy się już, że przyłożenie pola elektrycznego może zmienić właściwości materiału związane z jego współczynnikiem załamania światła. Jednak *efekt Faradaya* jest zjawiskiem bardziej skomplikowanym i aby go zrozumieć musimy rozważyć zachowanie się elektronu w polu elektrycznym.

Załóżmy, że elektron porusza się w przestrzeni swobodnej z prędkością *v*. Jeśli przyłożymy stałe pole magnetyczne *B* prostopadłe do kierunku ruchu elektronu, to na elektron zadziała siła *F*, którą można wyrazić wzorem

$$F = qvB \tag{6.11}$$

Kierunek tej siły jest prostopadły zarówno do *v* jak i *B*, jak to pokazano na rys. 6.10*a*. Elektron, zamiast po linii prostej, będzie się teraz poruszał po torze kołowym (rys. 6.10*b*) o promieniu *r* równym

$$r = \frac{mv}{qB} \tag{6.12}$$

gdzie:
m — masa elektronu $(9,1 \cdot 10^{-28}$ g),
q — ładunek elektronu.

Ćwiczenie 3

Elektron poruszający się z prędkością 10^6 m·s^{-1} dostaje się do pola magnetycznego 0,5 T, prostopadłego do drogi elektronu. Jaki będzie promień kołowego toru elektronu w tym polu magnetycznym?

Oczywiście nie mamy do dyspozycji swobodnych elektronów, lecz elektrony związane z jądrem w atomach ośrodka. Niemniej jednak te elektrony wykonują ruch kołowy.

Co z tego wynika? Stwierdzimy to, przedstawiając falę liniowo spolaryzowaną w nieco inny sposób niż dotychczas. Zamiast przedstawiania fali jako wypadkowej dwóch prostopadłych składowych, przedstawimy ją jako wypadkową dwóch składowych spolaryzowanych kołowo. Pamiętamy z rozdz. 3, że gdy fala spolaryzowana kołowo

 **Rys. 6.11** Przedstawienie światła spolaryzowanego liniowo jako wypadkowej dwóch składowych spolaryzowanych kołowo

porusza się w przestrzeni, to jej amplituda pozostaje stała, lecz kierunek pola elektrycznego obraca się. Światło spolaryzowane liniowo jest więc złożone z jednej składowej obracającej się zgodnie z kierunkiem wskazówek zegara (światło spolaryzowane kołowo prawoskrętnie) i drugiej składowej obracającej się w kierunku przeciwnym (światło spolaryzowane kołowo lewoskrętnie) — rys. 6.11.

Mamy więc teraz do czynienia z dwoma obrotami w funkcji czasu: elektronów w materiale oraz kierunku polaryzacji światła. Gdy wiązka wchodzi do materiału, to ta kołowa składowa światła, która obraca się w tym samym kierunku co elektrony, będzie ulegała wpływowi obrotu elektronów, a druga składowa — nie. A ponieważ ruch elektronów powoduje zmianę współczynnika załamania światła, więc składowa światła, która „widzi" ruch elektronów będzie również „widziała" inny, niż druga składowa, współczynnik załamania światła. Wynika stąd że drogi optyczne dla obu składowych przy ich przechodzeniu przez materiał będą różne. A więc kierunek polaryzacji wiązki wypadkowej na wyjściu materiału będzie skręcony o pewien kąt θ określony wzorem

$$\theta = VBL \tag{6.13}$$

gdzie: V — stała Verdeta.
Wartość stałej V zależy od różnicy współczynników załamania „widzianych" przez dwie składowe kołowe i jest zwykle dość mała. Na przykład wartość V dla kwarcu jest równa tylko 0,23°/mm·T.

Przykład 4

Pytanie: Urządzenie Faradaya ma być wykonane ze szkła flintowego o bardzo dużej gęstości, które ma stałą Verdeta $1{,}78°\text{mm}^{-1}\text{T}^{-1}$. Element szklany ma długość tylko 1,5 cm i musi skręcić kierunek polaryzacji światła o 22,5°. Jakie pole magnetyczne trzeba przyłożyć, aby to osiągnąć?
Odpowiedź: Przekształcając równanie (6.13) i wstawiając podane wartości otrzymujemy

$$B = \frac{\theta}{VL} = \frac{22{,}5}{1{,}78 \cdot 15} = 0{,}843 \text{ T}$$

Bardzo ważna właściwość zjawiska Faradaya polega na tym, że jeśli światło z wyjścia jest odbijane wstecz przez urządzenie magnetooptyczne, to *skręcenie kierunku polaryzacji nie ulega odwróceniu*. Takie stwierdzenie nie byłoby słuszne w przypadku zjawiska elektrooptycznego, przy którym każde skręcenie kierunku polaryzacji przez urządzenie ulega skasowaniu przy wstecznym odbiciu przez urządzenie. Stąd wynika, że dodając polaryzatory, można zbudować izolator optyczny, który powstrzymuje światło odbite wstecz przez modulator przed przechodzeniem z powrotem przez cały system. Na rys. 6.12 przedstawiono budowę i działanie takiego izolatora.

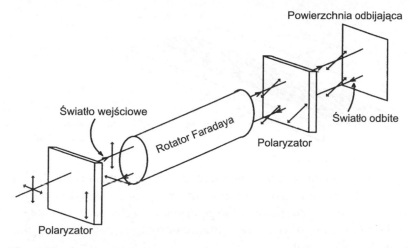

Rys. 6.12 Budowa i działanie rotatora Faradaya

Izolatory mają duże znaczenie praktyczne, ponieważ wiele laserów i systemów laserowych nie toleruje światła odbijanego do lasera, jeśli laser ma pozostać stabilny. Izolator optyczny umieszcza się więc w systemie za wyjściem lasera, aby zabezpieczyć go przed takimi odbiciami.

6.5 OPTYKA ZINTEGROWANA

Optyka zintegrowana jest niezwykle rozległą dziedziną. Napisano już o niej wiele książek. Czyni się duże wysiłki, aby opracować zintegrowane systemy optyczne — takie jak elektroniczne układy scalone, które stosuje się teraz masowo, wcale nie analizując każdorazowo zasad ich działania. Nie musimy przecież konstruować wzmacniacza operacyjnego z tranzystorów, rezystorów i kondensatorów, po prostu włączamy do systemu odpowiedni układ scalony. Spodziewano się, że także lasery, soczewki, rozgałęziacze wiązki, modulatory itd. mogą być produkowane masowo w małych, łatwych do montażu, obudowach. Ukoronowaniem takiego rozwoju miała być produkcja układów scalonych łączących w jednej strukturze funkcje optyczne i elektroniczne. Niestety, choć nastąpił znaczny postęp, to droga do optyki na prawdę zintegrowanej jest jeszcze daleka. Warto jednak przyjrzeć się już opracowanym kilku udanym urządzeniom. Zaczniemy od omówienia podstawowego elementu optyki zintegrowanej, jakim jest *płaska struktura prowadząca* (ang. *slab waveguide*).

Płaska struktura prowadząca jest bardzo podobna do włókna światłowodowego z tą różnicą, że zamiast cylindrycznego włókna z rdzeniem o dużym współczynniku załamania światła, otoczonym płaszczem o mniejszym współczynniku, mamy podłoże o mniejszym współczynniku załamania światła zawierające kanał wykonany z materiału o większym współczynniku (rys. 6.13). Podobnie jak w światłowodzie, światło jest przesyłane kanałem w wyniku zjawiska całkowitego wewnętrznego odbicia.

Podłoża wykonuje się z niobianu litu mającego duży współczynnik elektrooptyczny lub z GaAlAs, który jest szczególnie interesujący, gdyż jako półprzewodnik jest, potencjalnie, bardzo odpowiedni do układów całkowicie zintegrowanych. Istnieje kilka

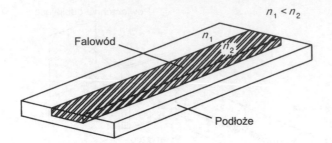

Rys. 6.13 Płaska struktura prowadząca

sposobów wykonania kanału o większym współczynniku załamania światła. Na przykład w podłożu z niobiamu litu, kanał można utworzyć przez wdyfundowanie tytanu, a w podłożach z GaAlAs zwiększenie współczynnika załamania uzyskuje się przez bombardowanie protonami. W obu przypadkach stosuje się maski, aby tylko wybrane obszary były poddawane obróbce.

6.5.1 Przełącznik typu włączony/wyłączony (*ON/OFF*)

Na rys. 6.14 przedstawiono zintegrowany przełącznik optyczny. Światło przechodzi kanałem aż osiągnie punkt, w którym kanał rozdziela się na dwie części. Połowa światła przechodzi górną odnogą, a połowa dolną. Po przyłożeniu pola elektrycznego do górnej odnogi następuje wzrost współczynnika załamania światła w tej części urządzenia spowodowany zjawiskiem elektrooptycznym. Jeśli przyłożone pole ma odpowiednio dobrane natężenie, to światło w górnej odnodze przebywa drogę optyczną o połowę długości fali dłuższą niż w dolnej odnodze. To powoduje, że gdy dwie połówki fali znowu się łączą, to ulegają interferencji wygaszającej i z przełącznika nie wychodzi żadne światło. Gdy nie jest przyłożone pole elektryczne, wtedy drogi optyczne są jednakowe i następuje interferencja wzmacniająca. Napięcie, które trzeba przyłożyć, aby zwiększyć drogę optyczną o odległość $\lambda/2$ jest określone wzorem

$$U = \frac{\lambda D}{r_{63} n^3 L} \qquad (6.14)$$

gdzie:

D — odległość między elektrodami,
n — współczynnik załamania materiału falowodu,
r_{63} — współczynnik elektrooptyczny,
L — długość elektrod.

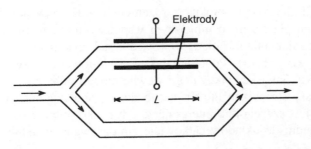

Rys. 6.14 Zintegrowany przełącznik optyczny typu włączony/wyłączony (*ON/OFF*)

Jedną poważną zaletą tego urządzenia w stosunku do dużej i nieporęcznej komórki Pockelsa jest mała odległość między elektrodami, dzięki czemu wartość stosunku D/L można uczynić bardzo małą, umożliwiając przełączanie już napięciem rzędu tylko 1 V. Przełączniki tego rodzaju mogą przełączać z częstotliwością rzędu gigaherców.

Przykład 5

Pytanie: Wykonano przełącznik z podłożem z niobianu litu o współczynniku elektrooptycznym $30,8 \cdot 10^{-12}$ m $\cdot$ V^{-1}. Znając współczynnik załamania LiNbO$_3$ równy 2,29; odległość elektrod 15 μm i ich długość 2 mm, oblicz napięcie niezbędne do działania przełącznika dla światła o długości fali 1,33 μm.
Odpowiedź:

$$U = \frac{\lambda D}{r_{63} n^3 L} = \frac{1,33 \cdot 10^{-6} \cdot 15 \cdot 10^{-6}}{30,8 \cdot 10^{-12} \cdot 2,29^3 \cdot 2 \cdot 10^{-3}} = 27 \text{ V}$$

6.5.2 Przełącznik jednobiegunowy

W układach elektrycznych przełącznik przełącza sygnał z jednego przewodu do drugiego. Takie przełączanie może być zrealizowane metoda optyczną, z wykorzystaniem zjawiska elektrooptycznego. Budowę takiego przełącznika przedstawiono na rys. 6.15. W wyniku przyłożenia pola elektrycznego do elektrod współczynnik załamania w jednym kanale wzrasta o Δn do wartości $n + \Delta n$, podczas gdy w drugim zmniejsza się o Δn do wartości $n - \Delta n$. Procesy interferencyjne w falowodzie powodują, że światło jak samochód na skrzyżowaniu „ustawia się na pasach" przed rozgałęzieniem w kształcie litery Y i wybiera odpowiedni kanał. Po zmianie polaryzacji przyłożonego napięcia światło wybiera drugi kanał.

6.5.3 Przełącznik nadkrytyczny

Działanie tego urządzenia opiera się na fałszywym założeniu, które przyjmowaliśmy dotychczas. Zakładaliśmy, że gdy następuje całkowite wewnętrzne odbicie, to światło wcale nie wydostaje się z ośrodka o większym współczynniku załamania. W rzeczywistości nie jest to prawdą, niewielka część energii optycznej ucieka do ośrodka tworzącego

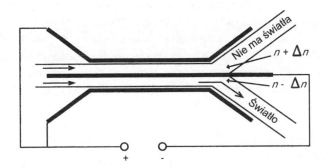

Rys. 6.15 Zintegrowany przełącznik optyczny jednobiegunowy

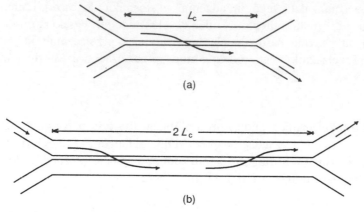

(a)

(b)

Rys. 6.16 Sprzężenie nadkrytyczne:
a — z przyłożonym polem elektrycznym, *b* — bez tego pola

płaszcz. Mówiliśmy już o tym w rozdz. 5 omawiając dyspersję w światłowodzie. Ta uciekająca energia jest nazywana *falą nadkrytyczną* (ang. *evanescent wave*), jej amplituda zanika bardzo szybko w miarę wzrostu odległości od granicy ośrodków. Normalnie nic się nie dzieje z falą i jej energia pozostaje częścią całkowitej energii światła rozchodzącego się wzdłuż falowodu. Jednak w przełączniku nadkrytycznym wykorzystuje się falę nadkrytyczną umieszczając dwa falowody tak blisko siebie, że energia pochodząca z fali nadkrytycznej z jednego falowodu może przejść do drugiego. Ponieważ energia fali nadkrytycznej jest zawsze pewnym stałym ułamkiem energii całkowitej, więc na pewnej określonej długości L_c cała energia może zostać przekazana z jednego falowodu do drugiego, a na następnej długości L_c może być przekazana z powrotem. Ten proces przedstawiono na rys. 6.16.

Przełącznik jest zaprojektowany w taki sposób, żeby droga wzajemnego oddziaływania była równa L_c. Tak więc bez przyłożonego pola elektrycznego światło wchodzi do przełącznika jednym kanałem a wychodzi drugim. Jeśli jest przyłożone pole o odpowiednio dobranym natężeniu, to wzrost współczynnika załamania z powodu zjawiska elektrooptycznego powoduje podwojenie długości drogi optycznej. Wtedy światło wchodzi i wychodzi tym samym kanałem.

6.5.4 Filtr długości fali

Jak już powiedziano, zmiany współczynnika załamania światła mogą być wykorzystane do selektywnego odbicia światła w siatce Bragga. Wprowadzone na stałe siatki o zmiennym współczynnika załamania światła mogą też stać się elementami optyki zintegrowanej przez wytrawienie takiej pofałdowanej powierzchni w falowodzie (rys. 6.17). Jeśli pofałdowania są rozmieszczone w odległościach D, to selektywne odbicie światła będzie następowało dla długości fali określonej wzorem

$$\lambda = \frac{2Dn}{m}$$

(6.15)

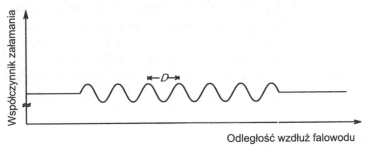

Rys. 6.17 Siatka o zmiennym współczynniku załamania w falowodzie

gdzie:

m — pewna liczba całkowita,

λ — długość fali w przestrzeni swobodnej.

Filtry tego rodzaju też mogą być wprowadzone do włókien światłowodowych za pomocą *nadfioletowych* laserów zwanych *ekscymerowymi*. Włókna te mogą następnie być wprowadzane do struktur „inteligentnych", takich jak obwód światłowodowy w skrzydle samolotu. Gdy skrzydło samolotu się zgina podczas lotu, włókna światłowodowe są rozciągane lub ściskane i wartość D określonej siatki zmienia się, co powoduje że będzie ona selektywnie odbijała światło o jakiejś innej długości fali. Jeśli monitoruje się te zmiany, to można określić, która część skrzydła się zgina. Można też określić kierunek zgięcia.

Ćwiczenie 4

Siatkę o stałej 177 nm wprowadzono do rdzenia włókna światłowodowego o współczynniku załamania 1,51. Światło o jakiej długości fali będzie odbijane selektywnie (proszę założyć $m = 1$)?

6.6   PODSUMOWANIE

- Materiały optoelektryczne to materiały, w których współczynnik załamania można zmieniać przykładając pole elektryczne.
- Siatkę o zmiennym współczynnika załamania można wykonać w materiałach akustyczno-optycznych metodą wędrującej fali dźwiękowej.
- Przyłożenie pola magnetycznego do materiału magnetooptycznego zmienia jego współczynnik załamania w odniesieniu do światła spolaryzowanego kołowo.
- Wszystkie wymienione zjawiska można zastosować do zbudowania modulatorów i układów odchylających światło.
- Celem elektroniki zintegrowanej jest wytwarzanie układów optycznych takich, jak elektroniczne układy scalone, z ostatecznym zamiarem scalenia razem układów optycznych i elektronicznych w jednej obudowie.
- Istnieją optyczne równoważniki przełączników typu włączony/wyłączony (ON/OFF) oraz przełączników jednobiegunowych.
- Można wykonywać filtry z wykorzystaniem fali nadkrytycznej do przekazywania energii z jednego kanału do drugiego.

- Siatki o zmiennym współczynniku załamania mogą być wprowadzane do falowodów, albo do rdzeni światłowodów. Jednym z zastosowań tego rozwiązania są struktury „inteligentne", w których zmiana długości światła selektywnie odbijanego przez siatkę może być wykorzystana do ustalania miejsc, w których występują naprężenia i odkształcenia w strukturze, do której wprowadzono włókno światłowodowe.

6.7 ZADANIA

6.1 Materiał elektroptyczny charakteryzuje się napięciem półfalowym 1,015 kV przy długości fali 633 nm. Jaki jest współczynnik elektrooptyczny materiału, jeśli $n = 2,175$?

6.2 Zastosowano modulator będący komórką Pockelsa z płytką ćwierćfalową. Oblicz stosunek maksymalnego do minimalnego natężenia wiązki światła na wyjściu, jeśli modulator pracuje w taki sposób, że natężenie światła liniowo zależy do przyłożonego napięcia.

6.3 Poszukiwany jest materiał elektrooptyczny zdolny do odchylenia wiązki o średnicy 2 mm o kąt do 10° na długości 2 cm przy przyłożonym polu $1,6 \cdot 10^8$ V·m^{-1}. Jaki materiał spośród wymienionych w tablicy nadaje się do tego celu?

Materiał	n	r_{63} ($\times 10^{-12}$ V·m^{-1})
GaAs	3,6	1,6
CdTe	2,6	6,8
KD*P	1,51	26,4

6.4 Światło o długości fali 532 nm pada prostopadle na siatkę dyfrakcyjną. Oblicz, jaka powinna być stała tej siatki, aby następowało ugięcie pierwszego rzędu o kąt 10°.

6.5 Modulator akustyczno-optyczny jest wykonany z molibdenianu ołowiu. Oblicz kąt Bragga i minimalny czas odpowiedzi modulatora dla odbicia pierwszego rzędu padającego światła o długości fali 633 nm i szerokości wiązki 1 mm. Podana jest prędkość rozchodzenia się fali akustycznej 3500 m·s^{-1} oraz długość fali 4,3 · 10^{-5} m. Mając te dane oblicz maksymalną częstotliwość, przy której można modulować natężenie wiązki światła.

6.6 Urządzenie akustyczno-optyczne ma być zastosowane jako modulator analogowy. Natężenie nieugiętej wiązki światła ma się zmieniać od 10 do 90% natężenia wiązki światła padającego. Jaka jest wymagana wydajność modulatora przy każdej z tych granicznych wartości? Na tej podstawie oblicz stosunek mocy akustycznych wymaganych przy transmisji 10% i 90%.

6.7 Elektron poruszający się z prędkością $2 \cdot 10^6$ m·s^{-1} wchodzi w pole magnetyczne 0,05 T. Oblicz promień jego toru zakrzywionego w tym polu, jeśli elektron porusza się prostopadle do kierunku pola.

6.8 W przełączniku nadkrytycznym 10% energii świetlnej jest przekazywane z falowodu *2* do falowodu *1* na odległości *l*. Jaka (wyrażona w stosunku do *l*) musiałaby być długość przełącznika, aby 99% energii było przekazywane z falowodu *1* do falowodu *2*?

6.9 Siatka wprowadzona do włókna światłowodowego o $n_{core} = 1,53$ ma odbijać światło o długości fali 488 nm. Jaka jest wymagana stała siatki? Określ, jakie zrobiłeś założenia.

Literatura

Literatura w języku angielskim

Zjawiska Pockelsa, Faradaya i akustyczno-optyczne są często opisywane w podręcznikach z dziedziny optyki, gdyż są bardzo interesujące jako zjawiska fizyczne. Jak to napisano na początku p. 6.5, te zjawiska budzą ogromne zainteresowanie w optyce zintegrowanej, co spowodowało powstanie wielu publikacji tylko na ich temat. Książki, które poniżej polecamy, są jak zwykle dobrane pod względem łatwości przyswajania materiału.

1. *Hecht E.*: Optics, wyd. 2. Addison-Wesley, 1989
2. *Chaimowicz J.C.A.*: Optoelectronics: An Introduction. Butterworth-Heinemann, 1989
3. *Desmond S.*: Optoelectronic Devices. Prentice Hall, 1995
4. *Iizuka K.*: Engineering Optics, wyd. 2. Springer-Verlag, 1987

Literatura uzupełniająca w języku polskim

1. *Palais J.C.*: Zarys telekomunikacji światłowodowej. WKŁ, Warszawa 1991
2. *Siuzdak J.*: Wstęp do współczesnej telekomunikacji światłowodowej. WKŁ, Warszawa 1999

7 FOTODETEKTORY

7.1 WPROWADZENIE

Według definicji stosowanej w optoelektronice *fotodetektorem* jest każde urządzenie mogące wytwarzać lub modyfikować sygnał elektryczny proporcjonalnie do ilości światła padającego na obszar czynny tego urządzenia. Jak można się było spodziewać, istnieje wiele urządzeń realizujących to zadanie. Pogrupowano je w kilku głównych kategoriach. Przy omawianiu fotodetektorów okaże się, że podstawowe zjawiska fizyczne, będące podstawą ich działania, są we wszystkich fotodetektorach bardzo podobne. Poznawszy te zjawiska, stwierdzimy, że wszelkie udoskonalenia fotodetektorów wiążą się ze zmianami w ich konstrukcji. W tym rozdziale omówimy zasady, na których oparto różne metody fotodetekcji, a także obecnie wytwarzane fotodetektory i najważniejsze parametry związane z detekcją światła. Czytelnicy, po zrozumieniu działania dostępnych teraz fotodetektorów, będą mogli wybrać właściwy detektor do określonego zastosowania.

7.2 DETEKCJA FOTONU

Występują trzy podstawowe mechanizmy fotodetekcji: fotoemisja, fotoprzewodnictwo i absorpcja termiczna. Wyjątkami, w których do wykrywania światła nie korzysta się z tych zjawisk są: detekcja wysokoenergetycznego promieniowania X i gamma, (często stosuje się w tym przypadku efekty wtórne) oraz detekcja fal radiowych związana z bezpośrednim oddziaływaniem na elektrony. We wszystkich trzech wymienionych mechanizmach podstawowych musi w jakiejś formie następować absorpcja energii fotonu przez atomy lub elektrony. Kolejno omówimy zasady każdego z trzech podstawowych mechanizmów fotodetekcji.

7.2.1 Absorpcja termiczna

Fotony o długościach fali leżących w dalekiej podczerwieni (i jeszcze dalej) pochłaniane w materii wzbudzają stany oscylacyjne i rotacyjne w cząsteczkach lub siatce krystalicznej, w których zostały pochłonięte. Zgodnie z prawem zachowania energii absorpcja fotonu w materiale wywołuje wzrost temperatury, który z kolei może spowodować zmiany fizycznych właściwości materiału. Przez detekcję tych zmian można stwierdzić, ile światła padło na detektor.

7.2.2 Fotoprzewodnictwo

Fotoprzewodnictwo to mechanizm związany z półprzewodnikami. Zrozumienie tego zjawiska wymaga przeanalizowania struktury poziomów energetycznych w ciałach stałych.

Pamiętamy z rozdziału 4, że gdy umieszczono razem dużą liczbę atomów, to dozwolone stany energetyczne, w jakich mogą znajdować się elektrony przekształcają się z dyskretnych stanów atomowych w szersze pasma energetyczne. Najniższe pasmo energetyczne, które jest zapełnione w temperaturze zera bezwzględnego (0 K) nazywamy *pasmem walencyjnym*. Wyżej znajduje się *pasmo przewodnictwa*. Elektrony w paśmie walencyjnym są związane z atomem i dlatego nie mogą przemieszczać się w półprzewodniku. Atomy w paśmie przewodnictwa znajdują się w stanie, który można by nazwać „wolnym" i dlatego mogą poruszać się w materiale półprzewodnikowym. Przyłożenie potencjału elektrycznego powoduje w ośrodku ruch elektronów znajdujących się w paśmie przewodnictwa.

W półprzewodnikach istnieje przerwa energetyczna między pasmami walencyjnym i przewodnictwa, lecz różnica energii jest wystarczająco mała, żeby fotony o odpowiednio dużej energii powodowały przejścia elektronów z pasma walencyjnego do przewodnictwa. Następuje więc wzrost przewodnictwa materiału proporcjonalny do liczby padających nań fotonów. Dzięki tej właściwości półprzewodników można z nich wykonywać wiele różnego rodzaju fotodetektorów.

7.2.3 Fotoemisja

Fotoemisja zachodzi wtedy, gdy elektron uzyskuje od fotonu energię wystarczającą nie tylko do przejścia przez przerwę energetyczną, lecz do wyjścia z materiału i wydostania się do przestrzeni swobodnej. W metalach energia elektronu wyrzucanego przez foton jest określona wzorem

$$E = hf - \Phi \tag{7.1}$$

gdzie: Φ — praca wyjścia, czyli różnica energii odpowiadającej tak zwanemu poziomowi Fermiego oraz energii elektronu w przestrzeni swobodnej.

Poziom Fermiego definiuje się jako najwyższy zajęty poziom energetyczny w materiale w temperaturze zera bezwzględnego (0 K). W tej temperaturze nie ma żadnego wzbudzenia termicznego elektronów, a więc znajdują się one na możliwie najniższych poziomach energetycznych, zgodnie z zasadami obsadzania poziomów. Dobrą analogią może być spokojny staw — bez wiatru lub innych czynników wywołujących fale staw ma poziom minimalny określony ilością wody w stawie. Każdy czynnik zakłócający, który wytwarza fale, spowoduje wzrost poziomu wody w niektórych obszarach. Jest to analogia do elektronów w stanie wzbudzenia termicznego, podczas gdy poziom wody w spokojnym stawie można traktować jako analogię do poziomu Fermiego. Zjawisko fotoemisji przedstawiono schematycznie na rys. 7.1.

Ćwiczenie 1

Folia cezowa, oświetlona światłem o długości fali 450 nm, emituje elektrony o energii $1,5 \cdot 10^{-19}$ J (0,934 eV). Jaka jest praca wyjścia cezu?

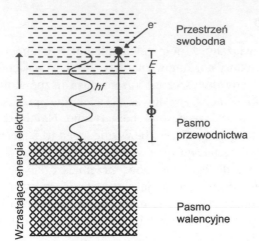

Rys. 7.1 Wykres poziomów energetycznych wyjaśniający zjawisko fotoemisji z metalu

W półprzewodnikach sytuacja jest bardziej złożona. Tu poziom Fermiego znajduje się zwykle gdzieś w obszarze przerwy energetycznej. Ponieważ elektrony nie mogą znajdować się na poziomie przerwy energetycznej, więc nie mogą mieć energii równej poziomowi Fermiego. Dlatego praca wyjścia w tym przypadku nie jest już parametrem użytecznym. Większość elektronów w półprzewodnikach musi najpierw pokonać przerwę energetyczną między pasmami walencyjnym i przewodnictwa, a następnie uwolnić się z dna pasma przewodnictwa. Energia konieczna do tego, aby elektron opuścił materiał po pokonaniu przerwy energetycznej, nazywa się powinowactwem elektronowym i jest oznaczane przez χ. Wartość ta jest różnicą energii między szczytem i dnem pasma przewodnictwa. A zatem dla większości elektronów w półprzewodniku energia potrzebna do uwolnienia elektronu do przestrzeni swobodnej wynosi $E_g + \chi$, gdzie E_g jest wielkością przerwy energetycznej.

Dalsze komplikacje pojawiają się na powierzchni półprzewodnika, gdyż rozkład stanów energetycznych może ulec zmianie, jeśli atom nie znajduje się wewnątrz materiału. Prowadzi to do zjawiska zwanego „zagięciem pasma". Powstaje ono, dlatego, że tworzą się poziomy energetyczne o energii, która w materiale zwartym znalazłaby się w przerwie energetycznej. Te poziomy zapełniają się dziurami, dlatego powstają obszary zubożone w dziury. To z kolei powoduje spadek potencjału dający zagięcie pasma, co przedstawiono na rys. 7.2.

Elektrony znajdujące się wewnątrz materiału półprzewodnikowego „widzą" w kierunku powierzchni półprzewodnika znacznie zredukowaną barierę energetyczną, co jest spowodowane zagięciem pasma i zmniejszeniem się powinowactwa elektronowego. Efektywne powinowactwo elektronowe jest więc równe

$$\chi_{eff} = \chi - \frac{V_s}{q} \qquad (7.2)$$

gdzie: V_s — spadek potencjału na obszarze zubożonym.

W niektórych materiałach półprzewodnikowych $(V_s/q) > \chi$, a więc χ_{eff} jest wtedy ujemne. To znaczy, że elektron „nie widzi" żadnej bariery energetycznej, gdy już pokonał przerwę energetyczną, może więc uwolnić się do przestrzeni swobodnej.

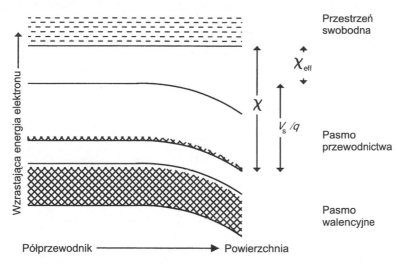

Rys. 7.2 Zagięcie pasma energetycznego spowodowane stanami powierzchniowymi w półprzewodniku

7.3 POMIARY ŚWIATŁA

Sprawą, która w optoelektronice wywołuje sporo zamieszania, są jednostki służące do wyrażania ilości światła mierzonego w fotodetektorze. Wielkości wyrażone w różnych jednostkach łatwo przelicza się korzystając z odpowiednich współczynników. Są jednak różnice w koncepcjach definiowania jednostek, które powinno się zrozumieć. Pierwsza różnica występuje między jednostkami fotometrii wizualnej i fotometrii fizycznej.

Jednostki fotometrii wizualnej (inaczej: jednostki świetlne) ustalono z uwzględnieniem odpowiedzi ludzkiego oka na światło. Czułość oka w dużym stopniu zależy od długości fali światła w zakresie widzialnym, przy czym oko ludzkie jest zupełnie nieczułe na światło o długości fali poniżej ok. 380 nm i powyżej ok. 760 nm. Korzyść ze stosowania jednostek świetlnych polega więc na tym, że dwa źródła dające jednakowo silne światło wyrażone w tych jednostkach, będą się obserwatorowi też wydawały jednakowo jaskrawe. To może mieć znaczenie na przykład na lotnisku, gdzie różnobarwne światła lądowania o tej samej mocy mogłyby mieć różną jaskrawość ze względu na sposób widzenia pilota. Dlatego wymagania dotyczące tych świateł należy formułować w jednostkach świetlnych.

Natomiast jednostki fotometrii fizycznej (inaczej: energetyczne) są bezwzględną miarą jaskrawości wyrażając ilość energii emitowanej w ciągu sekundy przez źródło, niezależnie od długości fali. Jednostki energetyczne są stosowane w odniesieniu do wszystkich części widma fal elektromagnetycznych, a więc używa się ich do wyrażania odpowiedzi układów elektronicznych na światło o różnym poziomie mocy.

Najczęściej przy pomiarach światła są stosowane cztery wielkości. Trzeba umieć je rozróżniać, aby dobrze zrozumieć wykonywane pomiary.

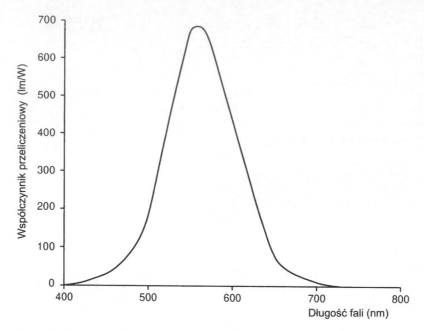

Rys. 7.3 Zależność między lumenami i watami w funkcji długości fali

7.3.1 Strumień świetlny

Tę wielkość można łatwo zdefiniować jako ilość światła przechodzącego przez określoną powierzchnię w danym czasie, podobnie jak ilość wody przepływająca przez rurę określa natężenie przepływu, a ilość elektronów płynących w przewodzie określa natężenie prądu. Ponieważ światło jest dobrze określonym źródłem energii, może być opisywane w kategoriach ilości energii, w postaci fotonów przechodzących przez określoną powierzchnię w danym czasie. Dlatego energetyczny strumień świetlny (moc światła), jako wielkość fotometrii fizycznej jest wyrażany w watach (dżul/s). Jednostką *strumienia świetlnego* (jako wielkości fotometrii wizualnej) jest lumen (lm) [1]. Zależność współczynnika przeliczeniowego między lumenami a watami (energetycznymi) od długości fali przedstawiono na rys. 7.3.

Krzywa pokazana na rysunku, przyjęta w normach międzynarodowych, została wyznaczona na podstawie uśrednionej odpowiedzi oka ludzkiego. Określa ona w sposób ostateczny zależność między wszystkimi jednostkami świetlnymi i energetycznymi. Tak więc dla długości fali 550 nm strumień świetlny 1 W jest równy 680 lm, lecz dla długości fali 600 nm jest równy 430 lm.

7.3.2 Natężenie oświetlenia

Natężenie oświetlenia to po prostu ilość światła odbieranego przez obszar o określonej powierzchni. Nie jest to ilość światła odbijanego od powierzchni ani emitowanego przez

---

[1] Lumen, jednostka strumienia świetlnego w układzie SI, jest to strumień świetlny wysyłany w kącie bryłowym 1 steradiana przez punktowe źródło światła o światłości 1 kandeli; 1 lm = 1 cd · sr (przyp. tłum.).

powierzchnię, lecz ilość światła padającego na powierzchnię. Są dwa sposoby opisu natężenia oświetlenia. W kategoriach fotometrii wizualnej natężenie oświetlenia jest wyrażane w luksach (lx) [2], przy czym $1 \text{ lx} = 1 \text{ lm} \cdot \text{m}^{-2}$. Tak więc jeśli strumień świetlny 4 lm pada na powierzchnię 8 m^2, to natężenie oświetlenia jest równe 0,5 lx. W kategoriach fotometrii fizycznej mamy energetyczne natężenie oświetlenia, którego jednostką jest $\text{W} \cdot \text{m}^{-2}$. Strumień świetlny 4 W padający na powierzchnię padający na powierzchnię 8 m^2 daje energetyczne natężenie oświetlenia [3] 0,5 $\text{W} \cdot \text{m}^{-2}$.

7.3.3 Natężenie źródła światła

Przy pomiarach punktowych źródeł światła strumień świetlny nie jest dogodną wielkością. Światło emitowane przez źródło punktowe rozchodzi się w różnych kierunkach, dlatego strumienie o jednakowej wartości będą zawsze wypełniały takie same przestrzenie kątowe, a nie określone powierzchnie. W miarę oddalania się od źródła strumień świetlny przechodzący przez daną powierzchnię staje się coraz mniejszy. W przestrzeni trójwymiarowej musimy definiować trójwymiarowy kąt. Jest to kąt bryłowy wyrażany w jednostkach zwanych steradianami. Możemy więc określić *natężenia źródła światła* (zwane też światłością) jako strumień emitowany w określonym kącie bryłowym. Jest to wielkość bardziej użyteczna, gdyż natężenie będzie jednakowe niezależnie od odległości od źródła. Steradian definiuje się jako kąt bryłowy o wierzchołku w środku kuli, wycinający z jej powierzchni część równą powierzchni kwadratu o boku równym promieniowi tej kuli. W skrajnym przypadku, cała przestrzeń kulista odpowiada pełnemu kątowi bryłowemu 4π steradianów. Natężenie źródła światła jest mierzone w lumenach na steradian; tę jednostkę nazwano kandelą [4] (cd). Energetyczne natężenie źródła światła (światłość energetyczna) jest oczywiście wyrażane w watach na steradian.

7.3.4 Luminancja

Luminancja jest wielkością określającą emisję strumienia świetlnego z jednostkowej powierzchni, tak samo jak natężenie oświetlenia określa strumień świetlny padający na jednostkową powierzchnię. Źródło niepunktowe emituje światło w pewnym kącie bryłowym, podobnie jak czyni to źródło punktowe w podanej definicji światłości. Teraz jednak mamy rozważyć strumień światła emitowany z określonej powierzchni źródła. Jeśli źródło wytwarzające dany strumień światła z określonej powierzchni ma wyemitować taki sam strumień z powierzchni dwa razy większej, to wtedy będzie ono wyglądało jako dwukrotnie mniej jasne. To znaczy, że luminancja źródła zmniejszy się dwukrotnie. Tak więc ustalając jednostkę luminancji należy uwzględnić powierzchnię, z której strumień

---

[2] Luks, jednostka natężenia oświetlenia w układzie SI, jest to natężenie oświetlenia wytworzone przez strumień 1 lm na powierzchni 1 m^2, $1 \text{ lx} = 1 \text{ lm} \cdot \text{m}^{-2}$ (przyp. tłum.).

[3] Stosuje się też pojęcie natężenia wiązki światła (gęstości energetycznej strumienia świetlnego) określanego w przekroju poprzecznym wiązki, a wyrażanego w $\text{W} \cdot \text{m}^{-2}$ (przyp. tłum.).

[4] Kandela, cd, jednostka światłości jest jedną z jednostek podstawowych układu SI. Jest definiowana jako natężenie źródła światła, jakie daje w określonym kierunku źródło emitujące promieniowanie monochromatyczne o częstotliwości $5{,}4 \cdot 10^{14}$ Hz i o światłości energetycznej w tym kierunku równej 1/683 [W/sr] (przyp. tłum.).

światła jest emitowany. Nazwę „luminancja" (lub jaskrawość) stosuje się w fotometrii wizualnej, jednostką luminancji jest $\mathrm{cd} \cdot \mathrm{m}^{-2}$. W fotometrii fizycznej występuje luminancja energetyczna wyrażana w $\mathrm{W} \cdot \mathrm{sr}^{-1} \cdot \mathrm{m}^{-2}$, gdzie *sr* oznacza symbol steradiana.

7.4   PARAMETRY FOTODETEKTORÓW

Wybierając odpowiedni dla danego zastosowania fotodetektor, trzeba uwzględniać wiele ważnych parametrów. Przed wyborem detektora trzeba bardzo dokładnie zapoznać się z parametrami podawanymi przez producenta zwracając uwagę na warunki, w jakich zostały zmierzone. Warunki testu mogą być bowiem niejednakowe u różnych producentów.

7.4.1 Wydajność kwantowa

Miarą *wydajności kwantowej* detektora jest liczba elektronów wytwarzanych przez jeden foton padający na powierzchnię światłoczułą detektora. Wydajność oznacza się przez η i określa wzorem

$$\eta = \left(\frac{n_e}{n_p}\right) \cdot 100\% \tag{7.3}$$

gdzie:
n_p — częstość, z jaką padają fotony,
n_e — częstość, z jaką są wytwarzane elektrony.
Wartość η nigdy nie przekracza 100%, ponieważ nie możemy się spodziewać uzyskania dwóch par elektron–dziura wytwarzanych przez jeden foton. Wydajność kwantowa bardzo zależy od długości fali. Gdy energia fotonów w obszarze czerwieni/podczerwieni dochodzi do wartości przerwy energetycznej materiału fotodetektora, to następuje znaczny spadek wydajności kwantowej. Natomiast fotony o długości fali zmniejszającej się w kierunku nadfioletu mogą być pochłaniane przez powierzchnię detektora zanim dotrą do jego powierzchni czynnej. Zjawisko to też jest przyczyną pogorszenia wydajności kwantowej. Niektóre detektory fotodiodowe mogą mieć wydajność kwantową dochodzącą do 100% przy pewnych długościach fali. Częściej spotykane są jednak wydajności równe 30% lub mniej, a niektóre fotodetektory mają wydajność kwantową mniejszą niż 1%.

7.4.2 Czułość

Czułość jest bezpośrednio związana z wydajnością kwantową i dotyczy odpowiedzi fotodetektora na określony strumień fotonów. Czułość *S* jest zwykle określana wzorem

$$S = \frac{I}{\Phi} \tag{7.4}$$

gdzie:
I — prąd wyjściowy fotodetektora,
Φ — strumień padających fotonów.

Dla światła monochromatycznego o długości fali λ strumień fotonów padających jest równy

$$\Phi = n_p hf = \frac{n_p hc}{\lambda} \tag{7.5}$$

gdzie: n_p — częstość, z jaką padają fotony.

Teraz obliczmy prąd, który oczywiście jest ilością ładunku przepływającego przez dany obszar w jednostce czasu, więc $I = n_e q$. Wielkość n_e jest częstością, z jaką są wytwarzane elektrony, q — ładunkiem elektronu. Wiemy też, że $\eta = n_e/n_p$. Podstawiając tę zależność do równania (7.5) uzyskujemy po przekształceniu wartość prądu

$$I = \frac{\eta \Phi \lambda q}{hc} \tag{7.6}$$

Podstawiając zależności (7.5) i (7.6) do równania (7.4) otrzymamy

$$S = \frac{\eta \lambda q}{hc} \tag{7.7}$$

Wiedząc, jaka jest wydajność kwantowa przy danej długości fali, można obliczyć czułość fotodetektora.

7.4.3 Charakterystyka widmowa

Jak juz stwierdzono, wszystkie fotodetektory mają swe *charakterystyki widmowe* będące wykresami zmian wydajności kwantowej w funkcji długości fali. Typową charakterystykę widmową przedstawiono na rys. 7.4 na przykładzie fotodiody krzemowej.

Można zauważyć, że maksymalna wydajność mieści się w obszarze bliskiej podczerwieni z dość szybkim spadkiem w kierunku dalekiej podczerwieni, gdzie energia fotonów zbliża się do wartości odpowiadającej przerwie energetycznej. Dla krzemu ten spadek występuje dla energii 1,1 eV, co odpowiada długości fali 1125 nm. Spadek wydajności na drugim krańcu widma jest mniej gwałtowny, lecz przy długościach fali

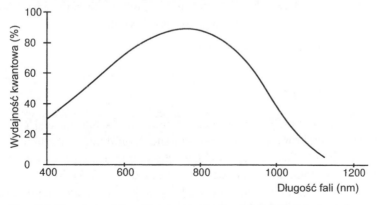

Rys. 7.4 Charakterystyka widmowa standardowej fotodiody krzemowej

mniejszych niż 400 nm wchodzą w grę inne przyczyny pochłaniania. Oczywiście można wybrać detektor o maksymalnej wydajności leżącej właśnie w tym obszarze długości fali, który ma podlegać detekcji.

Ćwiczenie 2

Korzystając z charakterystyki widmowej diody krzemowej przedstawionej na rys. 7.4 określ wydajność kwantową i na jej podstawie czułość fotodiody przy długości fali 600 nm.

7.4.4 Zakres dynamiczny

Zakres dynamiczny fotodetektora jest miarą zakresu strumienia światła, w jakim może on dawać dokładny sygnał wyjściowy. *Zakres dynamiczny* definiuje się jako stosunek minimalnego wykrywalnego strumienia światła do wartości maksymalnej wykrywalnej z wystarczającą dokładnością, wyrażany jest często w decybelach (dB). Dolna granica wykrywalności jest zwykle ograniczona szumem. Dominującym źródłem szumu w temperaturze pokojowej są wzbudzenia termiczne w fotodetektorze, które powodują powstawanie sygnału na wyjściu nawet wtedy, gdy nie ma żadnego sygnału na wejściu. Jeśli strumień światła wytworzy sygnał mniejszy od szumu na wyjściu, to ten sygnał „ginie w szumie" i nie można wtedy określić, jaki strumień światła pada na fotodetektor. Górną granicą zakresu jest nasycanie się fotodetektora. Wtedy fotodetektor nie może już dać wzrostu sygnału na wyjściu proporcjonalnie do wzrostu strumienia światła na wejściu. Tak więc chociaż na wyjściu jest nadal wytwarzany mierzalny sygnał, pomiar jest niewiarygodny.

Przykład 1

Pytanie: Fotodetektor może wykrywać minimalny strumień światła $2 \cdot 10^8$ fotonów na m^2 i może wykrywać do $5 \cdot 10^{11}$ fotonów na m^2 zanim ulegnie nasyceniu. Oblicz zakres dynamiczny tego fotodetektora.

Odpowiedź: Obliczamy stosunek maksymalnego do minimalnego wykrywalnego strumienia światła.

$$\frac{5 \cdot 10^{11}}{2 \cdot 10^8} = 2500$$

Z obliczenia wynika, że maksymalny wykrywalny strumień światła jest 2500 razy większy niż minimalny. Można tę wartość wyrazić w decybelach

$$\textit{Zakres dynamiczny (dB)} = 10\log_{10}2500 = 33,98 \text{ dB}$$

7.4.5 Czas odpowiedzi

Jest to czas, w jakim detektor reaguje na zmianę strumienia światła na wejściu. Określa się go dla odpowiedzi detektora na skokową zmianę strumienia światła na wejściu. Mierzy się ten czas jako upływający między chwilami osiągnięcia przez sygnał wyjściowy 10% i 90% maksymalnej wartości tego sygnału (rys. 7.5). Wzrost strumienia wejściowego może dawać zupełnie inną odpowiedź czasową niż spadek tego strumienia, dlatego często określa się dwie wartości odpowiedzi czasowej.

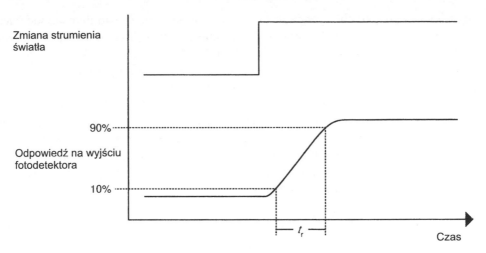

Rys. 7.5 Czas odpowiedzi fotodiody na skokową zmianę strumienia światła

Czas odpowiedzi jest istotny w przypadku szybko zmieniających się sygnałów. Impuls świetlny o bardzo krótkim czasie trwania może pojawić się i zniknąć zanim detektor zdąży go wykryć. Ogólnie biorąc należy wybierać fotodiodę, której najdłuższy czas odpowiedzi jest 10-krotnie krótszy od najkrótszego impulsu, jaki ma być mierzony.

7.4.6 Moc równoważna szumu

Szum to zmora dla każdego, kto pragnie wykryć słabe światło. Wszystkie detektory dają bowiem pewien sygnał wyjściowy nawet w zupełnej ciemności. To, jak już wspomniano, wyznacza minimalny poziom wykrywalnego światła. Poniżej tego poziomu sygnał ginie w tle szumu. Ten mały prąd tła, nazywany *prądem ciemnym*, jest zwykle wywołany przez elektrony powstające w materiale detektora wskutek wzbudzenia termicznego i przechodzenia do pasma przewodnictwa. Doraźnym sposobem na zredukowanie prądu ciemnego jest ochłodzenie detektora. To właśnie często realizuje się w najczulszych na świecie fotodetektorach w astronomii i fizyce cząstek elementarnych. Typowe wartości prądu ciemnego w takich detektorach mieszczą się w granicach od kilku pikoamperów do kilku nanoamperów.

Moc równoważna szumu (*NEP* — ang. *noise equivalent power*) jest wielkością stosowaną w celu określenia minimalnej mocy wykrywanej przez fotodetektor. Definiuje się ją jako moc na wejściu (w watach), która w idealnym (bezszumnym) fotodetektorze spowodowałaby powstanie sygnału wyjściowego o takiej samej wartości, jaką spowodowałby szum w fotodetektorze rzeczywistym. Moc równoważna szumu jest parametrem bardziej przydatnym niż prąd ciemny, gdyż określa minimalną ilość światła, jaką można wykryć i odróżnić od szumu w fotodetektorze. W praktyce równoważną moc szumu (*NEP*) fotodetektora wyraża się jako wartość skuteczną światła zmodulowanego sinusoidą, które dałoby wzrost wartości skutecznej prądu sygnału równy wartości skutecznej prądu szumu w jednostkowym paśmie przenoszenia fotodetektora. Rzeczywista wartość *NEP* danego detektora zależy jednak od wielu innych czynników. Należą do nich: temperatura fotodetektora, której wzrost powoduje wzrost szumu na wyjściu, powierzchnia detektora (na większej powierzchni generuje się więcej szumu) oraz częstotliwość modulacji, przy której wykonano pomiar. W celu zredukowanie tej kłopotliwie dużej liczby czynników, stosuje się znormalizowanie wartości *NEP*. Szum detektora jest głównie szumem białym, w którym moc szumu jest proporcjonalna do szerokości jego pasma Δf. Wartość szumu generowanego przez detektor jest proporcjonalna także do jego powierzchni. Możemy więc wprowadzić wielkość ΔfA, która dla mocy równoważnej szumu może być współczynnikiem skalowania, jeśli znane jest pasmo szumu i powierzchnia detektora. Zanim wprowadzimy ten współczynnik, powinniśmy jednak stwierdzić, że moc równoważna szumu jest miara prądu wyjściowego, który jest proporcjonalny do pierwiastka kwadratowego mocy. Dlatego równanie wyrażające znormalizowaną wartość *NEP*, oznaczoną jako *NEP** ma postać

$$NEP^* = \frac{NEP}{(\Delta fA)^{1/2}} \tag{7.8}$$

Wśród parametrów fotodetektorów częściej można spotkać odwrotność tej wartości. Jest to tzw. detekcyjność znormalizowana (*D**)

$$D^* = \frac{(\Delta fA)^{1/2}}{NEP} \tag{7.9}$$

Oba te parametry, *NEP** i *D**, są zależne od długości fali λ, temperatury i częstotliwości modulacji f_m pomiarowego źródła światła. Dlatego ich wartości są często definiowane jako $D^*(\lambda, f_m)$ oraz $NEP^*(\lambda, f_m)$ w określonej temperaturze. Ogólnie biorąc przy wyborze fotodetektora lepsze są detektory o dużym *D**, czyli małym *NEP** spełniające również inne kryteria wynikające z przewidywanego zastosowania.

7.5   DETEKTORY TERMICZNE

Fotodetektor nazywamy *termicznym*, gdy światło padające ma długość fali na tyle dużą, że jego energia nie wystarcza do wytwarzania elektronów w wyniku fotoprzewodnictwa lub fotoemisji elektronów. Jednak jeśli padające światło jest pochłaniane, to coś się musi stać z jego energią. Powoduje ona wzrost temperatury materiału, z którego wykonano detektor. Detekcja tej zmiany temperatury jest podstawą działania detektorów termicznych. Są one stosowane do pomiarów promieniowania elektromagnetycznego w zakresie widmowym między 10 μm i 0,1 mm. Dla długości fali 10 μm i powyżej tej wartości energia fotonów nie jest wystarczająca do wzbudzenie elektronu do pasma przewodnictwa. Dla długości fali większych niż 0,1 mm zaś stosuje się standardowe elektroniczne metody detekcji mikrofal i fal radiowych.

Dobry detektor termiczny powinien dawać możliwie jak największą zmianę temperatury materiału detektora przy określonej zmianie padającego promieniowania cieplnego. Stąd wniosek, że detektor powinien charakteryzować się dużym stosunkiem powierzchni do objętości. Jego powierzchnia powinna pochłaniać światło i musi też być izolowana cieplnie od sąsiednich elementów. Dlatego większość detektorów tej klasy ma wygląd cienkiej, czarnej folii. Folia, oczywiście, nie może być zbyt cienka, gdyż promieniowanie mogłoby wtedy przechodzić przez nią wcale z nią nie oddziałując.

Grubość 50 nm lub większa daje pewność, że większość promieniowania będzie pochłonięta. Najbardziej czułym detektorem byłaby taka folia zawieszona w próżni, gdyż wtedy ciepło byłoby tracone tylko przez promieniowanie. W taki sposób uzyskuje się element detekcyjny o powierzchni 1 mm^2, który w temperaturze pokojowej może wykrywać moc nawet tak małą jak $5 \cdot 10^{-9}$ W. Większym detektorem można oczywiście wykrywać znacznie mniejszą moc.

Detektory izolowane termicznie są wprawdzie bardzo czułe, ale słabo reagują na fluktuacje poziomu promieniowania. Wykrycie zmniejszenia się poziomu promieniowania wymaga bowiem utraty ciepła przez detektor, co oczywiście najskuteczniej następuje przez przewodzenie ciepła. Są tu więc przeciwstawne wymagania dotyczące czułości i odpowiedzi czasowej.

W dalszej części tego rozdziału będą omówione najpopularniejsze „elektroniczne" termiczne systemy detekcji światła. Nie jest to, w żadnej mierze, wyczerpująca lista metod detekcji zmian temperatury w materiałach, lecz tylko przedstawienie metod, które większość inżynierów i naukowców stosuje, gdy takie detektory są potrzebne.

7.5.1 Termopara

Termopara jest chyba najpopularniejszym detektorem stosowanym do pomiarów temperatury, gdyż jest prosta, solidna i łatwa w użyciu. Można zbudować wydajny, choć może nieszczególnie czuły detektor termiczny łącząc jedno ze złączy termopary z elementem detekcyjnym w sposób pokazany na rys. 7.6.

Działania termopary jest oparte na zjawisku Seebecka (czasem nazywanym zjawiskiem termoelektrycznym) polegającym na tym, że nagrzewanie jednego ze złącz dwóch różnych metali włączonego do obwodu elektrycznego powoduje w tym obwodzie przepływ prądu elektrycznego proporcjonalnego do różnicy temperatury między złączami nagrzewanym i nie nagrzewanym. Gdy element detekcyjny nagrzewa się pod wpływem padającego promieniowania, to połączone z nim złącze termopary będzie się nagrzewało w ten sam sposób (do dokładnych pomiarów jest zalecany dobry styk termiczny). Różnica między temperaturami tego złącza i drugiego złącza powoduje przepływ prądu, który można zmierzyć czułym amperomierzem lub podobnym przyrządem. Aby móc zmierzyć temperaturę bezwzględną, trzeba utrzymywać drugie złącze, poprawniej nazywane zimnym złączem, w stałej — znanej temperaturze. Drugie złącze można

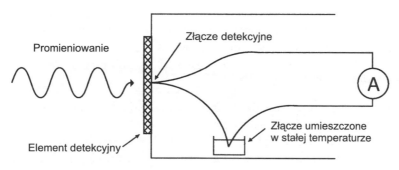

Rys. 7.6 Prosty detektor termiczny z termoparą

ewentualnie zastąpić jednym z nowoczesnych elektronicznym źródeł napięcia odniesienia. Czulsze urządzenia buduje się łącząc kaskadowo kilka termopar, aby wzmocnić prąd wyjściowy.

7.5.2 Bolometr

Działanie *bolometru* opiera się na fakcie, że rezystancja elektryczna większości materiałów zmienia się z temperaturą. Wielkość tej zmiany jest określona współczynnikiem zmian cieplnych rezystancji α materiału. Dla metali współczynnik ten jest dodatni, gdyż ich rezystywność wzrasta wraz ze wzrostem temperatury. Wynika to ze wzrostu amplitudy drgań jonów w siatce krystalicznej metalu, powodującej zmniejszenie czasu upływającego między zderzeniami poruszających się w nim elektronów. Współczynniki zmian cieplnych rezystancji dla metali osiąga wartość do $5 \cdot 10^{-3}$ K^{-1}. Rezystywność metalu ρ jest określona wzorem

$$\rho = \rho_0(1 + \alpha\theta) \tag{7.10}$$

gdzie:

ρ_0 — rezystywność metalu w temperaturze 273 K (0°C),

θ — temperatura wyrażona w °C.

Równanie jest przybliżeniem odpowiadającym kalibracji dla 0°C. Przy dokładnych pomiarach temperatury w pełnym zakresie trzeba uwzględniać wykres zależności rezystywności od temperatury i na jego podstawie wprowadzać poprawki do uzyskanego wyniku. Współczynnik cieplny rezystancji α jest określony wzorem

$$\alpha = \frac{1}{\rho}\frac{d\rho}{dT} \tag{7.11}$$

gdzie:

ρ — rezystywność materiału,

T — temperatura w skali bezwzględnej.

Znacznie większą czułość można uzyskać stosując termistory wykonane z wykorzystaniem półprzewodników zawierających tlenki metali przejściowych takich jak kobalt, nikiel i mangan. Mają one ujemne współczynniki cieplne rezystancji z powodu wzrostu gęstości nośników ładunku przy wzroście temperatury. Wartości tego współczynnika sięgają do $-6 \cdot 10^{-2}$ K^{-1}. Są to wartości o rząd wielkości większe niż w metalach.

Ćwiczenie 3

Oblicz zmianę rezystancji folii platynowej o długości $l = 20$ mm i przekroju poprzecznym $A = 1 \cdot 10^{-8}$ m^2 przy wzroście temperatury od 300 K do 350 K. Rezystywność platyny w temperaturze 273 K: $\rho_0 = 10{,}6 \cdot 10^{-8}$ Ωm, a współczynnik cieplny $\alpha = 3{,}9 \cdot 10^{-3}/°C$. Pamiętaj, że rezystancja $R = \rho l/A$.

Jednym z najczęściej stosowanych układów pomiarowych z bolometrem jest układ mostka Wheatstona przedstawiony na rys. 7.7.

Mostek jest zrównoważony, gdy $R_1/R_2 = R_3/R_4$. Wtedy różnica potencjałów między wejściami wzmacniacza różnicowego jest równa zeru. Gdy padające promieniowanie spowoduje zmianę rezystancji R_3 elementu detekcyjnego, to równowaga mostka

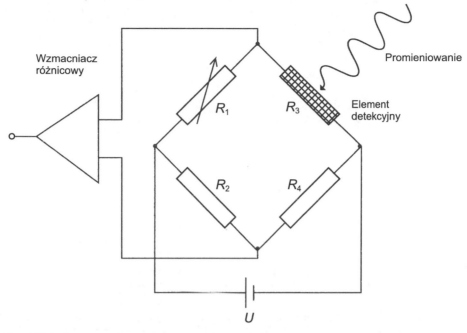

Rys. 7.7 Bolometr w układzie mostka Wheatstona

zostaje zachwiana i pojawi się jakieś napięcie między wejściami wzmacniacza. To napięcie, po wzmocnieniu, może być wykorzystane do wyznaczenia zmiany temperatury, jaka nastąpiła. Prądy płynące w układzie powinny być małe, żeby nie powodowały nagrzewania elementu detekcyjnego.

7.5.3 Detektory piroelektryczne

W detektorach piroelektrycznych wykorzystuje się efekt zależności od temperatury zupełnie inny niż w detektorach termicznych. *Detektory piroelektryczne* są wykonywane z pewnego rodzaju materiałów krystalicznych, zwanych *ferroelektrykami*. Ich cząsteczki mają stały elektryczny moment dipolowy. W niskiej temperaturze dipole ustawiają się w krysztale wzdłuż wspólnej osi, dając pewien całkowity moment dipolowy w poprzek całego kryształu. W miarę wzrostu temperatury wartość momentu dipolowego stopniowo się zmniejsza w wyniku pobudzenia indywidualnych cząsteczek. Wreszcie, w temperaturze znanej jako *temperatura Curie*, kryształ nie ma już momentu dipolowego. W zakresie temperatur niższych od temperatury Curie zmiany temperatury materiału detektora powodują zmiany całkowitego momentu dipolowego, a więc wywołują zmianę ładunku powierzchniowego na powierzchniach czołowych kryształu. Właściwość tę można wykorzystać tnąc płytki kryształu w taki sposób, żeby kierunek wypadkowego momentu dipolowego był prostopadły do dużych powierzchni czołowych płytki. Zmiana temperatury powoduje wtedy indukowanie ładunków o przeciwnej polaryzacji na przeciwległych dużych powierzchniach kryształu. Na tych powierzchniach można umieścić elektrody zbierające generowany ładunek. Można też wykonać układ z pojedynczym rezystorem

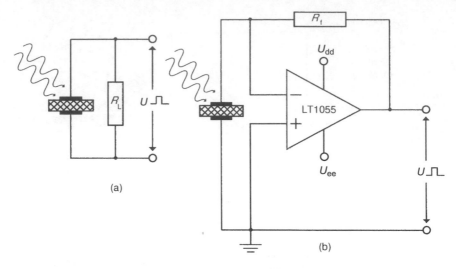

Rys. 7.8 Typowe układy pracy detektora piroelektrycznego:
a — prosty układ z rezystorem, *b* — układ ze wzmacniaczem operacyjnym

(rys. 7.8*a*) zamykającym obwód między powierzchniami kryształu i umożliwiającym przepływ prądu.

Wartość rezystora obciążenia R_L musi być dość duża ($10^8 \div 10^{11}\ \Omega$), żeby mały ładunek przetworzyć na odpowiednio duży sygnał napięciowy. Duża rezystancja obciążenia powoduje niestety długi czas odpowiedzi. Mamy tu, jak zwykle, przeciwstawne wymagania dotyczące albo dużej czułości (duża wartość R_L) albo szybkiej odpowiedzi (mała R_L). Bardziej skutecznym sposobem pomiaru napięcia jest zastosowanie wzmacniacza FET o dużej impedancji wejściowej (rys. 7.8*b*). Dzięki zastosowaniu wzmacniacza operacyjnego w konfiguracji układu odwracającego (z punktem tzw. „masy pozornej”), wzmacniacz stanowi małą rezystancję obciążenia dla detektora, a jednocześnie wzmacnia sygnał. Przy odpowiednim doborze detektora i związanego z nim układu elektronicznego detektory piroelektryczne mogą mieć krótkie czasy odpowiedzi — nawet kilka nanosekund. Niestety detektory te są bardzo czułe na ładunki piezoelektryczne generowane wskutek wibracji, co stanowi obecnie duży problem. Zaletą detektorów piroelektrycznych jest jednak to, że mają charakterystykę widmową pokrywającą całą „ciepłą” część widma elektromagnetycznego — od bliskiej podczerwieni (1 μm) do mikrofal (0,1 mm). Trzeba zauważyć, że sygnał powstaje tylko przy zmianie temperatury, a więc tylko zmiana padającego promieniowania termicznego daje sygnał wyjściowy. Obecnie najczęściej stosowanymi materiałami ferroelektrycznymi są siarczan trójglicerynowy, tantalan litu, niobian strontowo-barowy i cyrkonian ołowiu. Takie detektory są teraz popularne w biernych detektorach podczerwieni (PIR) stosowanych w systemach wykrywania intruzów i pożaru.

7.6 ELEMENTY FOTOPRZEWODZĄCE

Jako elementy fotoprzewodzące stosuje się tylko materiały półprzewodnikowe. Jak już podano w p. 7.2.2 przerwa energetyczna między pasmami przewodnictwa i walencyjnym jest w półprzewodnikach wystarczająco mała, aby fotony mogły powodować wzbudzenia czyli przejścia elektronów z pasma walencyjnego do pasma przewodnictwa, jeżeli jest spełniony warunek

$$\lambda \leqslant \frac{hc}{E_g} \qquad (7.12)$$

gdzie: E_g — wartość przerwy energetycznej.

Elektron, znalazłszy się w paśmie przewodnictwa, powoduje zwiększenie przewodności półprzewodnika. A zatem mierząc przewodność możemy określać ilość światła padającego na powierzchnię detektora.

7.6.1 Fotorezystor

Fotorezystor (*LDR* — ang. *light-dependent resistor*) jest najprostszym elementem fotoprzewodzącym, gdyż składa się tylko z warstwy materiału półprzewodnikowego, takiego jak siarczek kadmu (CdS) lub selenek kadmu (CdSe) z dołączonymi na obu końcach wyprowadzeniami elektrycznymi. Gdy światło pada na półprzewodnik, elektrony są wzbudzane do pasma przewodnictwa i pozostawiają dziury w paśmie walencyjnym. Tworzą się więc pary elektron–dziura, jak to przedstawiono na rys. 7.9.

Wzrostowi liczby elektronów w paśmie przewodnictwa odpowiada równoważny mu wzrost liczby dziur w paśmie walencyjnym, więc przewodność materiału wzrasta. Jeśli teraz do końców warstwy półprzewodnika przyłoży się napięcie, to elektrony będą przyciągane do końcówki dodatniej, a więc dziury będą się przesuwały w kierunku końcówki ujemnej. Popłynie więc prąd. Ten ruch nośników może dać wzmocnienie zwane *wzmocnieniem fotoprzewodnictwa*. Fotoelektrony poruszające się w półprzewodniku generują dalsze pary elektron–dziura. Może to prowadzić do efektu kaskadowego, gdy jeden foton doprowadza do generacji od 10^3 do 10^5 par elektron–dziura. Oczywiście, jeśli energia fotonu jest mniejsza od energii przerwy energetycznej E_g, to elektron nie może ulec wzbudzeniu i przejść do pasma przewodnictwa, a więc nie są wtedy generowane żadne nośniki ładunku. Wynika stąd, że jest pewna długość fali, powyżej której fotoprzewodnictwo nie będzie już zachodziło. Jest to tzw. graniczna długość fali

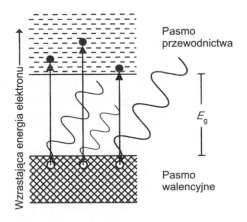

Rys. 7.9 Wzbudzanie elektronów do pasma przewodnictwa przez światło o różnych długościach fali

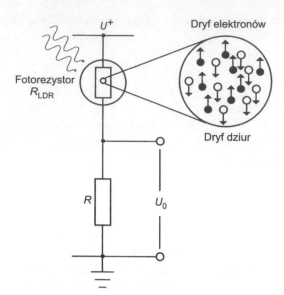

Rys. 7.10 Typowy układ pracy fotorezystora z pokazaniem dryfu nośników

λ_c, zależna od rodzaju materiału półprzewodnikowego, z którego wykonano fotorezystor. Graniczną długość fali można obliczyć ze wzoru

$$\lambda_c = \frac{hc}{E_g}$$ (7.13)

Typowe wartości przerwy energetycznej mieszczą się w granicach od 2,5 eV do 0,4 eV. Oczywiście im mniejsza jest przerwa energetyczna, tym większa jest długość fali promieniowania, które detektor może jeszcze wykryć.

Ćwiczenie 4

Oblicz graniczną długość fali dla materiału półprzewodnikowego charakteryzującego się przerwą energetyczną 2,4 eV.

Stosowanie fotorezystora jest wyjątkowo proste. Potrzebny jest tylko jeden dodatkowy rezystor obciążenia, jak to przedstawiono na rys. 7.10.

Rezystancja typowego fotorezystora może zmieniać się w zakresie od powyżej 10 MΩ w ciemności do kilku omów przy silnym oświetleniu. Trzeba więc tak dobrać szeregowy rezystor obciążenia, żeby uzyskać możliwie jak największą zmianę napięcia U_0 w przewidywanym zakresie mierzonego natężenia oświetlenia, przy czym przy oświetleniu minimalnym trzeba uzyskać napięcie możliwe do zmierzenia.

Przykład 2

Dobór rezystora do określonego zakresu pomiaru natężenia oświetlenia.
Pytanie: Fotorezystor ma być użyty do pomiarów natężenia oświetlenia w zakresie od 1 do 1000 luksów. Oblicz właściwą wartość szeregowego rezystora obciążenia w układzie z fotorezystorem.

Odpowiedź: Najpierw na podstawie danych katalogowych trzeba określić, jakie wartości rezystancji R_{LDR} ma fotorezystor przy natężeniach oświetlenia odpowiadających krańcom zakresu:

a) dla natężenia 1 luks $R_{LDR} = 80$ kΩ,

b) dla natężenia 1000 luksów $R_{LDR} = 150$ Ω.

Jeśli minimalne, możliwe do zmierzenia, napięcie na rezystorze obciążenia jest, przyjmijmy równe, 50 mV, wtedy przy zasilaniu napięciem 10 V, napięcie na fotorezystorze dla natężenia oświetlenia 1 luks musi być

$$10 \text{ V} - 0,05 \text{ V} = 9,95 \text{ V}$$

a więc prąd w fotorezystorze będzie

$$\frac{9,95 \text{ V}}{80 \cdot 10^3 \text{ } \Omega} = 0,124 \text{ mA}$$

Stąd wynika, że rezystor R powinien mieć wartość

$$\frac{0,05 \text{ V}}{0,124 \cdot 10^{-3} \text{ A}} = 403 \text{ } \Omega$$

Napięcie na rezystorze R przy natężeniu oświetlenia 1000 luksów będzie

$$\frac{403 \text{ } \Omega \cdot 10 \text{ V}}{(403 + 150) \text{ } \Omega} = 7,29 \text{ V}$$

Jednym z głównych problemów w układach z fotorezystorami jest ich czas odpowiedzi. Zależy on od tego, jak długo pod wpływem przyłożonego napięcia, dryfują nośniki ładunku (elektrony i dziury) nim dotrą do krańców półprzewodnika. Czas ten może mieścić się w granicach od dziesiątek do setek milisekund, zależnie od rozmiaru fotorezystora. Elementy o większej powierzchni są oczywiście czulsze, lecz mają dłuższy czas odpowiedzi.

7.6.2 Fotodioda

Wszystkie złączowe diody *pn* są światłoczułe, a więc standardowa fotodioda nie jest elementem specjalizowanym, lecz po prostu diodą umieszczoną w takiej obudowie, żeby światło padało na złącze *pn*. Budowę typowej złączowej fotodiody *pn* przedstawiono na rys. 7.11.

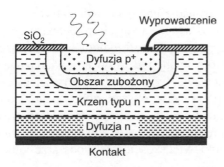

Rys. 7.11 Budowa typowej fotodiody *pn*

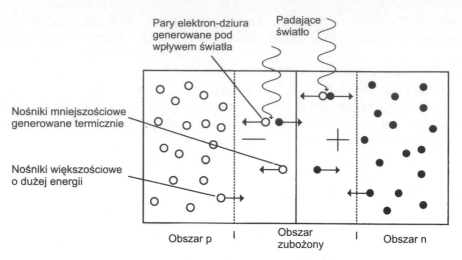

Rys. 7.12 Ruch generowanych pod wpływem światła par elektron–dziura w złączu *pn*

Złącze *pn*, jako element samodzielny (z niczym nie połączony), pozostaje w stanie równowagi. Utworzenie się obszaru zubożonego w złączu *pn* (patrz rozdz. 4) w wyniku wymiany poprzez złącze większościowych nośników ładunku powoduje powstanie wewnętrznego pola elektrycznego tworzącego barierę potencjału. Nie mogą jej przekroczyć nośniki większościowe pozostałe w obszarach typu *p* i typu *n* z obu stron złącza. To stwierdzenie nie jest w pełni prawdziwe, gdyż pewna liczba nośników ładunku będzie miała dostatecznie dużą energię, aby pokonać barierę. Jednak ich przepływ jest równoważony przepływem generowanych termicznie nośników mniejszościowych — w odwrotnym kierunku pod wpływem pola elektrycznego. Oświetlenie złącza *pn* powoduje powstawanie par dziura–elektron, dziury i elektrony migrują do właściwych krańców obszaru zubożonego w wyniku oddziaływania pola elektrycznego. Opisane zjawiska przedstawiono na rys. 7.12.

Powstające ładunki należy wykrywać, jeżeli chce się zastosować diodę *pn* jako fotodetektor. Są dwa sposoby realizacji tego zadania, znane jako praca w trybie fotowoltaicznym lub fotoprzewodnictwa.

7.6.2.1 Praca w trybie fotowoltaicznym

Przy pracy w trybie *fotowoltaicznym* dioda jest włączona w obwodzie otwartym. Na jej końcówkach pod wpływem światła jest generowane napięcie fotoelektryczne, które się mierzy. Rozważmy bardziej szczegółowo powstawanie napięcia fotoelektrycznego.

Jak już stwierdzono, w obszarze zubożonym fotodiody, do której nie doprowadzono żadnych zewnętrznych pól elektrycznych, pod wpływem światła generowane są pary elektron–dziura. W wyniku działania wewnętrznego pola elektrycznego elektrony i dziury dryfują w przeciwnych kierunkach do krańców obszaru zubożonego. Od obszaru typu *n* do obszaru typu *p* fotodiody płynie więc prąd zwany fotoelektrycznym I_{ph}. Przepływ tego prądu zmniejsza spadek napięcia na obszarze zubożonym, a więc także barierę potencjału wywoływaną przez nośniki większościowe w obszarze zubożonym.

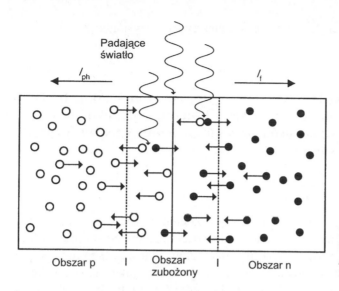

Padające
światło

Obszar p | Obszar
zubożony | Obszar n

Rys. 7.13 Ruch nośników ładunku w złączowej diodzie *pn* pracującej w trybie fotowoltaicznym

Jak poprzednio wspomniano, pewna liczba nośników większościowych o dużej energii zawsze może przedostać się przez obszar zubożony. Jeśli jednak następuje zmniejszenie bariery potencjału, to więcej nośników większościowych przechodzi przez obszar zubożony powodując przepływ prądu o kierunku przeciwnym do prądu fotoelektrycznego. Jest to prąd w kierunku przewodzenia I_f. Przepływ tych prądów przedstawiono na rys. 7.13.

Ponieważ fotodioda jest umieszczona w obwodzie otwartym, więc nie może w nim popłynąć żaden prąd. Dlatego prąd w kierunku przewodzenia musi równoważyć się z prądem fotoelektrycznym. Uzyskujemy jednak zmniejszenie bariery potencjału (tzw. napięcia kontaktowego) przejawiające się pojawieniem pewnej różnicy potencjałów między końcówkami fotodiody. Jest to napięcie fotoelektryczne, które można zmierzyć za pomocą układów zewnętrznych.

W celu określenia wartości napięcia fotoelektrycznego skorzystamy z równania diody — podstawowej zależności, z którą spotkaliśmy się już w rozdz. 4. Równanie to wyraża zależność prądu w kierunku przewodzenia w funkcji napięcia na złączu *pn*

$$I_f = I_0\left[\exp\left(\frac{qU_{ph}}{k_BT}\right) - 1\right]$$ (7.14)

gdzie:
I_0 — wsteczny prąd upływu diody,
T — temperatura w kelwinach.

Jak już stwierdzono, w przypadku obwodu otwartego prąd w kierunku przewodzenia jest równy prądowi fotoelektrycznemu. Dla zakresu temperatur spotykanych w praktyce składnik eksponencjalny w równaniu (7.14) jest znacznie większy od jedności, otrzymamy więc

$$I_{ph} = I_0\exp\left(\frac{qU_{ph}}{k_BT}\right)$$ (7.15)

Elementy fotoprzewodzące **177**

Wyznaczając z tej zależności napięcie fotoelektryczne uzyskujemy

$$U_{ph} = \left(\frac{k_B T}{q}\right) \ln\left(\frac{I_{ph}}{I_0}\right)$$ (7.16)

Zwróćmy uwagę na podobieństwo wzoru (7.16) do wzoru (4.5) na barierę potencjału podanego w rozdziale 4. Jest to całkiem logiczne, jeśli uwzględnić, że prąd jest proporcjonalny do gęstości nośników. Wstawiając teraz do wzoru (7.16) prąd I_{ph} zgodnie z wyrażeniem (7.6) otrzymamy

$$U_{ph} = \left(\frac{k_B T}{q}\right) \ln\left(\frac{\eta \Phi \lambda q}{I_0 hc}\right)$$ (7.17)

Z tego wzoru możemy obliczyć napięcie fotoelektryczne uzyskiwane z fotodiody. Wynika też z niego nieliniowy charakter zależności napięcia od strumienia fotonów przy pracy w trybie fotowoltaicznym. Jest to jedna z głównych wad tego rodzaju pracy diody. Inną wadą jest długi czas odpowiedzi; bowiem, podobnie jak w fotorezystorze, detekcja wiąże się z dryfem nośników ładunku do krańców fotodiody. Im większa jest grubość diody, tym dłuższy czas odpowiedzi. Główną zaletą stosowania fotowoltaicznego trybu pracy jest mały szum wyjściowy spowodowany faktem, że w tym trybie pracy przez diodę nie płynie żaden prąd upływu.

Ćwiczenie 5

Fotodioda *pn* charakteryzuje się prądem I_0 równym 100 µA i wydajnością kwantową 60% przy długości fali 600 nm. Oblicz fotowoltaiczne napięcie wyjściowe z tej fotodiody oświetlonej strumieniem światła 0,5 mW o długości fali 600 nm w temperaturze 300 K.

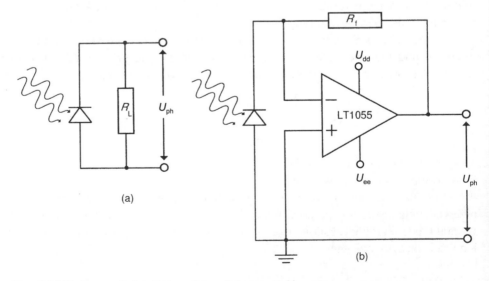

(a)

(b)

Rys. 7.14 Zastosowanie fotodiody w fotowoltaicznym trybie pracy:
a — prosty układ z rezystorem, *b* — układ ze wzmacniaczem operacyjnym

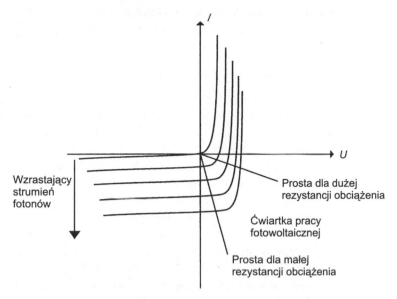

Rys. 7.15 Proste obciążenia wykreślone na charakterystyce w ćwiartce odpowiadającej pracy w trybie fotowoltaicznym

Najprostszy sposób zastosowania fotodiody w fotowoltaicznym trybie pracy polega na dołączeniu równolegle z nią rezystora obciążenia o dużej wartości, jak to przedstawiono na rys. 7.14a.

Wartość rezystora trzeba tak dobrać, żeby była większa od rezystancji dynamicznej fotodiody. Fotodiody o dużej powierzchni mogą mieć rezystancję dynamiczną małą, nawet 500 kΩ, lecz dla większości fotodiod wartość tej rezystancji dochodzi do 100 MΩ. Wynika stąd, że może być konieczny rezystor obciążenia o bardzo dużej rezystancji (do 10 GΩ!). Wykreślenie prostych obciążenia na charakterystyce prądowo--napięciowej fotodiody (rys. 7.15) wykazuje, że zastosowanie małej rezystancji obciążenia umożliwiłoby uzyskanie liniowej charakterystyki wyjściowej fotodetektora, dzięki punktowi pracy położonemu daleko od logarytmicznej części charakterystyki w ćwiartce wykresu odpowiadającej fotowoltaicznemu trybowi pracy.

Stosując małą rezystancję obciążenia uzyskalibyśmy jednak bardzo mały, niemożliwy do zmierzenia sygnał. Ten problem rozwiązuje się za pomocą układu ze wzmacniaczem operacyjnym przedstawionego na rys. 7.14b. „Masa pozorna" na końcówkach wejściowych wzmacniacza operacyjnego stanowi dla diody stosunkowo małą rezystancje obciążenia, a wzmacniacz wzmacnia bardzo mały prąd fotoelektryczny. Rezystor R_f powinien mieć wartość w granicach od 1 do 10 MΩ. Napięcie wyjściowe jest proporcjonalne do prądu fotoelektrycznego: $U_{ph} = I_{ph}R_f$. Układ LT1055 jest wzmacniaczem operacyjnym FET o charakterystyce częstotliwościowej spełniającej wymogi układu fotodiody pracującej w trybie fotowoltaicznym. Zamiast LT1055 można, jeśli trzeba, zastosować wzmacniacze innych typów. Stosując wzmacniacz operacyjny z wejściowymi tranzystorami bipolarnymi należy pamiętać o umieszczeniu między wejściem nieodwracającym a masą rezystora kompensującego o wartości równej R_f. W ten sposób ogranicza się błędy spowodowane dość dużymi wejściowymi prądami polaryzującymi charakteryzującymi wzmacniacze z tranzystorami bipolarnymi na wejściu.

7.6.2.2 Praca w trybie fotoprzewodnictwa

Jeśli fotodioda ma pracować w trybie fotoprzewodnictwa, to złącze *pn* trzeba spolaryzować w kierunku zaporowym, tzn. napięcie dodatnie doprowadzić do obszaru *n*, a ujemne — do obszaru *p*. Jak już powiedziano w rozdziale 4, przyłożenie tego potencjału powoduje wyciągnięcie większej liczby nośników większościowych z obszaru zubożonego w kierunku odpowiedniego potencjału. Tak więc z obszaru *n* są wyciągane elektrony, przyciągane do potencjału dodatniego, a z obszaru *p* — dziury, przyciągane do potencjału ujemnego. Następuje wtedy zjawisko poszerzenia obszaru zubożonego i w konsekwencji zwiększenia różnicy potencjałów w obszarze zubożonym oraz zwiększenia bariery potencjału, co ogranicza, praktycznie do zera, przepływ wszelkich nośników większościowych. Jedyny prąd płynący w złączu jest teraz spowodowany przepływem generowanych termicznie nośników mniejszościowych I_{th}.

Gdy fotodioda zostaje oświetlona, generowane pod wpływem światła pary elektron–dziura są, podobnie jak przy pracy fotowoltaicznej, wyciągane przez pole elektryczne z obszaru zubożonego. Powoduje to powstawanie prądu fotoelektrycznego I_{ph} płynącego w tym samym kierunku, co prąd nośników mniejszościowych generowanych termicznie, jak to zilustrowano na rys. 7.16.

Przy pracy diody w trybie fotoprzewodnictwa prąd fotoelektryczny płynie w obwodzie zasilania diody i można go zmierzyć bezpośrednio. Tak więc wartość sygnału wyjściowego można wyznaczyć bezpośrednio z równania (7.6) uzyskując

$$I_{ph} = \frac{\eta \Phi \lambda q}{hc} \tag{7.18}$$

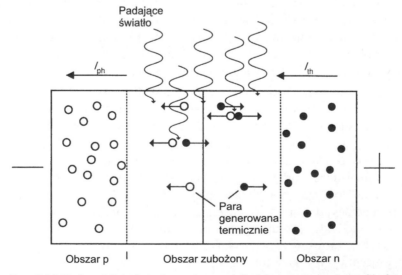

Rys. 7.16 Ruch nośników ładunku w złączowej diodzie *pn* pracującej w trybie fotoprzewodnictwa

Ćwiczenie 6

Fotodioda *pn* ma wydajność kwantową 60% dla długości fali 600 nm. Oblicz wyjściowy prąd fotoelektryczny, gdy fotodioda jest oświetlona strumieniem światła 0,5 mW o długości fali 600 nm.

Zaletą pracy diody w trybie fotoprzewodnictwa jest liniowa zależność sygnału wyjściowego od strumienia fotonów. Istnienie szerszej warstwy zubożonej, a więc silniejszego pola elektrycznego, powoduje zmniejszenie czasu przejścia nośników ładunku do krańców obszaru. Dzięki temu można uzyskać bardzo krótkie czasy odpowiedzi. Jedynym poważniejszym problemem w tym trybie pracy jest prąd upływu I_{th} nośników mniejszościowych generowanych termicznie, pojawiający się jako szum w sygnale wyjściowym. W tych zastosowaniach, gdzie ten problem ma krytyczne znaczenie, można zredukować prąd nośników mniejszościowych ochładzając fotodetektor.

Na rys. 7.17a jest przedstawiony prosty układ pracy fotodiody pracującej w trybie fotoprzewodnictwa. Szeregowo z diodą włączono rezystor, na którym powstaje spadek napięcia w wyniku przepływu prądu fotoelektrycznego. Tutaj dobór rezystora też wymaga kompromisu: stosując rezystancję małą w stosunku do rezystancji dynamicznej fotodiody uzyskuje się charakterystykę liniową w dużym zakresie dynamicznym, podczas gdy większa rezystancja daje większy sygnał. Przyjrzawszy się prostym obciążenia, które są wykreślone na charakterystyce prądowo-napięciowej fotodiody na rys. 7.18 (w ćwiartce wykresu odpowiadającej pracy w trybie fotoprzewodnictwa), łatwo zrozumieć dlaczego mała rezystancja obciążenia jest pożądana ze względu na liniowość charakterystyki wyjściowej.

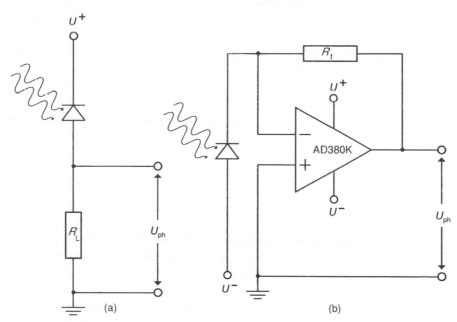

Rys. 7.17 Zastosowanie fotodiody pracującej w trybie fotoprzewodnictwa:
a — prosty układ z rezystorem, *b* — układ ze wzmacniaczem operacyjnym

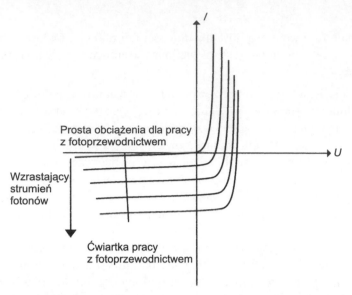

Rys. 7.18 Proste obciążenia wykreślone na charakterystyce w ćwiartce odpowiadającej pracy w trybie fotoprzewodnictwa

Na rys. 7.17*b* przedstawiono układ ze wzmacniaczem operacyjnym, dający duży sygnał z dobrą liniowością. Typowe wartości rezystora R_f mieszczą się w granicach około 1 MΩ, zależnie od żądanego poziomu sygnału na wyjściu. Układ AD380K jest wzmacniaczem dobrej klasy o paśmie do 300 MHz, zdolnym do bezpośredniego wysterowania kabla koncentrycznego 50 Ω. Jeśli zastosowanie nie wymaga takich parametrów, to można wybrać wzmacniacz nieco niższej klasy. Wzmacniacz LT1055, który stosowaliśmy w układzie do pracy w trybie fotowoltaicznym, tutaj też spełni swe zadanie w zakresie częstotliwości kilku MHz. Stosując wzmacniacz z tranzystorami bipolarnymi musimy, podobnie jak poprzednio, włączyć rezystor o wartości równej R_f między wejściem nieodwracającym wzmacniacza a masą.

Główna trudność przy stosowaniu fotodiod złączowych *pn* polega na tym, że jeśli światło nie oddziaływuje z półprzewodnikiem w obszarze zubożonym, to nie jest wytwarzany żaden możliwy do zmierzenia prąd.

7.6.3 Fotodioda PIN

Fotodioda PIN jest ulepszeniem standardowego złącza *pn* przez wprowadzenie dodatkowej warstwy półprzewodnika samoistnego między obszarami typu *p* i *n* (rys. 7.19).

W ten sposób sztucznie zwiększa się wielkość tak ważnego obszaru zubożonego, zwiększając prawdopodobieństwo przechwycenia fotonu. Zastosowanie nawet niewielkiego napięcia polaryzującego wstecznie może teraz rozszerzyć obszar zubożony aż do krańców diody. Wynika z tego kilka korzystnych właściwości. Do zwykłej fotodiody światło wchodzi przez warstwę typu *p*. Jeśli teraz, w diodzie PIN, warstwa ta staje się częścią obszaru zubożonego, to wzrasta szansa generacji pary dziura-elektron w tym krytycznym obszarze, co zwiększa wydajność detektora. Utworzenie tak dużego obszaru

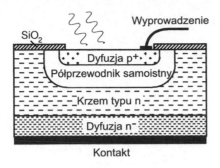

Kontakt

Rys. 7.19 Budowa typowej fotodiody PIN

zubożonego daje też diodzie bardzo krótki czas odpowiedzi. Niektóre fotodiody PIN mają czasy odpowiedzi w obszarze subnanosekundowym. I wreszcie praca przy mniejszych napięciach polaryzujących powoduje zmniejszenie prądu upływu i szumu na wyjściu. Dioda PIN stała się standardowym fotodetektorem.

7.6.4 Fotodiody Schottky'ego

W strukturze fotodiody Schottky'ego (rys. 7.20) warstwę typu p zastąpiono bardzo cienką warstwą złota (ok. 15 nm).

Warstwa złota jest tak cienka, że przechodzi przez nią większość światła padającego na fotodiodę. Warstwa zubożona, przez doprowadzenie potencjału polaryzującego, jest utworzona bezpośrednio pod warstwą złota. Warstwa zubożona znajduje się więc bardzo blisko miejsca, gdzie pada promieniowanie. Dzięki temu uzyskuje się dobrą czułość w obszarze widmowym światła niebieskiego i fioletowego, które normalne jest pochłaniane przez grubsze warstwy półprzewodnika. Jednak warstwa złota odbija promieniowanie w obszarze widmowym światła czerwonego i dlatego czułość fotodiod Schottky'ego jest ograniczona w tym obszarze widma. Natomiast czas odpowiedzi diod Schottky'ego jest bardzo krótki, zbliżony do czasu odpowiedzi fotodiod PIN. Diody Schottky'ego mają też wady. Nie nadają się do detekcji silnych strumieni fotonów i nie mogą pracować w wysokich temperaturach. Można wytwarzać diody Schottky'ego o bardzo dużych powierzchniach czynnych, dlatego są powszechnie używane w zastosowaniach wymagających detektorów o dużej powierzchni.

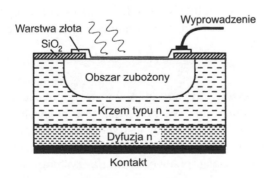

Kontakt

Rys. 7.20 Budowa typowej fotodiody Schottky'ego

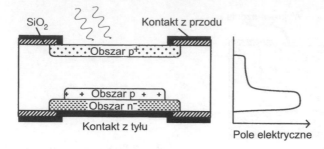

Rys. 7.21 Budowa typowej fotodiody lawinowej i rozkład pola w fotodiodzie

SiO$_2$ — Kontakt z przodu — Obszar p$^+$ — Obszar p — Obszar n$^-$ — Kontakt z tyłu — Pole elektryczne

7.6.5 Fotodiody lawinowe

W fotodiodzie lawinowej uzyskuje się znacznie większe natężenie prądu fotoelektrycznego dzięki wewnętrznemu wzmocnieniu liczby nośników ładunku wytwarzanych w wyniku oddziaływania jednego fotonu. Budowę wewnętrzną fotodiody lawinowej pokazano na rys. 7.21.

W celu uzyskania wzmocnienia wewnętrznego polaryzuje się diodę w kierunku zaporowym napięciem bardzo bliskim napięciu przebicia (zwykle od 300 do 500 V). Światło wnikające do warstwy p^+ generuje, w zwykły sposób, pary dziura–elektron w warstwie zubożonej. Elektrony dryfując w kierunku potencjału dodatniego są przyśpieszane w strefie silnego pola elektrycznego wytwarzanego między warstwami p i n^-. Każdy elektron osiąga energię dostatecznie dużą do wzbudzenia innego elektronu i jego przejścia do pasma przewodnictwa. Te elektrony wzbudzają z kolei następne i w taki sposób powstaje lawina elektronów. Każdy elektron pozostawia po sobie dziurę, która wędruje w kierunku potencjału ujemnego. Wynikiem tych procesów jest duża liczba nośników ładunku generowanych przez oddziaływanie jednego fotonu. Wzmocnienie prądu fotoelektrycznego diod waha się od 50 do 300 w stosunku do standardowych diod PIN. I, co ważniejsze, to wzmocnienie osiąga się bez związanego z nim wzrostu szumu. Dlatego diody lawinowe są często stosowane do detekcji słabych strumieni światła. Silne pole elektryczne powoduje też, że diody lawinowe mają bardzo krótkie czasy odpowiedzi, w niektórych nawet 50 ps. Niestety ich stosowanie nie jest łatwe. Duże napięcie polaryzujące musi być stabilizowane z dokładnością do 0,1 V; aby dioda pracowała w obszarze występowania zjawiska lawinowego, lecz bez wchodzenia w obszar przebicia diody. Wtedy bowiem mogłaby powstać niekontrolowana lawina niszcząca fotodetektor. Fotodetektor tego rodzaju jest wrażliwy na temperaturę, która wpływa na jego wzmocnienie, co może spowodować lawinę niekontrolowaną. A zatem są konieczne skomplikowane układy stabilizacji temperatury, aby skompensować zmiany wzmocnienia i utrzymać stałe napięcie polaryzujące.

7.6.6 Fototranzystory

Innym fotodetektorem dającym zwiększony sygnał prądowy w odpowiedzi na oddziaływanie jednego fotonu jest fototranzystor. Na rys. 7.22 jest pokazana budowa typowego fototranzystora *npn*. Złącze *pn* baza–kolektor jest spolaryzowane w kierunku zaporowym i działa jak zwykła fotodioda. Złącze baza–emiter jest oczywiście spolaryzowane w kierunku przewodzenia umożliwiając przewodzenie tranzystora.

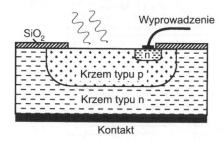

Rys. 7.22 Budowa typowego fototranzystora *npn*

W zwykłym tranzystorze natężenie prądu płynącego przez końcówki kolektora i emitera jest sterowane przez obniżanie bariery potencjału na spolaryzowanym zaporowo złączu baza–kolektor. Następuje to w wyniku dostarczania do bazy niewielkiego prądu. Baza jest zwykle cienką warstwą i dlatego obniżenie bariery potencjału za pomocą bardzo małego prądu bazy może powodować przepływ przez obszar bazy znacznie większego prądu emiter–kolektor. Wynikiem jest uzyskiwane w tranzystorze wzmocnienie prądowe oznaczane β. Mała zmiana prądu bazy może dać znaczną, β — krotnie większą, zmianę prądu w obwodzie kolektor–emiter.

W fototranzystorze prąd bazy jest zastąpiony prądem fotoelektrycznym generowanym, gdy światło pada na złącze *pn* baza–kolektor. Dlatego fototranzystor jest zazwyczaj elementem o tylko dwóch końcówkach, gdyż wyprowadzenie bazy nie jest konieczne. Warto tu wspomnieć, że trzecia końcówka jest używana w tych zastosowaniach, które wymagają doprowadzenia do bazy pewnej polaryzacji. W fototranzystorze strumień światła steruje prądem kolektor emiter, a więc prąd wyjściowy jest równy $I_{ph}\beta$. Wzmocnienie tranzystora β jest na ogół od 50 do 300. Chociaż fototranzystory dają duże prądy wyjściowe, to mają jednak — w porównaniu z fotodiodami — długi czas odpowiedzi i niezbyt dobrą liniowość.

Fototranzystory FET mają znacznie lepsze właściwości niż omówione standardowe fototranzystory złączowe. Charakteryzują się lepszą liniowością i krótszym czasem odpowiedzi przy takim samym wzmocnieniu prądu fotoelektrycznego.

7.7 ELEMENTY FOTOEMISYJNE

Działanie detektorów fotoemisyjnych polega na uwalnianiu elektronu z materiału w celu detekcji padającego światła. Z tego powodu większość detektorów fotoemisyjnych wymaga stosowania lamp próżniowych. Umożliwiają one dalsze operowanie wyemitowanym elektronem i wyodrębnienie sygnału możliwego do zmierzenia. Lampy próżniowe są urządzeniami niewygodnymi w użyciu i kruchymi. Dlatego w miarę rozwoju i udoskonalania fotodetektorów półprzewodnikowych zastosowanie detektorów fotoemisyjnych ulegało ograniczeniu. Tylko dwa urządzenia tego rodzaju są jeszcze ogólnie stosowane: fotopowielacz (opisany poniżej) oraz lampowy wzmacniacz obrazu, który opisujemy w rozdziale 8.

7.7.1 Fotopowielacz

Dwoma głównymi elementami lampy fotopowielaczowej są fotokatoda i łańcuch dynod. Strukturę typowego fotopowielacza przedstawiono na rys. 7.23.

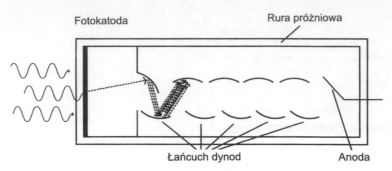

Rys. 7.23 Uproszczony schemat budowy fotopowielacza o 10 dynodach

Fotony o wystarczająco dużej energii uwalniają elektrony z powierzchni fotokatody w wyniku zjawiska fotoelektrycznego. Pierwsza dynoda jest utrzymywana na pewnym potencjale dodatnim w stosunku do fotokatody, więc elektrony uwolnione z fotokatody są natychmiast przyśpieszane w jej kierunku. Dynody są pokryte specjalnymi stopami o dużym współczynniku emisji wtórnej. Dlatego przyśpieszony elektron uderzając w pierwszą dynodę, dzięki swej energii, wytwarza pewną liczbę elektronów wtórnych, które są przyciągane do drugiej dynody, gdyż ma ona wyższy potencjał niż pierwsza. Tu znowu każdy elektron padający na dynodę wytwarza serię elektronów wtórnych. Proces ten powtarza się wzdłuż łańcucha dynod, aż elektrony osiągną anodę, do której może dotrzeć impuls nawet miliona elektronów wygenerowanych przez jeden fotoelektron emitowany z fotokatody.

Fotokatoda jest zwykle wykonana z półprzewodnika, ponieważ metale mają bardzo małą wydajność kwantową (ok. 0,1%) i dużą pracę wyjścia. Jak wspomniano w p. 7.2.3 półprzewodniki dają możliwość uzyskania ujemnego powinowactwa elektronowego i fotokatoda wykonana z półprzewodnika ma mniejszą pracę wyjścia Φ i może pracować z promieniowaniem o większej długości fali. Górna graniczna długość fali jest określona wzorem

$$\lambda = \frac{hc}{\Phi} \tag{7.19}$$

Ćwiczenie 7

Fotokatoda półprzewodnikowa ma pracę wyjścia równą 1,5 eV. Jaka jest największa długość fali światła, które może być wykrywane przez tę fotokatodę?

Grubość fotokatody jest wielkością krytyczną. Gdy jest zbyt gruba, wtedy fotony nie wnikają daleko w głąb fotokatody i nie następuje emisja elektronów. Jeśli fotokatoda jest zbyt cienka, to fotony nie są pochłaniane, co też ogranicza emisję elektronów. Dynody są zasilane z łańcucha rezystorów przedstawionego na rys. 7.24.

Optymalną wydajność emisji wtórnej osiąga się przy różnicy napięć między dynodami od 200 do 300 V. Dlatego fotokatoda powinna mieć potencjał ok. — 3000 V, aby móc uzyskać właściwy wzrost potencjałów na kolejnych dynodach. Wzmocnienie G fotopowielacza można obliczyć ze wzoru

$$G = \delta^N \tag{7.20}$$

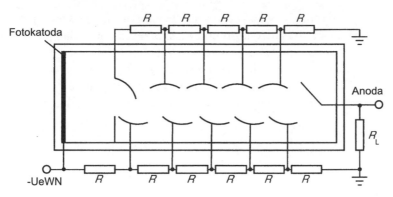

Rys. 7.24 Łańcuch rezystorów do zasilania fotopowielacza

gdzie:

N — liczba dynod,

δ — średnia emisja elektronów wtórnych na jeden elektron padający (współczynnik emisji wtórnej).

Widać więc, że przy dobrej wtórnej emisji elektronów i dużej liczbie dynod można osiągnąć znaczne wzmocnienie. Współczynnik emisji wtórnej δ ma zwykle wartość od 4 do 6, liczba dynod bywa od 10 do 14. Rezystor obciążenia R_L służy do uzyskania sygnału napięciowego w wyniku przepływu prądu z anody. Tak jak w poprzednio omawianych detektorach, duże wartości rezystora dają większy sygnał napięciowy, lecz długi czas odpowiedzi.

Przykład 3

Pytanie: Fotopowielacz o 12 dynodach jest oświetlany w ciągu sekundy przez 1000 fotonów światła o długości fali 650 nm. Jaki jest sygnał prądowy fotopowielacza, jeśli zastosowano w nim fotokatodę typu S20 (wydajność kwantowa 10% dla długości fali 650 nm) i dynody o współczynniku emisji 4,5?

Odpowiedź: 1000 fotonów przy wydajności kwantowej 10% daje $1000 \cdot 0,1 = 100$ fotoelektronów emitowanych w ciągu sekundy. Całkowite wzmocnienie łańcucha dynod wynosi

$$G = \delta^N = 4,5^N = 4,5^{12} = 68\,953 \cdot 10^6$$

A zatem całkowita liczba elektronów na wyjściu fotopowielacza w ciągu sekundy jest równa

$$100 \cdot 68\,953 \cdot 10^6 = 68\,953 \cdot 10^8$$

a całkowity prąd na wyjściu fotopowielacza równa się

$$68\,953 \cdot 10^8 \cdot 1,6 \cdot 10^{-19} = 0,1 \text{ nA}$$

Czas odpowiedzi fotopowielacza może być dość długi ze względu na rozrzut prędkości elektronów wychodzących z fotokatody i rozrzut czasów przejścia wzdłuż lampy spowodowany faktem, że niektóre elektrony mogą przebywać dłuższe drogi. Rezultatem tych zjawisk jest rozszerzenie impulsu wyjściowego. Można je ograniczyć, skracając czas przejścia elektronów wzdłuż lampy. Najłatwiej to zrobić zmniejszając liczbę dynod, stosując dynody o większym współczynniku emisji wtórnej. Obecnie są produkowane fotopowielacze o bardzo krótkim czasie przejścia przez lampę, wynoszącym 25 ns, co daje czas narastania impulsu poniżej 2 ns.

Fotopowielacze, podobnie jak inne fotodetektory, dają pewien prąd ciemny, gdy nie są oświetlone. Ten szum prądu ciemnego powstaje w wyniku termicznej emisji elektronów z fotokatody. Prąd ciemny wyraża się równaniem Richardsona-Dushmana

$$I_T = \alpha A T^2 \exp\left(-\frac{q\Phi}{k_B T}\right)$$ (7.21)

gdzie:

A — powierzchnia fotokatody,

T — temperatura,

Φ — praca wyjścia materiału fotokatody,

a — stała zależna od rodzaju materiału, z którego wykonano fotokatodę.

Jak wynika z przedstawionego wzoru, prąd ciemny można zmniejszyć obniżając temperaturę fotopowielacza. Tak się właśnie postępuje przy pomiarach bardzo słabego światła oraz przy pomiarach o bardzo dużej czułości.

Fotopowielacze są coraz rzadziej stosowane, gdyż ich funkcje przejmują inne detektory działające na zasadzie fotoprzewodnictwa. Fotopowielacze pozostają jednak nadal najczulszymi fotodetektorami w niektórych zastosowaniach i w odpowiednim układzie pomiarowym można za ich pomocą zliczać pojedyncze fotony. Jednak fakt, że są urządzeniami nieporęcznymi, wymagającymi napięcia kilku kilowoltów, jest przyczyną spadku ich popularności.

7.8   PODSUMOWANIE

- Podstawowymi zjawiskami fizycznymi występującymi w fotodetektorach są: absorpcja termiczna, fotoprzewodnictwo i fotoemisja.
- Ważne parametry związane z fotodetekcją to: wydajność kwantowa, czułość, zakres dynamiczny, czas odpowiedzi oraz moc równoważna szumu.
- Działanie fotodetektorów takich jak termopara, bolometr i detektory piroelektryczne jest oparte na absorpcji termicznej.
- Działanie fotodetektorów takich jak fotorezystor, fotodioda i wszystkich ich odmian jest oparte na fotoprzewodnictwie.
- Ostatnim, mającym jeszcze praktyczne zastosowanie fotodetektorem opartym na fotoemisji jest fotopowielacz.

7.9   ZADANIA

7.1 Emisję fotoelektronów z próbki potasu może wywoływać światło o długości fali nie większej niż 564 nm. Oblicz pracę wyjścia potasu w dżulach i elektronowoltach.

7.2 Fotodetektor oświetlony energetycznym strumieniem świetlnym 10 mW o długości fali 550 nm daje prąd fotoelektryczny 1,867 mA. Oblicz wydajność kwantową i czułość tego fotodektora.

7.3 Krzemowy fotodetektor termiczny, będący paskiem o długości 10 mm, szerokości 2 mm i grubości 1 mm, daje przy ogrzaniu zmianę rezystancji wzdłuż długiej osi od 2,24 do 1,28 MΩ. Znając rezystywność krzemu 640 $\Omega \cdot$ m w temperaturze 273 K oraz współczynnik cieplny krzemu — 0,075 K^{-1} oblicz temperaturę początkową i końcową paska krzemowego i na tej podstawie zmianę temperatury.

7.4 Fotorezystor wykonano z półprzewodnika o przerwie energetycznej 1,5 eV. Jest on kolejno oświetlany światłem o długościach fali 400 nm, 700 nm i 1100 nm. Przy których długościach fali wystąpi zmiana rezystancji?

7.5 Korzystając z charakterystyki widmowej fotodiody krzemowej (rys. 7.4) sporządź wykres napięcia wyjściowego w funkcji długości fali dla fotodiody działającej w fotowoltaicznym trybie pracy w temperaturze 293 K. Przyjmij, że prąd I_0 fotodiody równa się 100 nA i jest ona oświetlona stałym energetycznym strumieniem świetlnym 10 mW.

7.6 Fotodioda pracująca w trybie fotowoltaicznym daje prąd fotoelektryczny 3,36 mA, gdy jest energetycznym strumieniem świetlnym 10 mW o długości fali 650 nm. Wyznacz wydajność kwantową diody dla tej długości fali.

7.7 Określ stosunek mocy wyjściowych wymaganych w laserze argonowym emitującym światło o długości fali 488 nm i w laserze helowo-neonowym emitującym światło o długości 633 nm, jeśli światło każdego z tych laserów ma dać taki sam prąd wyjściowy w diodzie pracującej w trybie fotoprzewodnictwa. Załóż, że wydajności kwantowe diody przy obu podanych długościach fali są jednakowe.

7.8 Fotopowielacz o 14 dynodach daje prąd wyjściowy 0,4 μA, gdy jest oświetlany strumieniem 2500 fotonów na sekundę. Zakładając wydajność kwantową 10%, oblicz średni współczynnik emisji wtórnej z dynod.

Literatura

Literatura w języku angielskim

Chociaż w rozdziale omówiono podstawowe zasady detekcji światła i urządzenia służące do tego celu, to istnieje wiele innych specjalizowanych detektorów i wiele szczegółowych, pogłębionych analiz takich problemów jak szum, co wykraczało poza zakres tej książki. Jako źródło rozszerzonych informacji można polecić następujące książki:

1. *Smith R.C.*: Observational Astrophysics. Cambridge University Press, 1995
2. *Smith S. Desmond*: Optoelectronic Devices. Prentice Hall, 1995
3. *Chaimowicz J.C.A.*: Optoelectronics: An Introduction. Butterworth-Heinemann, 1989
4. *Wilson J., Hawkes J.F.B.*: Optoelectronics: An Introduction, wyd.2. Prentice Hall, 1989
5. *Billings A.*: Optics. Optoelectronics and Photonics. Prentice Hall, 1993
6. *Streetman B.G.*: Solid State Eletronic Devices. Prentice Hall, 1990

Literatura uzupełniająca w języku polskim

1. *Einarsson G.*: Podstawy telekomunikacji światłowodowej. WKŁ 1998
2. *Palais J.C.*: Zarys telekomunikacji światłowodowej. WKŁ 1991
3. *Pawlaczyk A.*: Elementy i układy optoelektroniczne. WKŁ 1984
4. *Siuzdak J.*: Wstęp do współczesnej telekomunikacji światłowodowej. WKŁ 1999

8 ANALIZUJĄCE PRZETWORNIKI OBRAZU

8.1   WPROWADZENIE

Obrazowanie optyczne jest procesem, którego większość z nas doświadcza w każdej chwili życia (prócz snu). Oczy są uważane za najważniejszy organ zmysłów w ludzkim organizmie. Znaczna część naszego mózgu jest przeznaczona do odbioru i przetwarzania wrażeń wizualnych. Nic więc dziwnego, że duży wysiłek włożono w opracowanie urządzeń optoelektronicznych do rejestracji, pamiętania, przetwarzania i wyświetlania obrazów. Materiał zawarty w tym rozdziale obejmuje przede wszystkim różne urządzenia służące do rejestracji obrazów optycznych. Podano też opis chemicznych procesów fotograficznych, chociaż ten temat nie pojawia się w książkach z dziedziny optoelektroniki. Omówiono jednak metodę fotograficzną, ponieważ w ciągu ponad stu lat była ona najważniejszym sposobem rejestracji obrazów i służy za podstawę oceny działania elektronicznych przetworników obrazu. Następnie będą omówione różne sposoby obrazowania elektronicznego, począwszy od pierwszych lamp obrazowych aż po nowoczesne półprzewodnikowe układy o sprzężeniu ładunkowym CCD (ang. *Charge Coupled Devices*).

8.2   ROZDZIELCZOŚĆ PRZESTRZENNA

Dwie podstawowe cechy charakteryzują analizujące przetworniki obrazu: zakres dynamiczny i rozdzielczość przestrzenna. Zakres dynamiczny, parametr ważny w detektorach optycznych, omówiono już w rozdziale 7. *Rozdzielczość przestrzenna* jest cechą specyficzną dla analizujących przetworników obrazu. Krótko mówiąc, jest ona miarą dokładności rozróżniania szczegółów obrazu. Wszystkie analizujące przetworniki obrazu są, w jakiś sposób, zbiorem indywidualnych elementów służących do detekcji światła, a tworzących matrycę. Każdy z nich mierzy natężenie oświetlenia pochodzące od małej części analizowanej sceny. Im więcej jest tych indywidualnych detektorów na danej powierzchni, tym więcej szczegółów można zaobserwować. Łatwo to zademonstrować za pomocą prostego testu przy użyciu ludzkiego oka. Zogniskuj swój wzrok na jakimś słowie pośrodku tej stronicy. Zauważysz, że nie możesz dokładnie rozróżnić liter dalej niż po kilka centymetrów z każdej strony. Jest to spowodowane dużą koncentracją indywidualnych elementów detekcyjnych (fotoreceptorów) pośrodku naszego pola widzenia, w najczulszym obszarze na siatkówce

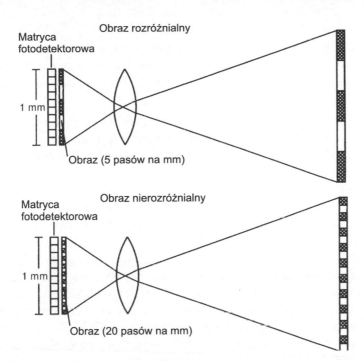

Rys. 8.1 Zastosowanie obrazu składającego się z pasów do określenia rozdzielczości matrycy fotodetektorów

zwanym plamką żółtą. Poza tym obszarem koncentracja fotoreceptorów gwałtownie się zmniejsza. Dlatego rozdzielczość przestrzenna oka staje się znacznie gorsza na obrzeżach pola widzenia.

Ujmijmy ten problem ilościowo. Zwykle stosowana metoda określania rozdzielczości przestrzennej polega na rejestracji obrazu zawierającego pewną liczbę równomiernie rozmieszczonych pasów. W analizującym przetworniku obrazu pasy te tworzą obraz odpowiadający liczbie pasów na milimetr na powierzchni detektora. Jeśli pasy są zbliżane do siebie, to w pewnym momencie indywidualne pasy przestają być rozróżnialne i w ten właśnie sposób określamy rozdzielczość analizującego przetwornika obrazu. Na rys. 8.1 przedstawiono 10 elementów liniowej matrycy detektorów światła o długości 1 mm. Obraz 5 pasów na milimetr jest rozróżnialny ponieważ każdy pas zajmuje więcej niż jeden piksel (element obrazowy). Natomiast obraz 20 pasów na milimetr nie jest rozróżnialny, gdyż dwa pasy zajmują jeden piksel, nie mogą więc być rozróżnione jako oddzielne. Pasy mogą być rozróżniane wtedy, gdy jeden pas zajmuje co najmniej szerokość jednego piksela. Przykładem, łatwo dostępnym do obejrzenia, są pasy na telewizyjnym obrazie kontrolnym, którym testuje się zarówno rozdzielczość kamery jak i odbiornika telewizyjnego. Maksymalna liczba pasów na milimetr, jaką może rozróżnić detektor, jest nazywana zdolnością rozdzielczą.

Ćwiczenie 1

Matryca fotodiodowa składa się z pikseli o szerokości 100 μm. Jaka jest zdolność rozdzielcza takiej matrycy?

Praca własna

Jeśli masz możliwość obejrzenia karty z telewizyjnym obrazem kontrolnym, sprawdź, jak dobrze twoje oko rozróżnia na niej pasy w porównaniu z tym co widać na ekranie telewizora. Na pewno się zdziwisz, jak słaba jest rozdzielczość przekazu telewizyjnego.

W celu określenie minimalnych rozmiarów obiektu, który jest rozróżnialny za pomocą analizującego przetwornika obrazu często zamienia się zdolność rozdzielczą na wielkość kątową uwzględniającą pole widzenia układu soczewek. Rozważmy sytuację przedstawioną na rys. 8.2.

Matryca fotodetektorowa o długości 5 mm ma rozdzielczość 20 pasów na milimetr czyli 100 pasów na cały detektor. Obraz zajmujący całą matrycę jest wytwarzany za pomocą soczewki aparatu fotograficznego o polu widzenia 50°. A więc każdy element matrycy fotodetektorowej rejestruje światło przychodzące od obiektów znajdujących się w obrębie kąta widzenia 0,5°. Ponieważ światło padające na pojedynczy element fotodetektora jest miarą całkowitej światłości energetycznej obiektów znajdujących się w obrębie kąta widzenia 0,5°, więc jakiekolwiek dwa obiekty oddalone od siebie mniej niż o 0,5° nie będą rozróżniane jako oddzielne. Natomiast obiekty oddalone bardziej niż o 0,5° będą rejestrowane przez różne elementy detekcyjne, a zatem będą rozróżniane jako obiekty oddzielne. Jak pokazano na rys. 8.2, obiekty nierozróżnialne z pewnej odległości stają się rozróżnialne przy zbliżeniu, gdyż wtedy ich efektywna rozdzielczość kątowa wzrasta. Kątowa zdolność rozdzielcza układu matryca fotodiodowa/soczewka jest określona jako kąt obejmowany przez tę część rejestrowanej sceny, która zajmuje jeden cały element matrycy fotodetektorowej.

Ćwiczenie 2

Matryca o długości 10 mm złożona z fotodetektorów o szerokości 50 μm jest w całości zajęta przez obraz z soczewki teleobiektywu o kącie widzenia 18°. Jaka jest kątowa zdolność rozdzielcza tego układu?

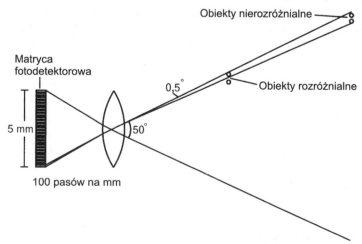

Rys. 8.2 Kątowa zdolność rozdzielcza matrycy fotodetektorów

8.3 FOTOGRAFIA

Obecnie najpopularniejszym sposobem obrazowania optycznego jest ciągle jeszcze emulsja fotograficzna, choć wkrótce może być wyparta przez aparaty fotograficzne z elektroniczną rejestracją obrazu, tak jak kamery filmowe zostały zastąpione przez kamkordery. Emulsja fotograficzna zawiera ziarna z kryształów halogenków srebra (zwykle bromku srebra) o rozmiarach rzędu mikrometrów, rozmieszczone równomiernie w jakimś ośrodku przezroczystym, np. w żelatynie. Taka emulsja jest zwykle nałożona na szkło tworząc płytę fotograficzną lub na plastyk w przypadku błony fotograficznej.

Powstawanie obrazu fotograficznego jest procesem złożonym, którego szczegóły nie są w pełni zrozumiałe. W książce przedstawiono ogólny opis tego procesu.

Energia fotonu uderzającego w ziarno bromku srebra jest pochłaniana przez siatkę krystaliczną. Wtedy może nastąpić wzbudzenie elektronu i przeniesienie go do pasma przewodnictwa kryształu. Taki uwolniony elektron może swobodnie poruszać się w strukturze kryształu.

Kryształ zawiera też pewną liczbę dodatnich jonów srebra, który zostały przemieszczone z siatki krystalicznej wskutek wzbudzenia termicznego i teraz też poruszają się w siatce. Jeśli jon srebra spotka się z elektronem, to powstaje atom srebra. Normalnie jon srebra i elektron w ciągu sekundy ulegają znowu dysocjacji termicznej. Jeśli jednak powstaną jednocześnie dwa lub więcej atomów srebra, to utworzą stabilną grupę, która nie ulegnie dysocjacji. W normalnych warunkach prawdopodobieństwo takiego zdarzenia jest małe. Jednak, jak się wydaje, defekty siatki krystalicznej ziarna mogą działać jako pułapki dla wolnych elektronów, dzięki którym łatwiej mogą się tworzyć grupy atomów srebra. Omówiony proces przedstawiono na rys. 8.3. Grupy atomów srebra uformowane w krystalicznych ziarnach tworzą *obraz* zwany *utajonym*.

Do uzyskania *obrazu widzialnego* z obrazu utajonego w procesie obróbki fotograficznej jest konieczna faza wywoływania. Emulsja jest wtedy poddawana działaniu środka redukującego, który powoduje redukcję bromku srebra do srebra metalicznego. W miarę procesu wywoływania wszystkie ziarna krystaliczne stopniowo uległyby takiej redukcji. Jednak ziarna, które zawierają małe grupy atomów srebra są redukowane szybciej, ponieważ atomy srebra działają jako katalizator. Dzięki starannemu doborowi czasu wywoływania chemicznego film z wywoływacza wyjmuje się wtedy, gdy ziarna poprzednio naświetlone uległy już całkowitej redukcji, a ziarna nienaświetlone — tylko częściowej. Proces wywoływania jest w istocie rzeczy wzmacniaczem chemicznym mogącym z małej grupy, składającej się z kilku atomów, wytworzyć ziarno srebra

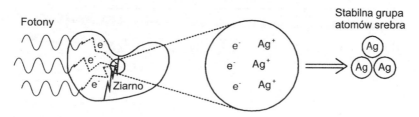

Rys. 8.3 Tworzenie się grupy atomów srebra w ziarnie emulsji fotograficznej

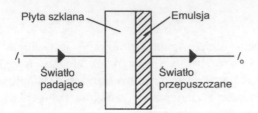

Rys. 8.4 Przechodzenie światła przez
wywołaną emulsję

złożone z 10^{10} lub więcej atomów srebra. Rozmieszczenie i gęstość tych nieprzezroczystych ziaren srebra w emulsji daje dobrze nam znany *obraz negatywowy*.

Współczynnik przezroczystości emulsji po jej wywołaniu jest związany z gęstością D ziaren srebra zgodnie z zależnością

$$D = -\log_{10} T_i \tag{8.1}$$

gdzie: $T_i = I_0/I_i$ — stosunek energetycznych natężeń oświetlenia światła padającego do przepuszczanego (rys. 8.4).

Gdy film został poddany działaniu światła, to naświetlenie (ekspozycja) E na pewnym obszarze emulsji jest iloczynem energetycznego natężenia oświetlenia wywołanego światłem padającym i czasu ekspozycji, czyli $E = It$. Jest to wartość energii optycznej padającej na dany obszar filmu podczas działania światła. Zależność między gęstością D i naświetleniem E jest wyrażone krzywą Hurtera-Driffielda przedstawioną na rys. 8.5.

W liniowej (na rysunku) części tego wykresu zależność między gęstością i naświetleniem można opisać wzorem

$$D = s \log_{10} E - D_0 \tag{8.2}$$

gdzie:
s — nachylenie liniowej części wykresu,
D_0 — ekstrapolowana wartość przecięcia liniowej części wykresu z osią D.

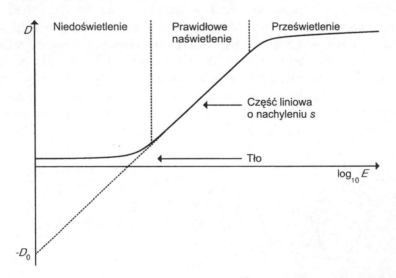

Rys. 8.5 Charakterystyka naświetlania fotograficznego zwana krzywą Hurtera-Driffielda

Ponieważ $D = -\log_{10}T_i$, więc przezroczystość i naświetlenie są powiązane zależnością

$$T_i = 10^{D_0}E^{-s} \tag{8.3}$$

Wynika stąd, że współczynnik przezroczystości jest nieliniową funkcją naświetlenia, co jest niekorzystne np. przy pomiarach naukowych.

Emulsje fotograficzne mają dodatkową wadę, którą jest mała wydajność. Typowa emulsja ma wydajność konwersji równą 0,1%, co oznacza że tylko jeden na tysiąc padających fotonów wytwarza ziarno srebra. Nawet kosztowne emulsje hipersensybilne używane w astronomii mają wydajność tylko 4%.

Rozdzielczość przestrzenna emulsji jest ograniczona rozmiarami ziaren i odległościami między nimi. Emulsje o większej czułości na światło mają większe ziarna, a więc mniej elementów detekcji światła na jednostkę powierzchni, co zmniejsza rozdzielczość przestrzenną filmu dając ziarnistość widoczną na niektórych fotografiach. Filmy bardzo czułe, słabej jakości, mogą mieć rozdzielczość nawet tylko 20 linii na milimetr. Mniej czułe filmy dobrej jakości mają czułość do 2000 linii na milimetr.

8.4 LAMPY ANALIZUJĄCE

Próżniowe *lampy analizujące* w kamerach prawie całkowicie zastąpiono półprzewodnikowymi matrycami CCD. Były one jednak w ciągu kilkudziesięciu lat jedynymi elektronicznymi urządzeniami analizującymi i ciągle jeszcze są spotykane w niektórych specyficznych zastosowaniach.

Lampy analizujące są, w istocie rzeczy, podobne do powszechnie znanych lamp elektronopromieniowych (CRT). W lampie elektronopromieniowej obraz tworzy się na ekranie pokrytym luminoforem przez skanowanie wiązką elektronową, linia po linii, w sposób zwany skanowaniem rastrowym (rys. 8.6).

Od natężenia wiązki elektronowej zależy jaskrawość świecenia luminoforu. Liniową sekwencję czasową sygnałów elektronicznych sterujących natężeniem wiązki elektronowej można więc zastosować do wytworzenia dwuwymiarowego obrazu, jeśli początek każdej linii jest synchronizowany.

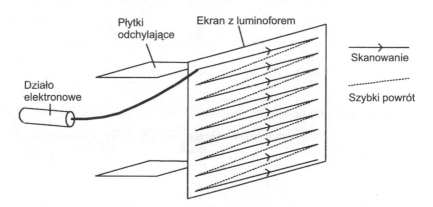

Rys. 8.6 Tworzenie obrazu w lampie elektronopromieniowej metodą skanowania rastrowego

W lampach analizujących proces ten jest odwrócony. Obraz dwuwymiarowy jest ogniskowany na powierzchni tarczy (zwanej elektrodą akumulującą). Światłość obrazu w każdym punkcie tarczy jest „odczytywana" przez skanowanie wiązką elektronową całej tarczy metodą rastra. W tym przypadku obraz jest więc przetwarzany na liniową sekwencję czasową sygnałów elektronicznych, które łatwo można zarejestrować lub przesłać.

W latach trzydziestych powstała pierwsza lampa analizująca skanowana elektronicznie, zwana *ikonoskopem*. Stosowano w niej elektrodę akumulującą w postaci płytki zawierającej mozaikę małych ziaren srebra pokrytych cezem i tlenkiem srebra. Takie ziarno poddane działaniu światła gromadzi ładunek proporcjonalny do natężenia oświetlenia. Wiązka elektronowa przebiegając przez ziarna powoduje ich rozładowanie. Prąd rozładowania jest wykrywany i przesyłany jako sygnał, na podstawie którego można odtworzyć obraz optyczny.

W późniejszym typie lampy, zwanej *widikonem*, zastosowano tarczę (elektrodę sygnałową) z materiału fotoprzewodzącego, aby przetworzyć obraz optyczny na sygnał elektryczny. Ta lampa była mniejsza i miała większą czułość niż ikonoskop.

Typowy widikon pokazano na rys. 8.7. Jego tarcza jest wykonana z cienkiej warstwy materiału półprzewodnikowego (zwykle trójsiarczku antymonu), która z jednej strony jest pokryta cienką, przezroczystą warstwą przewodzącego tlenku cyny. Na tej stronie tarczy jest ogniskowany obraz. Tarcza jest utrzymywana na potencjale około 50 V w stosunku do działa elektronowego lampy. Druga strona tarczy, skierowana do działa elektronowego, jest metodą rastra skanowana wiązką elektronową przesuwaną za pomocą szeregu płytek i cewek odchylających. Materiał półprzewodnikowy tarczy działa jak kondensator. Gdy wiązka elektronowa przechodzi przez jakiś segment tarczy, ładuje się on do potencjału 0 V wytwarzając różnicę potencjałów 50 V na grubości tarczy w tym miejscu. Jeśli ten segment tarczy jest oświetlony, to jego przewodność wzrasta proporcjonalnie do natężenia oświetlenia. Wzrost przewodności powoduje przepływ ładunku przez materiał tarczy na jej stronę dodatnią. Dlatego, jeśli wiązka elektronowa będzie ponownie przechodziła przez segment, to ilość ładunku, jaką będzie musiała

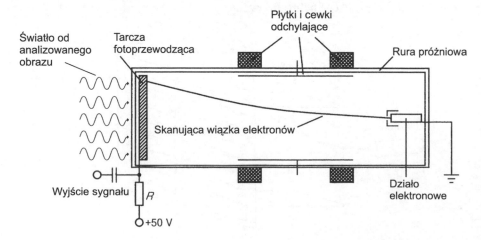

Rys. 8.7 Lampa analizująca widikon

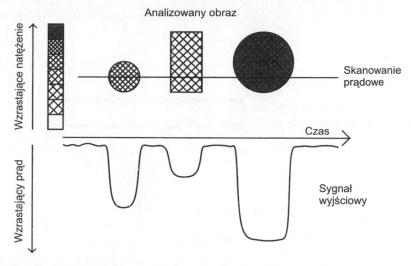

Rys. 8.8 Sygnał wyjściowy widikonu

przekazać segmentowi tarczy, aby znowu sprowadzić go do potencjału 0 V, będzie równa ładunkowi utraconemu w wyniku przewodzenia, który z kolei jest proporcjonalny do natężenia oświetlenia. Pomiar dostarczonego ładunku, jako prądu w funkcji czasu, umożliwia elektroniczną rejestrację obrazu. Typowy przebieg wyjściowy z lampy widikonowej przedstawiono na rys. 8.8.

Wadą omawianych lamp widikonowych jest duży prąd ciemny spowodowany skończoną wartością przewodności półprzewodnikowej płyty tarczy nawet wtedy, gdy tarcza nie ma żadnego oświetlenia. Dlatego lampy te charakteryzują się dużym szumem w przypadku małego oświetlenia.

Odmianą widikonu o znacznie mniejszym prądzie ciemnym jest lampa zwana *plumbikonem*. Stosując warstwę tlenku ołowiu wytwarza się strukturę PIN (patrz: fotodioda PIN w rozdziale 7) pokrytą tlenkiem cyny. Jak widać na rys. 8.9 tlenek cyny

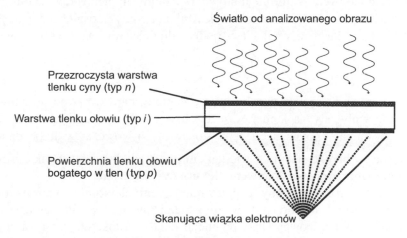

Rys. 8.9 Budowa tarczy obrazowej plumbikonu

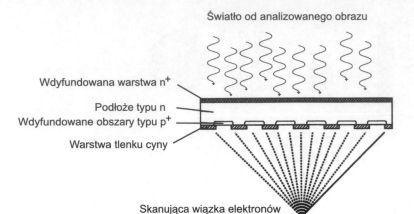

Rys. 8.10 Budowa tarczy obrazowej z siecią diod

staje się warstwą typu *n*, podczas gdy nadwyżka tlenu z drugiej strony warstwy tlenku ołowiu powoduje, że staje się ona warstwą typu *p*. Między tymi warstwami powstaje obszar zubożony.

W przypadku, gdy płytka jest naładowana przez wiązkę elektronową, staje się ona diodą spolaryzowaną w kierunku wstecznym i prąd upływu z płytki jest minimalny. Ładunek popłynie przez płytkę tylko wówczas, gdy są generowane nośniki ładunku w wyniku istnienia oświetlenia, w jakiejś formie. Operacje ładowania i odczytu odbywają się tak samo jak w widikonie.

W ciągu dalszego rozwoju lamp analizujących zastosowano tarczę zawierającą matrycę ze struktur diodowych, jak to przedstawiono na rys. 8.10.

Starsze lampy przy dużych natężeniach oświetlenia były podatne na efekt zwany kwitnieniem (*blooming*) albo rozmazaniem obrazu. Występował on, gdy bardzo silne oświetlenie jednej części tarczy wytwarzało tak wiele par elektron–dziura, będących nośnikami ładunku, że dużą część tarczy była rozładowywana. To powodowało powstawanie na obrazie dużej, białej plamy, czyli „kwiatu" na obrazie. Przez wprowadzenie struktur diodowych w formie małych oddzielnych elementów zamiast dużej pojedynczej struktury, można osłabić efekt „kwitnienia", gdyż nośniki ładunku generowane pod wpływem silnego oświetlenia w jednej diodzie, nie mają wpływu na diody sąsiednie.

Praca własna

Jeśli masz okazję obejrzeć program telewizyjny nagrany bardzo dawno, to zauważysz, jak jasne światła wpływały na kamerę, szczególnie w czasie ciemnych scen. To jest właśnie tzw. „kwitnienie" pojawiające się w stosowanych wówczas widikonach.

Przy pracy z bardzo słabym oświetleniem (w takich dziedzinach jak astronomia) używano na ogół lamp z przewodnictwem elektronów wtórnych.

Typową konstrukcję lampy z przewodnictwem elektronów wtórnych przedstawiono na rys. 8.11. Światło jest w niej ogniskowane na fotokatodzie, a nie bezpośrednio na tarczy obrazowej. Duży potencjał między fotokatodą a tarczą obrazową wykorzystuje się do ogniskowania i przyśpieszania fotoelektronów generowanych

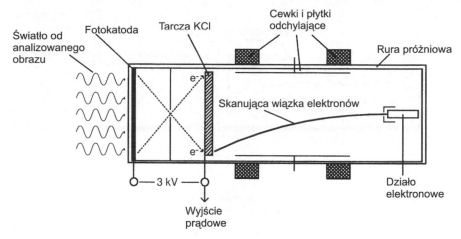

Rys. 8.11 Lampa z przewodnictwem elektronów wtórnych

z fotokatody do tarczy. W tym rozwiązaniu lampy tarcza obrazowa jest wykonana z materiału fotoprzewodzącego (zwykle z chlorku potasu KCl). Fotoelektrony o dużej energii uderzając w tarczę generują dużą liczbę elektronów wtórnych, wytwarzających z kolei wiele par dziura–elektron (zwykle 200 ÷ 500). Powoduje to wzrost przewodności materiału tarczy obrazowej i jej rozładowanie. Obraz też jest odczytywany w taki sam sposób jak w innych lampach analizujących. Oczywistą zaletą tej lampy jest inherentne wzmacnianie obrazu. Pojedynczy foton generując pojedynczy fotoelektron może wytworzyć kilkaset par elektron–dziura w tarczy obrazowej wzmacniając w ten sposób obraz.

Lampy analizujące, choć oparte na starej technologii, ciągle są w użyciu w przemyśle jądrowym, gdyż są szczególnie odporne na zniszczenie radiacyjne. Można je więc umieszczać nawet wewnątrz reaktora, gdzie nowoczesne układy CCD przestają pracować i wkrótce ulegają zniszczeniu.

8.5   MATRYCE CCD

Obecnie lampy analizujące prawie całkowicie zostały zastąpione przez matryce CCD (ang. *charge coupled devices* — układy o sprzężeniu ładunkowym), które stały się najczęściej stosowaną metodą obrazowania elektronicznego. Nowoczesne *matryce CCD* górują nad lampami analizującymi prawie pod każdym względem.

Matryce CCD to po prostu urządzenia półprzewodnikowe o dużej liczbie elementów fotodetekcyjnych tworzących matrycę, która może być liniowa, prostokątna lub nawet okrągła. Można by je budować z elementów dyskretnych, lecz wielka liczba połączeń powodowałaby ich małą przydatność praktyczną. Jednak w matrycy pół-przewodnikowej wiele elementów też musi być połączonych w jakiś sposób w celu uzyskania ładunków, na wyjściu z elementów detekcyjnych, w takiej postaci, aby można je interpretować jako obraz. Taką właśnie funkcję spełniają układy o sprzężeniu ładunkowym (CCD). Są to połączone w matrycę struktury krzemowe przesuwające ładunek z fotodetektora w sposób podobny do „łańcucha pożarowego", gdy woda jest

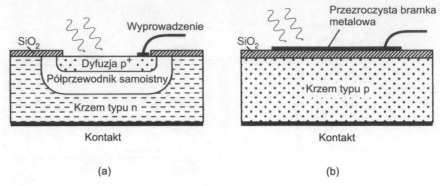

Rys. 8.12 Struktura fotoelementów stosowanych w matrycach obrazowych:
a — fotodioda PIN, *b* — fotoelement MOS

transportowana przez podawanie kubłów z rąk do rąk w szeregu ludzi. Właściwe zaprojektowanie tych struktur powoduje, że w danej chwili pojawia się na wyjściu ładunek tylko z jednego detektora.

Przyjrzyjmy się bardziej szczegółowo elementom, z jakich składa się matryca CCD. Pierwszym, oczywistym elementem jest *fotodetektor*. Może nim być znana już nam fotodioda lub struktura kondensatorów typu fotoMOS (MOS — ang. *metal––oxide–semiconductor*, metal–tlenek–półprzewodnik). Oba te fotoelementy przedstawiono na rys. 8.12. Choć spełniają takie same funkcje, to jednak ich właściwości optyczne i elektryczne są odmienne.

Podstawy działania fotodiody wyjaśniono w rozdziale 7. Kondensator MOS jest prostą strukturą zawierającą podłoże typu *p*, na którym znajduje się warstwa tlenku (dwutlenku krzemu). Na warstwę tlenku naniesiono elektrodę zwaną bramką w formie cienkiej warstwy silnie domieszkowanego półprzewodnika lub przezroczystej elektrody metalowej. Gdy MOS pracuje jako fotodetektor, do podłoża typu *p* doprowadza się potencjał ujemny w stosunku do metalowej bramki. Bramka ma więc potencjał dodatni względem podłoża. Światło przechodząc przez elektrodę metalową i warstwę tlenku generuje pary elektron–dziura w obszarze krzemu typu *p*. Pole elektryczne w strukturze natychmiast rozdziela tę parę kierując elektron ku metalowej bramce, a dziurę ku ujemnemu dnu podłoża. Jednak elektrony nie mogą przedostać się przez izolującą warstwę tlenkową i przebywają tuż pod tą warstwą, ciągle przyciągane przez potencjał dodatni, lecz nie mogące bardziej się do niego przybliżyć. Jest to jakby studnia trzymająca w pułapce elektrony w obszarze zubożonym utworzonym pod warstwą tlenku przez potencjał dodatni. Ładunek utrzymywany w tej studni jest proporcjonalny do światła padającego na fotodetektor.

Fotoelementy MOS w matrycach CCD mogą być oświetlane na jeden z dwóch sposobów. Pierwszy jest zwany *oświetlaniem czołowym*. Wtedy światło, aby wygenerować pary elektron–dziura, wchodzi przez przezroczystą elektrodę i warstwę tlenku. Takie rozwiązanie ogranicza czułość fotodetektora w obszarze widmowym fioletu i nadfioletu z powodu absorpcji światła o takich długościach fali w elektrodzie i warstwie tlenku. Druga metoda oświetlania jest znana jako *oświetlanie z tyłu*. Światło wchodzi wtedy z tyłu podłoża typu *p*. Ten sposób oświetlania może poprawić działanie fotoelementu

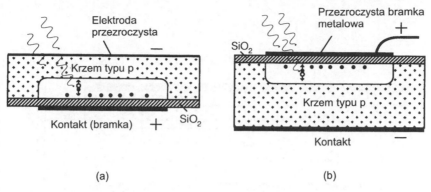

(a)   (b)

Rys. 8.13 Oświetlenie fotoelementu MOS w matrycy CCD:
a — z tyłu, *b* — z przodu

w obszarze nadfioletu przez zmniejszenie szerokości struktury kondensatora, dzięki czemu fotony o dużej energii nie są pochłaniane zanim dojdą do obszaru zubożonego, gdzie generują pary elektron–dziura. Jednak wtedy pogarsza się czułość w obszarze światła czerwonego i podczerwieni. Oba sposoby oświetlania przedstawiono na rys. 8.13.

Chociaż żaden pojedynczy fotodetektor nie może pokryć całego widma fal elektromagnetycznych, to zastosowanie kombinacji sposobów oświetlania umożliwia dostrojenie czułości matrycy na zakres od promieni X (od strony fal krótszych) do długości fali ok. 1,1 μm, która jest wartością graniczną wynikającą z wielkości przerwy energetycznej w krzemie.

W celu wyjaśnienia metody przesuwu ładunku do wyjścia trzeba zrozumieć na czym polega rozszerzenie prostej struktury MOS przez zastosowanie wielokrotnych bramek na jednym podłożu (rys. 8.14).

W celu dostarczenia zmieniających się potencjałów do bramek zgrupowanych w trzech zestawach, zastosowano taktowanie wielofazowe. Działanie układu, niezależnie od długości szeregu bramek, odbywa się w trzech, kolejno powtarzających się fazach. Na początku tylko pierwsza bramka z grupy trzech ma potencjał dodatni. Na pozostałych dwóch nie występuje żadna różnica potencjału w stosunku do podłoża, więc elektrony pozostają w studni pod jedną dodatnią bramką. Jeśli do jednej z sąsiednich bramek też doprowadzi się potencjał dodatni, to elektrony rozprzestrzenią się i zajmą rozszerzoną, połączoną studnię pod obu elektrodami. Jeśli teraz potencjał dodatni zostanie zdjęty z pierwszej elektrody, to elektrony będą usunięte z obszaru ujemnego pod nią i „uciekną" do jedynego pozostałego obszaru o potencjale dodatnim. W rezultacie duża paczka elektronów przesunie się o jedną bramkę dalej wzdłuż szeregu, niezależnie od innych paczek elektronów, także przesuwających się wzdłuż szeregu, jak to przedstawiono na rys. 8.14. Na tym polega istota działania układu CCD.

A w jaki sposób takie przesuwanie ładunku jest zastosowane jako matryca fotodetektorów? Dla uproszczenia rozważmy najpierw matrycę liniową. Taką liniową strukturę przesuwu ładunku umieszcza się wzdłuż elementów fotodetekcyjnych w taki sposób, żeby jeden fotoelement był sprzężony przez podłoże z każdym z trzech elementów struktury przesuwu, jak na rys. 8.15.

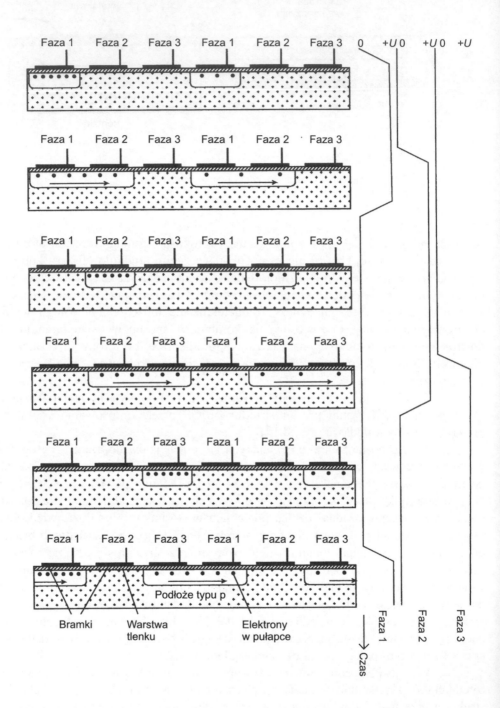

Rys. 8.14 Przesuwanie się paczki ładunku wzdłuż matrycy CCD

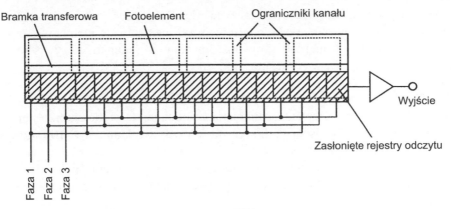

Rys. 8.15 Struktura liniowej matrycy obrazowej CCD

Podczas rejestracji obrazu wszystkie trzy elementy przesuwu CCD są izolowane od fotodetektora przez dodatkową strukturę MOS zwaną bramką transferową. Fotoelement MOS ma potencjał dodatni i gromadzi ładunek fotoelektronów. Ten okres pracy matrycy CCD nazywamy *okresem całkowania*. W celu przesuwania ładunku z fotodetektorów do końca matrycy, doprowadza się potencjał dodatni do bramki transferowej i do jednego z trzech elementów transportowych CCD, podczas gdy zostaje zdjęty potencjał z fotodetektora. To powoduje wprowadzenie elektronów do sieci przesuwu ładunku. Następnie zdejmuje się potencjał z bramki transferowej umożliwiając zbieranie przez fotodetektor następnej paczki ładunku. Jednocześnie w sieci przesuwu ładunku następuje przesuwanie poprzednich porcji ładunku. Sieć przesuwu ładunku jest oczywiście osłonięta od światła, aby zapobiec dalszemu gromadzeniu się fotoelektronów podczas procedury przesuwania ładunku. Opisany proces przesuwania ładunku jest powtarzany i porcje ładunku, kolejno jedna po drugiej, docierają do końca linii przesuwu, gdzie odpowiednie wzmacniacze ładunkowe mogą je przetworzyć na mierzalne napięcia. W ten sposób liniowy obraz przetworzono na zmieniające się w czasie napięcie wyjściowe, które może być rejestrowane i przesyłane.

Chociaż zasada działania takiego układu przesuwu ładunku jest bardzo klarowna, to jednak z jego stosowaniem wiążą się dwa potencjalne problemy. Jednym z nich jest upływ ładunku między elementami matrycy. Rozwiązano go dość szybko po opracowaniu układów CCD i to tak skutecznie, że ładunek może być utrzymywany przez kilka godzin bez znaczącego upływu do sąsiedniego elementu. Drugim, poważniejszym problemem była sprawność przesuwania ładunku od elementu do elementu. Za każdym razem porcja ładunku, przesuwając się wzdłuż matrycy, zostawia za sobą trochę ładunku, a część ładunku jest tracona z powodu absorpcji związanej ze stanami powierzchniowymi na granicy półprzewodnik/tlenek. Nie jest to problemem, gdy matryca składa się tylko z kilku elementów. Jeśli jednak matryca ma długość setek elementów, to strata ładunku, zanim porcja dojdzie do końca matrycy, może być znacząca. Na szczęście sprawności nowoczesnych matryc CCD wynoszą ok. 99,999% dzięki stosowaniu technologii z zagrzebanym kanałem. W tej technologii wprowadza się warstwę implantowanych jonów pod warstwą tlenku, aby wymusić przesuwanie ładunku głębiej w podłożu, a dalej od kłopotliwych stanów powierzchniowych. Jednak przy wyższych częstotliwościach szybkość tego rodzaju przesuwu zaczyna się zmniejszać, ponieważ pełny ładunek w porcji nie może być w całości przesunięty od elementu do elementu zanim zanikną studnie potencjału. Mniejsza sprawność przesuwu ładunku oczywiście powoduje zmniejszenie sygnału, a więc i czułości.

Przykład 1

Pytanie: Jaki procent pierwotnego ładunku zebranego w fotodetektorze najdalszym od wejścia pojawi się na wyjściu, jeśli sprawność przesuwu ładunku w 100 fotoelementach CCD jest równa 99,999%?

Odpowiedź: Najpierw przypomnijmy sobie, że do przeniesienia ładunku są potrzebne trzy elementy transportowe w każdym fotoelemencie, a więc musi nastąpić 300 przesunięć ładunku.

Jeśli przy każdym przesunięciu pozostaje 0,99 999 ładunku pierwotnego, to po 300 przesunięciach pozostanie

$$0,99\ 999^{300} = 0,997$$

czyli pozostaje 99,7% pierwotnego ładunku, co jest wartością zadowalającą.

Ćwiczenie 3

Powtórz obliczenia z przykładu 1 przyjmując sprawność przesuwu ładunku równą 99,9%.

W dwuwymiarowej matrycy fotoelementów stosuje się logiczne rozszerzenie matrycy liniowej, zwane *przesuwem międzyliniowym* (lub międzykolumnowym). Pewna liczba opisanych matryc liniowych może być sprzężona z dodatkową strukturą przesuwu ładunku CCD, która ma wychwytywać sygnały wyjściowe ze wszystkich matryc liniowych w miarę ich pojawiania się na wyjściach, a następnie kierować je do wspólnego wyjścia. Taki układ przedstawiono na rys. 8.16.

Po okresie całkowania ładunki z fotodetektorów są przesuwane do matryc przesuwu pionowego. Do wszystkich tych matryc doprowadza się sygnały taktujące w taki sposób, że ładunek z jednego rzędu fotodetektorów jest przekazywany do matrycy przesuwu poziomego. Następnie do całej poziomej matrycy dochodzą sygnały taktujące, dając liniowy sygnał elektryczny zawierający pierwszą linię obrazu. Po skasowaniu matrycy przesuwu, ładunek z następnego rzędu fotodetektorów, czekający teraz u góry matrycy przesuwu pionowego, jest przekazywany do matrycy przesuwu poziomego. Znowu, dzięki sygnałom taktującym, następuje odtworzenie drugiej linii obrazu. Proces ten trwa do czasu aż ładunki ze wszystkich fotodetektorów zostaną przesłane do jednego wyjścia.

Inną, rzadziej używaną metodą przekazywania ładunków z matrycy do wyjścia jest *przesuw ramki*. W tym przypadku fotodetektory i rejestry przesuwu są połączone w taką samą liniową strukturę MOS z jednym dodatkowym rejestrem służącym do wychwytywania sygnałów wyjściowych ze wszystkich matryc liniowych i kierowania ich do jednego wyjścia. Jak pokazano na rys. 8.17 każda z matryc liniowych jest podzielona na dwie sekcje.

Sekcja odsłonięta rejestruje obraz, podczas gdy sekcja zasłonięta o takiej samej długości służy do przechowywania poprzedniego obrazu. Gdy obraz jest już zarejestrowany, przekazuje się go do sekcji zasłoniętej. Ładunki z tej sekcji można odczytywać podobnie jak w opisanej metodzie przesuwu międzyliniowego.

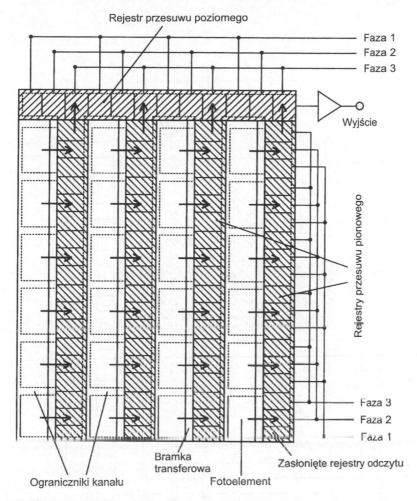

Rejestr przesuwu poziomego

Faza 1
Faza 2
Faza 3

Wyjście

Rejestry przesuwu pionowego

Faza 3
Faza 2
Faza 1

Bramka transferowa

Zasłonięte rejestry odczytu

Ograniczniki kanału

Fotoelement

Rys. 8.16 Dwuwymiarowa matryca obrazowa CCD z przesuwem międzyliniowym

Zaletą metody przesuwu międzyliniowego jest szybkość działania. Ponieważ ładunki ze wszystkich fotodetektorów są jednocześnie przekazywane do rejestrów transportowych, więc okresy całkowania mogą następować bezpośrednio po sobie, dzięki czemu można we właściwym czasie sterować rejestrami transportowymi za pomocą sygnałów taktujących. Jednak istnienie rejestrów przeplatanych z fotodetektorami zmniejsza obszar czynny każdego fotoelementu w matrycy.

W metodzie przesuwu ramki całkowanie musi być zatrzymywane na czas, gdy ładunki są sczytywane z linii fotodetektorów. Jeśli nie zastosowano żadnej przesłony, to w fotodetektorach może następować gromadzenie ładunku podczas procesu jego przekazywania, co powoduje zamazanie obrazu. Jednak ponieważ cała matryca składa się tylko z fotoelementów, więc rozdzielczość jest ogólnie biorąc lepsza niż w równoważnej matrycy z przesuwem międzyliniowym.

Ograniczeniem szybkości odczytu klatek obrazu w matrycach obrazowych CCD jest częstotliwość sygnałów taktujących przesuwu poziomego. Zadaniem pionowych

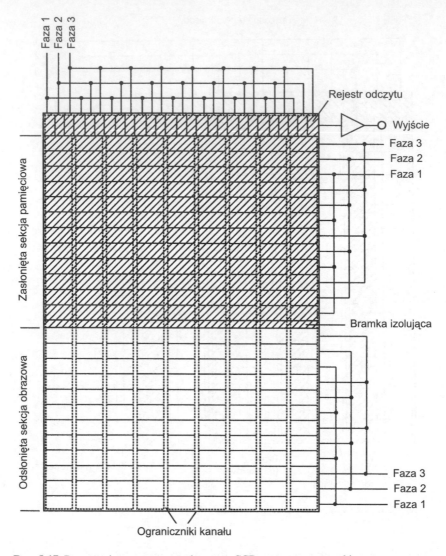

Rys. 8.17 Dwuwymiarowa matryca obrazowa CCD z przesuwem ramki

matryc przesuwu jest tylko przekazywanie danych z szybkością wyznaczoną przez częstotliwość impulsów taktujących matryc przesuwu poziomego, podzieloną przez liczbę elementów pikselowych poziomych. Są wytwarzane matryce o szybkości wyprowadzania danych 30 MHz, lecz czym większa jest matryca, tym dłużej trwa wyprowadzania sygnału z każdego piksela obrazu do wyjścia, a jak już powiedziano, sprawność przesuwu ładunku zmniejsza się przy dużych częstotliwościach sygnałów taktujących. Taka szybkość jest odpowiednia dla rozdzielczości 500×592 pikseli w kamkorderze pracującym z szybkością 25 klatek na sekundę. Są już oferowane matryce 4096×4096, lecz ich koszt jest znaczny. Nawet w przypadku wyprowadzania danych z szybkością 30 MHz, matryca potrzebuje czasu 5,6 s na wyprowadzenie danych dotyczących jednej klatki obrazu. Oczywiście takie duże matryce nie nadają się do sprzętu wideo i innych zastosowań wymagających pracy w czasie rzeczywistym, lecz mogą być stosowane w astronomii lub wojskowych satelitach szpiegowskich, gdzie rozdzielczość przestrzenna jest ważniejsza niż szybkość odczytu.

Ćwiczenie 4

W kamkorderze matryca zbudowana z 500×592 elementów powinna mieć szybkość odczytu 25 klatek obrazu na sekundę. Jaka jest w tym przypadku minimalna niezbędna częstotliwość sygnałów taktujących?

Do głównych zalet matryc CCD należą parametry związane z czułością i szumem. Fotodiody MOS mają wydajność kwantową dochodzącą do 100% dla długości fali bliskich czułości maksymalnej, a jedynym generowanym szumem jest szum termiczny, który można ograniczyć do bardzo małej wartości jednego elektronu na piksel na godzinę, gdy matryca jest schłodzona do temperatury ciekłego azotu (77 K). Stąd bierze się popularność tych urządzeń w takich dziedzinach jak astronomia, gdzie czasy całkowania mogą trwać wiele godzin. Jednak zakres dynamiczny matryc CCD wynosi zwykle ok. $2000 : 1$, co daje obrazy zadowalające w porównaniu z normalnymi metodami fotograficznymi, lecz nie pokrywa pełnego zakresu dynamicznego rejestrowanych scen, który może być równy $100\,000 : 1$ lub więcej. Taki zakres jest, z godną zazdrości łatwością, odbierany przez oko ludzkie. Poprawę zakresu dynamicznego można osiągnąć ochładzając matrycę CCD lub, jeśli to niemożliwe, przez elektroniczne nakładanie pewnej liczby obrazów z tej samej rejestrowanej sceny. Nie są to rozwiązania idealne. Lepsze rozwiązania mogą dać nowopowstające techniki, w których próbuje się naśladować samoregulacyjne zdolności ludzkiego oka na zasadzie piksel po pikselu.

8.6   WZMACNIACZE OBRAZU

Istnieje sporo zastosowań, w których trzeba uzyskiwać obrazy obiektów przy bardzo niskim poziomie światła, np. astronomia lub fotografia nocna. Można je wtedy uzyskiwać stosując matryce CCD i bardzo długie okresy całkowania. Jednak nie daje to możliwości otrzymywania obrazów w czasie rzeczywistym, a uzyskane obrazy mogą być obarczone dużymi szumami wywołanymi przez ciemne prądy termiczne w matrycy CCD, jeśli matryca nie jest chłodzona. Jednym z rozwiązań tego problemu jest zastosowanie *wzmacniacza obrazu*.

Pierwsze wzmacniacze obrazu były dość nieporęcznymi lampami z ogniskowaniem elektronów, takimi jak pokazana na rys. 8.18. Są one zwykle nazywane *lampami pierwszej generacji*. Obraz zogniskowany na fotokatodzie powoduje emisję fotoelektronów proporcjonalną do natężenia światła w danym miejscu obrazu. Elektrony są ogniskowane za pomocą kilku soczewek elektrostatycznych a potem, przed dotarciem do ekranu pokrytego luminoforem, przyśpieszane wysokim potencjałem. Każdy elektron wytwarza w punkcie padania na ekran paczkę fotonów zachowując jednocześnie właściwe zależności przestrzenne wymagane do prawidłowego odtworzenia obrazu pierwotnego. Każdy elektron padający na luminofor może powodować emisję nawet do 2000 fotonów, co daje znaczne wzmocnienie jaskrawości obrazu.

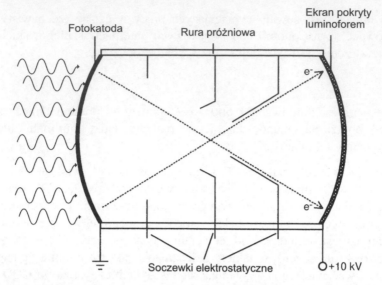

Rys. 8.18 Lampowy wzmacniacz obrazu pierwszej generacji

We współczesnych lampowych wzmacniaczach obrazu drugiej generacji do uzyskania wzmocnienia zastosowano chytre urządzenie zwane płytką mikrokanałową. Płytka mikrokanałowa to po prostu sieć mikroskopijnych szklanych rurek pokrytych warstwą rezystancyjną, o średnicach ok. $10 \div 25$ μm, pochylonych w stosunku do prostopadłej do płytki. Proces zwiększania liczby elektronów zilustrowano na rys. 8.19.

Do ścianek płytki doprowadzono potencjał od 1 kV do 1,5 kV. Elektron wchodzący do lampy „widzi" wysoki potencjał i, przyśpieszany, uderza w ściankę lampy. Powoduje to emisję pewnej liczby elektronów wtórnych, które też są przyśpieszane i uderzają nieco dalej w ścianę lampy. Każdy z tych elektronów powoduje emisję wielu dalszych elektronów i ten proces trwa dalej aż bardzo duża liczba elektronów pojawi się na wyjściu lampy.

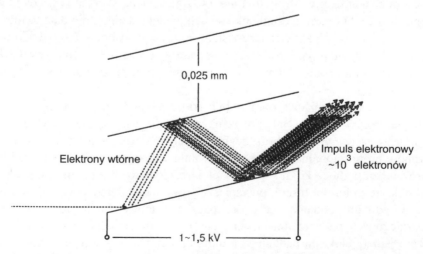

Rys. 8.19 Powielanie elektronów w pojedynczej płytce mikrokanałowej

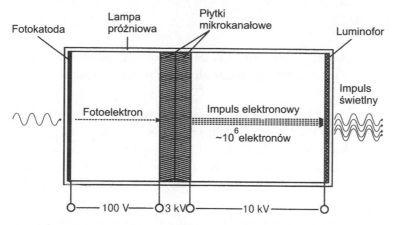

Rys. 8.20 Lampowy wzmacniacz obrazu drugiej generacji

Lampę drugiej generacji przedstawiono na rys. 8.20. W tym przypadku fotoelektrony z fotokatody są przyspieszane bezpośrednio do płytek mikrokanałowych. Stosuje się dwie płytki mikrokanałowe, których rurki są ustawione w kształcie litery V, w celu wzmocnienia sygnału elektronowego. Elektrony wtórne z wyjść płytek mikrokanałowych są przyśpieszane do luminoforu dając paczki fotonów. W tej lampie przestrzenną integralność obrazu otrzymuje się przez wzmacnianie pojedynczych elementów w różnych kanałach płytki mikrokanałowej i stosując silne pola elektryczne, aby utrzymać ruch elektronów wzdłuż osi lampy bez dyspersji. Wzmocnienia lamp mogą być rzędu 10^6, dzięki czemu dają obraz w pozornie prawie zupełnej ciemności.

Są również *lampy trzeciej generacji*, w których stosuje się trzy płytki mikrokanałowe dające wzmocnienia $10^8 \div 10^9$. Są one jednak rzadko stosowane poza laboratoriami naukowymi zajmującymi się badaniami obrazów o bardzo małej jaskrawości lub zliczaniem fotonów.

8.7 PODSUMOWANIE

- Z analizującymi przetwornikami obrazu jest związany dodatkowy parametr zwany rozdzielczością przestrzenną.
- Długą historię mają analizujące przetworniki obrazu oparte na lampach próżniowych. Objaśniono działanie widikonu, plumbikonu i matrycy z diod dyskretnych, przedstawiając stopniową ewolucję tych urządzeń w kierunku techniki używanej obecnie.
- Działanie współczesnych analizujących przetworników obrazu jest oparte na układach o sprzężeniu ładunkowym (CCD) i fotodiodach. Objaśniono, jak takie urządzenia mogą być optymalizowane pod względem maksymalnej sprawności oraz omówiono problemy związane z ograniczeniem częstotliwości taktowania i sprawności przesuwu ładunku.

8.8   ZADANIA

8.1 Matryca CCD zawiera 100×100 fotoelementów w prostokącie o wymiarach $10 \text{ mm} \times 6 \text{ mm}$. Oblicz zdolność rozdzielczą tej matrycy wzdłuż każdej z obu osi prostokąta.

8.2 Kamera służąca do ochrony obiektów ogniskuje oglądany obraz na matrycy CCD o wymiarach $8,5 \text{ mm} \times 8,5 \text{ mm}$ zawierającej 500×592 pikseli za pomocą soczewki szerokokątnej o kącie $78°$. Oblicz kątową zdolność rozdzielczą kamery wzdłuż osi pionowej i poziomej. Zakładając, że obraz z całego pola widzenia jest zogniskowany na matrycy CCD, oblicz kątową zdolność rozdzielczą kamery wzdłuż osi pionowej i poziomej.

8.3 W spektrometrze zastosowano matrycę liniową zawierającą 4096 fotoelementów ustawionych w szeregu, które służą do zbierania widma. Jak długo będzie trwał odczyt całej matrycy, jeśli ładunek z każdego fotoelementu jest zbierany z szybkością 100 kHz?

8.4 Kamera o dużej szybkości rejestracji powinna rejestrować 1000 klatek obrazu na sekundę za pomocą matrycy CCD zawierającej 500×592 elementów. Jaka jest wymagana minimalna szybkość odczytu danych?

8.5 Dane z matrycy liniowej o 2048 fotoelementach są wyprowadzane z szybkością 20 MHz. Sprawność przesuwu ładunku wzdłuż matrycy wynosi $99,99\%$. Jaki procent pierwotnej paczki ładunku pochodzący z najdalszego fotoelementu pojawia się na wyjściu matrycy?

8.6 Sprawność przesuwu ładunku pewnej szczególnej matrycy CCD można opisać wzorem $[1-(f \cdot 1 \cdot 10^{-10})] \cdot 100\%$, gdzie f jest częstotliwością wyprowadzania danych z matrycy. Załóż, że matryca zawiera 250×250 fotoelementów i dane z niej są odczytywane z częstotliwością 10 MHz. Jaki procent pierwotnej paczki ładunku od najdalszego fotoelementu pojawi się na wyjściu?

8.7 Wzmacniacz obrazu jest dołączony do matrycy CCD 100×100 będącej częścią eksperymentu z rozpraszaniem słabego światła laserowego. Urządzenie ma wykrywać rozproszone światło lasera helowo-neonowego pracującego z długością fali 633 nm. Dla tej długości fali fotokatoda wzmacniacza obrazu ma wydajność kwantową 15%. Wzmacniacz obrazu ma wzmocnienie elektronowe 10^6 i luminofor o sprawności konwersji elektron/foton równej 10%. Przy długości fali światła emitowanego przez luminofor, matryca CCD ma wydajność kwantową równą 90%. Szybkość rejestracji matrycy 10 klatek/s, a sprawność przesuwu jest określona wzorem $[1-(f \cdot 1 \cdot 10^{-9})] \cdot 100\%$. Jaki będzie ładunek na wyjściu pochodzący z fotoelementu położonego pośrodku matrycy, jeśli na powierzchnię wzmacniacza obrazu objętą przez jeden fotoelement pada strumień 1000 fotonów na sekundę?

8.8 Powtórz rozwiązanie zadania **8.7** dla szybkości matrycy CCD równej 1000 klatek/s. Czy przy nowym założeniu pojawiły się jakieś problemy?

Literatura

Literatura w języku angielskim

Bardziej szczegółowe informacje o analizujących przetwornikach obrazu i omówionych w rozdziale metodach można znaleźć w następujących książkach:

1. *Mees C.E.K.*: Theory of the Photographic Process. Macmillan, 1971
2. *Bohlman K.J., Price N.*: Close Circuit TV Cameras for Technicians. 1978
3. *Desmond Smith S.*: Optoelectronic Devices. Prentice Hall, 1995
4. *Streetman B.G.*: Solid State Electronic Devices. Prentice Hall, 1990

Literatura uzupełniająca w języku polskim

1. *Rusin M.*: Wizyjne przetworniki optoelektroniczne. WKŁ, Warszawa 1990

9 URZĄDZENIA WYŚWIETLAJĄCE

9.1 WPROWADZENIE

W wielu zastosowaniach systemów optoelektronicznych potrzebne jest wyświetlanie informacji — po zakończeniu realizacji zadania (np. pomiaru) lub podczas jego trwania (jako wskazówka do dalszego przebiegu pomiaru). Dlatego należy rozpatrzyć techniki wyświetlania, które można brać pod uwagę projektując system optoelektroniczny. Wybierając rodzaj techniki wyświetlania uwzględnia się kilka podstawowych wymagań, aby móc dobrać typ wyświetlacza najbardziej odpowiedni do przewidywanego zastosowania. Nie miałoby sensu zaprojektowanie np. przenośnego odtwarzacza CD w taki sposób, aby wymagał ekranu telewizyjnego jako wskaźnika odtwarzanych utworów. Chyba, że chcecie taszczyć ze sobą także przenośny zasilacz! W tym rozdziale zaczniemy od zwrócenia uwagi na kilka problemów, które należy uwzględnić wybierając wyświetlacz, a potem przejdziemy do omówienia samych wyświetlaczy.

9.2 O CZYM TRZEBA POMYŚLEĆ WYBIERAJĄC WYŚWIETLACZ

9.2.1 Napięcie zasilające i pobór mocy

Głównymi kwestiami przy doborze wyświetlacza są: pobierana moc P i napięcie zasilające U. Te wielkości są oczywiście powiązane ze sobą wzorem

$$P = UI \tag{9.1}$$

gdzie: I — prąd pobierany przez urządzenie podczas jego pracy.

Urządzenie, które wymaga dużego napięcia może, mimo to, być zasilane z baterii jeśli pracuje przy małym prądzie, gdyż pobór mocy jest mały. Urządzenie wymagające dużego napięcia i dużego prądu pobiera znaczną moc i niezbędne jest zasilanie sieciowe. Wymagane napięcie zasilania wyświetlacza ma też wpływ na kompatybilność z innymi układami systemu optoelektronicznego. Wyświetlacze zasilane napięciem 40 V mogą być sterowane bezpośrednio z układów ze standardowymi układami scalonymi. Przy napięciach zasilających powyżej 40 V konieczne są interfejsy, co powoduje większy koszt i większe wymiary systemu. Jako urządzenia o małym napięciu zasilającym można traktować te, które są zasilane napięciem od 0,5 do 40 V. Urządzenia o małym prądzie zasilającym to takie, które pobierają prąd rzędu mikroamperów na cm^3 powierzchni czynnej wyświetlacza. Urządzenia o dużym poborze prądu pobierają zwykle prąd rzędu kilku miliamperów na cm^3.

9.2.2 Kontrastowość i skala szarości w wyświetlaczu

Kontrastowość wyświetlacza wskazuje, ile razy obszary rozjaśnione (stan ON) są jaśniejsze niż obszary nie rozjaśnione (stan OFF). *Kontrastowość* oblicza się jako stosunek jaskrawości tych obszarów. Im lepsza jest kontrastowość, tym lepiej widać to, co jest wyświetlane. Można się o tym przekonać samemu, regulując kontrastowość w monitorze komputerowym lub w telewizorze; przy małej kontrastowości obraz jest ledwo widoczny. Można poprawić kontrastowość wyświetlacza nakładając taki filtr, żeby światło z wyświetlacza miało długość fali, na którą oko jest bardzo czułe.

Skala szarości dotyczy zdolności wyświetlacza do dawania nie tylko obrazów o obszarach całkowicie rozjaśnionych (ON) i nie rozjaśnionych (OFF), lecz również o jaskrawościach pośrednich. Ma to znaczenie w wyświetlaczach pokazujących obrazy. Liczba różnych odcieni, którą może pokazywać wyświetlacz między stanami skrajnymi jest nazywana skalą szarości. Można ją obliczyć jako liczbę kroków zmieniających jaskrawość o czynnik $\sqrt{2}$, jakie trzeba wykonać, aby przejść od jednego stanu skrajnego do drugiego.

Przykład 1

Pytanie: Jaskrawość wyświetlacza w stanie ON jest 30 razy większa od jaskrawości w stanie OFF. Jaka jest skala szarości tego wyświetlacza?

Odpowiedź: Aby obliczyć skalę szarości, musimy stwierdzić, w ilu krokach trzeba zmieniać jaskrawość o czynnik $\sqrt{2}$, żeby przejść od jaskrawości minimalnej do maksymalnej. Matematycznie można to wyrazić

$$x\left(\sqrt{2}\right)^n = 30x \qquad \left(\sqrt{n}\right)^n = 30$$

gdzie:

x — jaskrawość w stanie OFF,

n — skala szarości.

Logarytmując obie strony powyższej zależności możemy obliczyć n

$$\log_{10}\left(\sqrt{n}\right)^n = n\log_{10}\sqrt{2} = \log 30 \qquad n = \frac{\log_{10}30}{\log_{10}\sqrt{2}} = 9,8$$

Wartość n musi być l. całkowitą, więc wyświetlacz ma skalę szarości równą 9.

9.2.3 Czas odpowiedzi

Czas odpowiedzi wyświetlacza określa, jak szybko wyświetlacz może przejść do stanu rozjaśnionego (ON) albo do nierozjaśnionego (OFF). Na ogół te dwie wartości nie są sobie równe. Dłuższy z tych dwóch czasów określa całkowitą szybkość działania urządzenia, a więc i zakres jego zastosowań. Na przykład obraz telewizyjny jest aktualizowany 25 razy na sekundę, aby nie było migotania. Jeśli wyświetlacz nie przełącza się wystarczająco szybko, aby nadążyć z taką aktualizacją, to każdy ruch na obrazie jest zamazany, gdyż jedna część obrazu na wyświetlaczu jeszcze nie uległa przełączeniu, gdy w drugiej już nastąpiło przełączenie. W wielu innych zastosowaniach aktualizacja obrazu nie odbywa się tak często, a więc dopuszczalne są dłuższe czasy odpowiedzi. Jeśli wyświetlacz przełącza się do stanu ON lub OFF w czasie $50 \div 100$ ms, to większość ludzi odbiera to jako zmianę natychmiastową.

9.2.4 Jasność

W wyświetlaczach wytwarzających własne światło, zwanych wyświetlaczami aktywnymi, bardziej poprawnie mówi się o *jaskrawości* (luminancji) wyświetlacza określającej natężenie źródła światła z jednostkowej powierzchni, zgodnie z jego odbiorem przez oko ludzkie. Jaskrawość obejmuje też wyświetlacze, których działanie polega na modulowaniu światła padającego. Są to wyświetlacze bierne. Obserwowana jasność w dużym stopniu zależy od warunków stosowania wyświetlacza. Na przykład monitor komputerowy będzie miał dużą jasność, gdy jest używany w ciemnym pomieszczeniu. Gdy znajduje się on koło okna, w słoneczny dzień, przy świetle słonecznym padającym na ekran, trudno na nim cokolwiek zobaczyć, gdyż jaskrawość monitora nie może konkurować z jaskrawością Słońca. Wyświetlacz bierny, na odwrót, nie może pracować w ciemności, gdyż nie pada wtedy żadne światło z otoczenia. W jasnym świetle słonecznym zaś taki wyświetlacz może dać bardzo jasny obraz.

9.2.5 Barwa i sprawność

Barwa w wyświetlaczu zależy od jego zasady działania i od użytych materiałów. Wyróżnia się wyświetlacze czarno-białe, monochromatyczne i kolorowe. Wyświetlacz czarno-biały można przekształcić w kolorowy stosując odpowiednie filtry. Przykładem są kolorowe ciekłokrystaliczne ekrany telewizyjne. *Sprawność* wyświetlacza zależy od tego, jak skutecznie energia elektryczna jest przetwarzana na optyczną, a także od czułości oka na światło uzyskiwane z wyświetlacza. Wyświetlacz może bowiem z dobrą sprawnością przetwarzać energię elektryczną na optyczną, lecz jeśli jego światło mieści się w tej części widma widzialnego, na którą oko jest mało czułe, to całkowita sprawność urządzenia może okazać się mała.

9.2.6 Pamiętanie

Wyświetlacz ma zdolność *pamiętania*, jeśli wyświetlanie pozostaje nadal w stanie ON lub OFF po wyłączeniu napięcia zasilającego. W pierwszej chwili taka cecha wydaje się kłopotliwa, szczególnie w tych zastosowaniach, gdzie wymagany jest krótki czas odpowiedzi. Jednak jeśli wyświetlacz może być przełączany z wystarczającą szybkością, to pamiętanie może być zaletą, gdyż ogranicza ono pobór mocy. Wiele wyświetlaczy wymaga ciągłego zasilania, aby pozostawać w stanie ON lub OFF, podczas gdy w wyświetlaczach z pamiętaniem do przełączania stanu wystarczy krótki impuls napięcia zasilającego, później zasilanie może być odłączone.

9.2.7 Czas życia

Nikt nie chciałby kupić kalkulatora, w którym wyświetlacz pracuje tylko podczas 20 obliczeń, a potem przestaje działać. Zazwyczaj spodziewamy się, że *czas życia* wyświetlacza będzie długi i będzie się liczył raczej w latach niż w miesiącach. Czas życia, czyli trwałość wyświetlacza zależy w dużym stopniu od jego zasady działania i zastosowanych materiałów i obejmuje takie czynniki jak chemiczna stabilność materiałów, odporność na wpływy otoczenia (światło, woda), reakcje uboczne i powstawanie szkodliwych zanieczyszczeń. Niektóre z tych czynników zależą tylko od wieku wyświetlacza, a inne — od liczby włączeń. Na przykład powietrze przenika do próżniowej obudowy niezależnie od tego, czy wyświetlacz jest włączony czy wyłączony. Natomiast obecność zanieczyszczeń w wyświetlaczu ciekłokrystalicznym ma działanie niszczące tylko wtedy, gdy wyświetlacz jest włączony, a więc czas życia wyświetlacza zależy od tego, jak często jest używany.

9.2.8 Inne czynniki

Inne pytanie, jakie zadajemy sobie wybierając wyświetlacz, brzmi: „Jak on jest duży?". Tablica rozkładu jazdy pociągów na dworcu kolejowym ma być czytana przez mnóstwo ludzi ze sporej odległości, a więc taki wyświetlacz nie może mieć średnicy tylko np. 5 cm. Następną właściwością jest ilość informacji, jaka może być wyświetlana jednocześnie. Większość wyświetlaczy nie składa się z jednego elementu, lecz zawiera ich bardzo wiele. Są nazywane segmentami albo pikselami. Gęstość tych elementów na wyświetlaczu decyduje o tym, ile informacji można wyświetlać i jak skomplikowana może być ta informacja. Na przykład jeśli mają być wyświetlane tylko liczby, to można stosować małą gęstość elementów, w przybliżeniu prostokątnych, zwanych segmentami. Jeśli jednak chcemy wyświetlać grafikę, teksty lub obrazy, to konieczna jest większa gęstość (czasem dużą większą) kwadratowych elementów zwanych pikselami.

9.3 REAKCJA OKA

To bardzo ważne, aby czasem sobie przypomnieć, że interfejsem między wyświetlaczem a mózgiem jest oko. Rozważmy więc teraz bardziej szczegółowo, jaka jest reakcja oka na światło. Tego tematu dotknęliśmy już w rozdziale 7.

9.3.1 Ludzkie oko i światło

Światłoczułą częścią oka jest siatkówka (rys. 9.1). Siatkówka zawiera fotoreceptory — pręciki i czopki, pochłaniające padające światło. *Czopki* są czułe na światło tylko w ograniczonym zakresie długości fali. Są trzy rodzaje czopków: czułe na światło niebieskie, czerwone lub zielone. Czopki służą przede wszystkim do percepcji barw i są używane do widzenia dziennego. *Pręciki* pochłaniają światło w znacznym szerszym zakresie długości fali i są znacznie czulsze niż czopki. Używamy ich głównie do widzenia nocnego. Światło wchodzące do oka wzdłuż jego osi jest ogniskowane przez rogówkę i soczewkę w obszarze w pobliżu środka siatkówki zwanym *plamką żółtą*. Plamka żółta ma średnicę 200 μm i zawiera tylko czopki o bardzo dużej gęstości. Poza

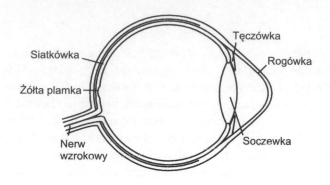

Rys. 9.1 Budowa oka

plamką żółtą są tylko pręciki. To właśnie dlatego, przy słabym oświetleniu, jeśli patrzymy na wprost na jakiś obiekt, to wydaje nam się, że on znika; gdy zaś spojrzymy z boku, widzimy go wyraźnie. Przesuwamy wtedy punkt ogniskowania w oku z plamki żółtej zawierającej tylko czopki i praktycznie prawie ślepej na słabe światło, do innej części siatkówki zawierającej bardzo czułe pręciki.

Ważną cechą reakcji pręcików i czopków na światło jest jej nieliniowość. To znaczy na przykład, że światło czerwone o mocy 1 mW nie wydaje się tak jaskrawe jak światło zielone o mocy 1 mW. Przypominamy sobie z rozdziału 7, że rozpatrując reakcję oka musimy stosować inne wielkości i jednostki pomiarowe niż najczęściej stosowane wielkości bezwzględne. Potrzebny jest system wielkości uwzględniający charakterystykę czułości oka, energię światła padającego i oparty na jednostkach fotometrii wizualnej, zwanych jednostkami świetlnymi.

9.3.2 Jednostki świetlne i energetyczne

Stosujemy zazwyczaj system wielkości pomiarowych oparty na fizycznej wielkości mocy (patrz p. 7.3), która jest energią emitowaną ze źródła w ciągu sekundy. W fotometrii wizualnej równoważnikiem mocy jest strumień świetlny powiązany z energetycznym strumieniem świetlnym zależnością

$$\Phi_v = K_m \int_{380}^{760} \Phi_e(\lambda)V(\lambda)\,d\lambda \qquad (9.2)$$

gdzie:

Φ_v — całkowity strumień świetlny,

Φ_e — energetyczny strumień świetlny (moc) dla długości fali λ,

$V(\lambda)$ — czułość oka dla długości fali λ,

K_m — maksymalna widmowa wydajność świetlna.

W jasnym świetle maksymalna wydajność K_m występuje przy długości fali 555 nm i wynosi wtedy 680 lm/W. W słabym świetle maksimum występuje dla 510 nm i wzrasta do 1746 lm/W, co wyraża większą czułość pręcików. Równanie (9.2) wygląda raczej zniechęcająco, lecz korzystanie z niego jest proste. Na przykład, aby obliczyć strumień świetlny źródła emitującego światło o jednej długości fali, trzeba pomnożyć moc źródła (w watach) przez względną czułość oka dla tej długości fali, a potem uzyskany wynik pomnożyć przez odpowiednią wartość K_m.

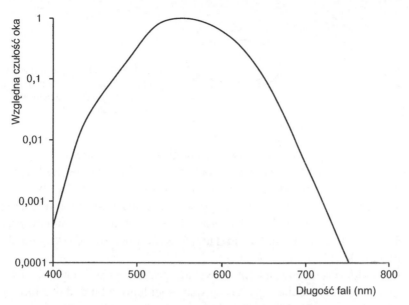

Rys. 9.2 Zależność względnej czułości oka w funkcji długości fali dla światła jasnego

Zmiany względnej czułości oka V w funkcji długości fali dla jasnego światła pokazano na rys. 9.2. Zwróćmy uwagę, że na osi y zastosowano skalę logarytmiczną. Łatwo stwierdzić, że oko jest ponad tysiąc razy mniej czułe na krańcach widma widzialnego niż pośrodku. Wykresy czułości naszych oczu mogą się nieco różnić od przedstawionego na rysunku, lecz ogólny kształt wykresu pozostaje taki sam.

Wielkości świetlne są potrzebne dlatego, że dwa źródła światła o takim samym strumieniu świetlnym będą odbierane przez oko jako jednakowo jaskrawe chociaż moce (energetyczne strumienie świetlne) każdego ze źródeł mogą być różne.

Ćwiczenie 1

W panelu sterującym pewnego urządzenia elektronicznego zastosowano czerwone i zielone diody elektroluminescencyjne do wskazywania stanu sterowanego urządzenia. Ze względów bezpieczeństwa jest ważne, aby oko odbierało świecenie diod jako jednakowo jasne. Projektant systemu użył diod zielonych dających światło o długości fali 550 nm i czerwonych — 650 nm. O ile większą od zielonych moc muszą mieć czerwone diody elektroluminescencyjne, aby świecenie obu wydawało się jednakowo jasne? (Względna czułość oka przy długości fali 550 nm jest równa 0,995, a przy 650 nm wynosi 0,107).

9.4 WYŚWIETLACZE CIEKŁOKRYSTALICZNE

Spośród wszystkich znanych technik wyświetlaczy biernych modulujących światło padające z otoczenia z pewnością największy sukces odniosły *wyświetlacze ciekłokrystaliczne* LCD (ang. *liquid crystal displays*). Czym więc jest ciekły kryształ? Jesteśmy przyzwyczajeni do faktu istnienia trzech stanów materii: stałego, ciekłego i gazowego.

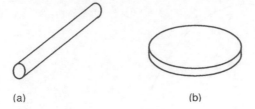

(a)   (b)

Rys. 9.3 Kształty geometryczne cząsteczek tworzących stany ciekłokrystaliczne:
a — cząsteczka w kształcie pręta,
b — w kształcie tarczy

Stan ciekłokrystaliczny jest dodatkowym stanem materii, pośrednim, jak twierdzą niektórzy, między fazą krystaliczną stanu stałego a cieczą. Nie wszystkie substancje mogą występować w takim stanie pośrednim. Zazwyczaj muszą to być substancje zbudowane z cząsteczek, które są geometrycznie w znacznym stopniu anizotropowe. To oznacza, że są to cząsteczki o kształcie bardzo długich, cienkich prętów lub szerokich, płaskich tarcz, albo mogą się łączyć w zespoły o tych kształtach, przedstawionych na rys. 9.3.

Stan ciekłokrystaliczny można uzyskać podgrzewając odpowiedni materiał będący w stanie stałym lub ochładzając go ze stanu ciekłego, albo dodając lub odejmując rozpuszczalnik, np. wodę. Te substancje, które stają się ciekło-krystaliczne w wyniku zmiany temperatury są nazywane *ciekłymi kryształami termotropowymi*. Te zaś, które wymagają zmiany stężenia rozpuszczalnika to ciekłe kryształy *liotropowe*. Ze względów praktycznych we wszystkich wyświetlaczach stosuje się ciekłe kryształy termotropowe.

9.4.1 Uporządkowanie cząsteczek w ciekłych kryształach

W krysztale molekularnym cząsteczki charakteryzują się uporządkowaniem dalekiego zasięgu, zarówno pod względem kierunku ustawienia jak i położenia. To znaczy, że możemy przewidzieć kierunek ustawienia wszystkich cząsteczek w ciele stałym, jeśli znamy kierunek ustawienia i położenie jednej cząsteczki i wiemy trochę o krystalicznej strukturze tego ciała. W cieczy jednak takie przewidywanie nie jest możliwe. Informacja o kierunku ustawienia i położeniu jednej cząsteczki niczego nie mówi o kierunku ustawienia i położeniu wszystkich innych cząsteczek. Jest tak dlatego, gdyż w cieczach nie występuje uporządkowanie dalekiego zasięgu. A co się dzieje w ciekłym krysztale?

Są dwa główne rodzaje ciekłych kryształów termotropowych — *chiralne* i *niechiralne*, a każdy z nich ma dwie główne fazy — nematyczną i smektyczną. Jak to wynika z rys. 9.4, faza nematyczna jest bliższa stanowi ciekłemu. W ciekłych kryształach nematycznych niechiralnych cząsteczki mają uporządkowanie kierunkowe dalekiego

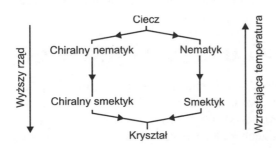

Rys. 9.4 Przejście od cieczy do ciała stałego poprzez stan ciekłokrystaliczny

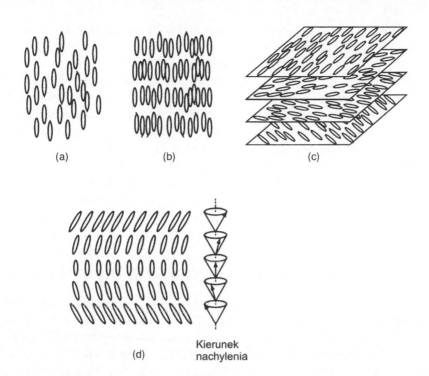

(a)   (b)   (c)

(d)   **Kierunek nachylenia**

Rys. 9.5 Schematy struktury ciekłych kryształów:
a — niechiralnych nematycznych, *b* — niechiralnych smektycznych, *c* — chiralnych nematycznych, *d* — chiralnych smektycznych (smektycznych C*)

zasięgu, co oznacza że wszystkie są zwrócone w przybliżeniu w tym samym kierunku (rys. 9.5*a*). Nie mają one jednak uporządkowania dalekiego zasięgu pod względem położenia, nie możemy więc niczego powiedzieć o tym, gdzie się znajdują w stosunku do siebie. Z drugiej zaś strony, smektyczne kryształy ciekłe mają uporządkowanie położeniowe. Istnieje 11 różnych rodzajów ciekłych kryształów smektycznych, niektóre mają więcej niż jedną postać. W kryształach smektycznych cząsteczki tworzą warstwy. Wszystkie cząsteczki w jednej warstwie są zwrócone w przybliżeniu w tym samym kierunku (rys. 9.5*b*). Dzięki strukturze warstwowej nawet najbardziej nieuporządkowany kryształ smektyczny ma pewne uporządkowanie pod względem położenia i to właśnie uporządkowanie w warstwach jest podstawą klasyfikacji kryształów smektycznych.

Chiralne fazy ciekłokrystaliczne występują tylko w cząsteczkach mających trwały poprzeczny moment dipolowy. W cząsteczce o takim momencie dipolowym środek ładunku dodatniego cząsteczki nie znajduje się w tym samym miejscu, co środek ładunku ujemnego i jest poza osią cząsteczki. Nematyczne kryształy chiralne są też nazywane ciekłymi kryształami cholesterycznymi, ponieważ pierwszymi odkrytymi związkami nematycznymi chiralnymi były estry cholesterolu. Mają one, tak jak nematyki niechiralne, tylko uporządkowanie pod względem kierunku. Jednak, w miarę przesuwania się przez warstwy kryształu, kierunek ustawienia cząsteczek w każdej warstwie podlega rotacji (rys. 9.5*c*). Istnienie tych warstw nadaje ciekłym kryształom cholesterycznym jedną z ich najbardziej znanych właściwości — zależność barwy od temperatury.

Omawiane kryształy są stosowane m.in. we wskaźnikach temperatury. Barwa jest wywołana selektywnym odbiciem światła, a jej zależność od temperatury wynika z zależnego od temperatury rozdzielania warstw.

Istnieją też *kryształy chiralne smektyczne*. W niechiralnych smektykach z nachyleniem cząsteczek (smektyki typu C — *przyp. tłum.*) kierunek nachylenia w kolejnych warstwach jest taki sam. Jednak w chiralnych kryształach tego rodzaju kierunek nachylenia ulega precesji wokół stożka, którego wierzchołek jest podstawą cząsteczki (rys. 9.5*d*). Ważna cecha występująca w niektórych smektykach chiralnych, a najwyraźniej w smektykach C*, polega na tym, że w obszarze każdej warstwy występuje pewien stały wypadkowy moment dipolowy. Nie jest to właściwością wszystkich chiralnych ciekłych kryształów, gdyż zwykle cząsteczki łączą się w pary w taki sposób, że wypadkowy moment dipolowy jest równy zeru. Jak się dowiemy z dalszej części tego rozdziału, wymieniona właściwość smektyków C* czyni je użytecznymi w wyświetlaczach.

9.4.2 Wyświetlacze z nematycznymi kryształami ciekłymi

Większość ciekłych kryształów obecnie stosowanych to *kryształy nematyczne*, a zwłaszcza kryształy o strukturze *nematycznej skręconej* (*TN* — ang. *twisted nematic*). Budowę wyświetlacza z ciekłym kryształem przedstawiono w sposób uproszczony na rys. 9.6. W większości wyświetlaczy do zbudowania komórki ciekłokrystalicznej stosuje się szkło, które jest dość mocne mechanicznie, a także może być bardzo płaskie, dzięki czemu utrzymuje się stały odstęp między dwiema płytkami szklanymi. Jest to istotne, gdyż czas odpowiedzi τ wyświetlacza z ciekłym kryształem nematycznym jest proporcjonalny do d^2, gdzie d jest grubością komórki ciekłokrystalicznej. Jeśli grubość komórki zmienia się w różnych miejscach jej powierzchni, to czas przełączania zmienia się zależnie od połączenia i przełączanie będzie rozciągnięte w czasie. Wtedy narzekalibyśmy, że jest to element słabej jakości.

Rys. 9.6 Podstawowa struktura wyświetlacza ciekłokrystalicznego

Przykład 2

Pytanie: Wyświetlacz ciekłokrystaliczny wykonano przy użyciu szkła, które nie jest idealnie płaskie. W wyniku tego występuje 10% zmiana grubości ciekłego kryształu w obrębie jego powierzchni. Oblicz, o ile szybciej będzie następowało przełączanie w obszarze, gdzie grubość jest najmniejsza w porównaniu z obszarem o największej grubości.

Odpowiedź: Jeśli najmniejszą grubość oznaczymy przez d, to największa będzie $1{,}1d$. Wiemy, że czas odpowiedzi τ jest proporcjonalny d^2, więc

$$\frac{\tau_{min}}{\tau_{max}} = \frac{d^2}{(1{,}1d)^2} = 0{,}83$$

A zatem czas przełączania w obszarze najcieńszym jest o 17% krótszy niż w obszarze najgrubszym.

Wewnętrzne powierzchnie płytek szklanych są pokryte cienką warstwą materiału przewodzącego. Zwykle jest to tlenek indu, tlenek cyny lub tlenek indowo-cynowy (*ITO*). Warstwa jest tak cienka, że prawie całkowicie przezroczysta, jej przezroczystość przekracza 90%. Warstwa materiału przewodzącego jest niezbędna, gdyż przełączanie komórek ciekłokrystalicznych następuje przez doprowadzanie do nich napięcia. Takie przełączanie nosi nazwę zjawiska Freedericksza. Pierwszy raz zaobserwował je Freedericksz ze współpracownikami w 1933 roku. Zjawisko polega na tym, że w cząsteczce ciekłego kryształu łatwiej jest spowodować ruch elektronów w jednym uprzywilejowanym kierunku niż w innych kierunkach. Na przykład w cząsteczce o kształcie pręta (rys. 9.3a) elektrony mogą łatwiej poruszać się wzdłuż osi cząsteczki niż w kierunku prostopadłym do tej osi. Jeśli przyłożyć pole elektryczne prostopadle do osi cząsteczki, to cząsteczka natychmiast ulegnie samoistnej reorientacji w taki sposób, że oś łatwego ruchu elektronów stanie się równoległa do kierunku pola.

W praktyce, nie mamy oczywiście jednej odizolowanej cząsteczki, lecz jest ich wiele, a w komórce ciekłokrystalicznej znajdują się one między szklanymi płytkami. Tak więc zachowanie się jednej cząsteczki zależy nie tylko od przyłożonego pola zewnętrznego, ale również od wpływu cząsteczek sąsiednich i innych sił, np. występujących między cząsteczkami i powierzchniami szklanymi. Można wyróżnić trzy główne wpływy:

1. Przyłożone pole musi przekraczać wartość minimalną, żeby mogła nastąpić reorientacja. Poniżej tej wartości siły reorientujące spowodowane przyłożonym polem są mniejsze od sił wiążących cząsteczki w ich normalnym położeniu. To pole minimalne, zwane krytycznym E_c jest określone wzorem

$$E_c = \frac{\pi}{d}\left(\frac{k}{\Delta\varepsilon\varepsilon_0}\right)^{1/2} \qquad (9.3)$$

lub korzystając z zależności

$$E = U/d,$$

gdzie: U — przyłożone napięcie, otrzymamy

$$U_c = \pi\left(\frac{k}{\Delta\varepsilon\varepsilon_0}\right)^{1/2} \qquad (9.4)$$

gdzie:
$\Delta\varepsilon = \varepsilon_p - \varepsilon_n$,
k — moduł sprężystości.
Parametry ε_p i ε_n wyrażają łatwość poruszania się elektronów równolegle (ε_p) i prostopadle (ε_n) do osi cząsteczki, ε_0 jest przenikalnością elektryczną próżni ($8,85 \cdot 10^{-12}$ F·m^{-1}). Dla określonego ciekłego kryształu w danej temperaturze wartości k i $\Delta\varepsilon$ są stałymi.

2. Maksymalny kąt reorientacji, dla określonego pola spełniającego warunek $E > E_c$, zależy od równowagi między siłą reorientującą przyłożonego pola i siłą przywracającą wywołaną przez pola wewnętrzne. W praktyce oznacza to, że pole przyłożone E musi być co najmniej dwa razy większe od pola krytycznego E_c.

3. Cząsteczka nie może się reorientować nieskończenie szybko, ponieważ jej ruch jest hamowany przez sąsiednie cząsteczki. Inaczej mówiąc czas odpowiedzi zależy od lepkości układu i może być obliczony ze wzoru

$$\tau_r = \frac{\gamma d^2}{k\pi^2}\left[\left(\frac{U}{U_c}\right)^2 - 1\right]^{-1}; \quad \tau_f = \frac{\gamma d^2}{k\pi^2} \tag{9.5}$$

gdzie:

γ — lepkość ciekłego kryształu,

τ_f — czas opadania

τ_r — czas narastania;

czyli czasy odpowiedzi po przyłożeniu i po usunięciu pola elektrycznego. Dla danego kryształu i określonej temperatury wartość γ jest stała.

Ważne jest zwrócenie uwagi na fakt, że urządzenia ciekłokrystaliczne mogą pracować ze stałym napięciem. Jednak, jeśli w komórce ciekłokrystalicznej występują zanieczyszczenia jonowe, to napięcie stałe spowoduje ich natychmiastowe zniszczenie. Z tego powodu nematyczne komórki ciekłokrystaliczne są zwykle zasilane napięciem zmiennym na zerowym poziomie napięcia stałego, o częstotliwości w obszarze między 1 i 20 kHz. W tym przypadku do wszelkich obliczeń stosuje się wartość skuteczną napięcia.

Ćwiczenie 2

Komórka ciekłokrystaliczna, o grubości 14 μm, jest wypełniona ciekłym kryształem nematycznym o lepkości 0,053 N·s·m^{-2}. Jeśli moduł sprężystości wynosi $4,1 \cdot 10^{-12}$ N oraz $U_C = 0,6$ V (wartość skuteczna), oblicz czasy narastania i opadania po przyłożeniu napięcia 2 V (wartość skuteczna).

Ostatnią warstwą, przy samym ciekłym krysztale, jest warstwa ustawiająca. Jeśli nie uczyniono niczego w celu ustawienia cząsteczek w komórce ciekłokrystalicznej, to cząsteczki próbują stworzyć strukturę domenową, gdzie uporządkowanie kierunkowe ma charakter lokalny w domenach, lecz nie ma żadnej zależności między uśrednionym kierunkiem ustawienia cząsteczek w sąsiadujących domenach.

Jak się dowiemy, działanie urządzeń ciekłokrystalicznych typu TN (nematycznych skręconych) wymaga, żeby wszystkie cząsteczki były skierowane w tym samym kierunku. Trzeba więc coś zrobić, aby zapewnić wspólne ukierunkowanie w obszarze wyświetlacza. Uporządkowanie cząsteczek można uzyskać w prosty sposób pocierając wewnętrzną powierzchnię szkła, aby stworzyć na niej zarysowania (rys. 9.7). Wtedy cząsteczki układają się raczej wzdłuż zarysowanych rowków niż w poprzek nich. Ułożenie wzdłuż rowków wymaga bowiem mniej energii. Chociaż taki sposób jest dobry do wytwarzania wyświetlaczy w małej skali produkcji, to nie nadaje się do produkcji masowej. Przy użyciu tej techniki trudno bowiem zapewnić jednolitą jakość wyrobów, poza tym jest to technika — z natury rzeczy — „brudna", na szkle mogą pozostawać

Rys. 9.7 Wprowadzenie zarysowanych rowków w celu jednolitego ułożenia cząsteczek w obszarze wyświetlacza; ukierunkowania wymagające

1 — większej, *2* — mniejszej energii

cząstki pyłu wywołujące zmianę kierunku ustawienia cząsteczek. Z tego względu w wyświetlaczach produkowanych masowo często stosuje się warstwy ustawiające, naparowywane na powierzchnie szklaną. Wtedy struktura warstwy ustawiającej pełni rolę zarysowań.

Ostatnią częścią konstrukcji komórki jest przekładka dystansująca. Określa ona grubość warstwy ciekłego kryształu i pomaga ustalić jednakową grubość na całej powierzchni wyświetlacza. Przekładki dystansujące są wykonywane ze szkła lub plastyku w granulkach lub substancji włóknistej rozproszonej w szczeliwie, np. w lepiszczu epoksydowym sklejającym razem dwie płytki szklane i uszczelniającym komórkę ciekłokrystaliczną.

9.4.3 Komórka ciekłokrystaliczna ze skręconym kryształem nematycznym (TN)

Wyświetlacz ciekłokrystaliczny pracuje na zasadzie modulacji światła padającego. Opisana komórka ciekłokrystaliczna o bardzo prostej budowie nie jest odpowiednia do praktycznego zastosowania w wyświetlaczach, ponieważ jej właściwości optyczne są takie same w stanie włączenia i wyłączenia. Inaczej zachowuje się pod tym względem komórka z kryształem nematycznym skręconym. Jej właściwości optyczne zależą od stanu włączenia lub wyłączenia. W *komórce ciekłokrystalicznej nematycznej skręconej* (TN) podłoża szklane są tak ustawione, że kierunek rowków z jednej strony jest prostopadły do ich kierunku na powierzchni z drugiej strony. Jak wynika z rys. 9.8a, gdy wypełni się komórkę ciekłym kryształem, to cząsteczki blisko szkła ustawią się zgodnie z rowkami, a między dwiema powierzchniami szklanymi kierunek ustawienia cząsteczek stopniowo się obraca o kąt 90°. Właśnie to skręcenie daje kryształom ich nazwę. Gdy do ciekłego kryształu zostanie przyłożone napięcie większe od krytycznego, to cząsteczki ustawiają się zgodnie z tym napięciem i nie ma już skręcenia kierunku ustawienia, jak to zilustrowano na rys. 9.8b.

Zastanówmy się teraz, jak takie działanie może być wyzyskane w praktyce. Można spolaryzować światło wchodzące do urządzenia w taki sposób, żeby płaszczyzna drgań wektora pola elektrycznego była równoległa do osi cząsteczek znajdujących się w pobliżu powierzchni szkła od strony padania światła. W miarę propagacji światła przez komórkę ciekłokrystaliczną jego płaszczyzna polaryzacji obraca się w miarę obrotu

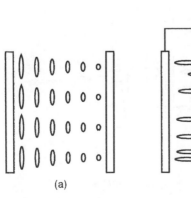
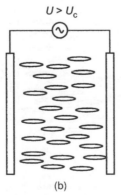

$U > U_c$

(a) (b)

Rys. 9.8 Ustawienie cząsteczek w komórce ciekłokrystalicznej nematycznej skręconej (TN): *a* — bez przyłożonego napięcia, *b* — z przyłożonym napięciem $U > U_c$

kierunku ustawienia cząsteczek. Światło wychodzące ma więc płaszczyznę polaryzacji przesuniętą o 90° w stosunku do światła padającego. Możemy teraz postąpić na jeden z dwóch sposobów z polaryzatorem na wyjściu (zwanym analizatorem): możemy go tak ukierunkować, żeby jego kierunek polaryzacji był równoległy do kierunku polaryzacji polaryzatora na wejściu, wtedy zatrzymuje on światło wychodzące z komórki albo możemy obrócić analizator w taki sposób, aby jego kierunek polaryzacji różnił się o 90° w stosunku do kierunku polaryzatora wejściowego (kierunki skrzyżowane ze sobą). W tym drugim przypadku, przedstawionym na rys. 9.9a, polaryzator wyjściowy przepuszcza światło wychodzące z komórki.

Kiedy w wyniku przyłożenia napięcia następuje przełączenie komórki ciekłokrystalicznej, wtedy utrata właściwości skręcania kierunku ustawienia cząsteczek powoduje, że ustaje też skręcanie kierunku polaryzacji światła w krysztale. Wówczas kierunek polaryzacji światła na wyjściu z kryształu jest taki sam jak na wejściu. To znaczy, że światło w ogóle nie jest przepuszczane za analizatorem, jeśli polaryzator na wejściu i analizator są skrzyżowane (rys. 9.9b). Po usunięciu przyłożonego napięcia cząsteczki powracają do swych stanów przed przełączeniem, światło jest przepuszczane i cały proces można powtórzyć. Teraz staje się jasne, dlaczego tak ważne jest ustawienie cząsteczek. Do właściwej pracy urządzenia jest konieczne staranne ustawienie polaryzatorów, a byłoby ono niemożliwe w stosunku do cząsteczek ukierunkowanych w sposób przypadkowy w całej komórce.

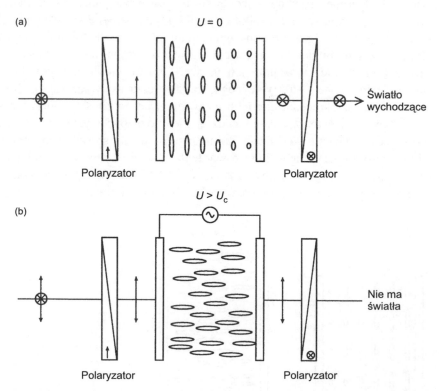

Rys. 9.9 Działanie wyświetlacza TN:
a — bez przyłożonego napięcia, b — z przyłożonym napięciem $U > U_c$

W praktyce, w urządzeniach TN nie stosuje się oddzielnych polaryzatorów i analizatorów — są one jako część budowy komórki przymocowane do zewnętrznych powierzchni szklanych. Na pewno już się zorientowaliście, że komórki ciekłokrystaliczne omawianego rodzaju w swej większości nie są urządzeniami przepuszczającymi światło. Oglądamy światło odbite od takiego wyświetlacza. Wyświetlacz transmisyjny (z przepuszczaniem światła) można łatwo przekształcić w wyświetlacz refleksyjny (z odbiciem światła) przez dodanie powierzchni odbijającej za analizatorem. Jeśli jest potrzebny wyświetlacz kolorowy, można dodać barwne filtry. Typowe wyświetlacze z kryształami nematycznymi skręconymi (typ TN) przełączają się przy napięciu 5 V i mają czasy odpowiedzi ok. 20 ms w temperaturze 20° C.

Praca własna

Jedną z interesujących właściwości wyświetlaczy typu TN jest tzw. zjawisko „odskoku". Przy przełączeniu komórki ciekłokrystalicznej przepływ w komórce powoduje, że cząsteczki położone blisko środka przeskakują za daleko (przy włączeniu napięcia) lub powracają w niewłaściwy sposób (przy wyłączeniu napięcia). Zjawisko to można zaobserwować przyglądając się dokładnie wyświetlaczowi ciekłokrystalicznemu. Nie patrzcie na wyświetlacz na wprost, lecz pod dość ostrym kątem i wybierajcie taką część wyświetlacza, która jest regularnie przełączana. Wykorzystajcie na przykład zegarek z wyświetlaczem ciekłokrystalicznym i popatrzcie w nim na kropkę, która przełącza się co sekundę. Podczas przełączania wyświetlacza jaskrawość świecenia nie zmienia się stopniowo, lecz migocze.

9.4.4 Sterowanie wyświetlaczami TN

Sterowanie wyświetlaczami ciekłokrystalicznymi nie jest trudne, gdyż pracują one przy małych napięciach i pobierają niewiele prądu. Złożoność układu sterującego zależy w znacznym stopniu od typu wyświetlacza.

9.4.4.1 Wyświetlacze segmentowe

Najpopularniejszym rodzajem wyświetlaczy ciekłokrystalicznych są *wyświetlacze segmentowe*. W takim wyświetlaczu elektrody napylone na powierzchni szkła są tak wytrawione, że tworzą odpowiednie elementy obrazowe (segmenty). Zwykle na jednej napylonej warstwie są wytrawione wzory segmentów, a na drugiej prostszy wzór działający jako wspólna elektroda dla całego wyświetlanego znaku (np. cyfry). Na rys. 9.10a przedstawiono wytrawione wzory segmentów wyświetlacza 7-segmentowego. Napięcie jest doprowadzane do właściwych segmentów, żeby spowodować włączenie tej części wyświetlacza i wyświetlanie cyfr od 0 do 9.

W wyświetlaczach o małej całkowitej liczbie segmentów każdy segment jest osobno sterowany i ma oddzielny układ sterujący. W wyświetlaczach z kryształami nematycznymi, aby wyświetlacz był w stanie włączenia, trzeba stale utrzymywać napięcie. To napięcie musi mieć postać przebiegu zmiennego na zerowym poziomie napięcia stałego, aby uniknąć zniszczenia komórki ciekłokrystalicznej. Typowe przebiegi sterujące przedstawiono na rys. 9.10b. Na ogół do sterowania stosuje się przebieg

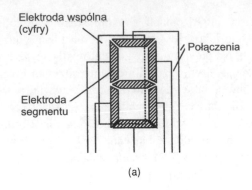

(a)

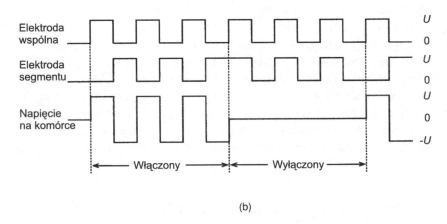

(b)

Rys. 9.10 Ciekłokrystaliczny wyświetlacz siedmiosegmentowy:
a — elektrody tworzące wzory segmentów, *b* — przebiegi napięć do bezpośredniego sterowania wyświetlaczem

o częstotliwości od 1 do 20 kHz. Zarówno segment jak i elektroda wspólna są sterowane przebiegami o tej samej polaryzacji. Kiedy segment ma być włączony, to przebiegi te są przesuwane o 180°, a jeśli ma być wyłączony, to przebiegi są w fazie. Przykładami urządzeń sterowanych bezpośrednio są wyświetlacze w zegarach i zegarkach.

W wyświetlaczach zawierających bardzo wiele segmentów, np. w kalkulatorach, wielka liczba połączeń i elementów stosowanych do sterowania zaczyna być bardzo kłopotliwa. W tym przypadku do sterowania korzysta się z techniki multipleksowania. Rozważmy na przykład 12-cyfrowy wyświetlacz 7-segmentowy, którego część przedstawiono na rys. 9.11*a*. Zamiast dołączania poszczególnych segmentów do ich własnych układów sterujących, każdy segment jest połączony z szyną wspólną dla tych samych segmentów we wszystkich 12 wyświetlanych cyfrach. Te szyny na rys. 9.11*a* oznaczono $Y_1 \div Y_7$. Każda z elektrod wspólnych (dla danej cyfry) ma swoje połączenie. Połączenia te oznaczono jako $X_1 \div X_{12}$. W ten sposób liczbę połączeń w całym wyświetlaczu zredukowano z 96 (osiem na każdą cyfrę) do 19. Liczbę układów sterujących można zmniejszyć sterując wspólne elektrody z jednego układu. Jest to tzw. *sterowanie z podziałem czasowym*, przedstawione na rys. 9.11*b*. Dodatnia część przebiegu sterującego

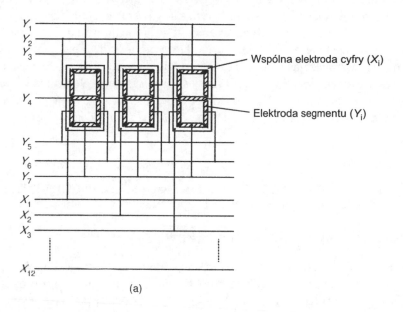

Wspólna elektroda cyfry (X_i)

Elektroda segmentu (Y_i)

(a)

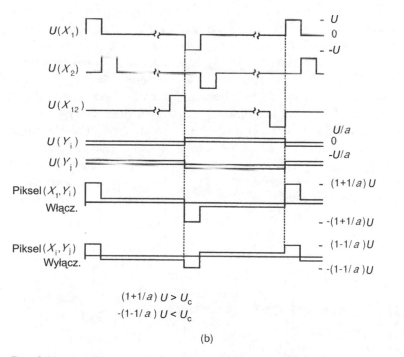

$(1+1/a)\,U > U_c$

$-(1-1/a)\,U < U_c$

(b)

Rys. 9.11 Multipleksowane sterowanie wyświetlaczem segmentowym:
a — sposób połączenia elektrod, *b* — przebiegi napięć

jest doprowadzona kolejno do każdej ze wspólnych elektrod, później jest doprowadzana ujemna część przebiegu itd. Segment zostaje włączony, gdy napięcie o właściwej polaryzacji pojawia się na nim w tym samym czasie, co napięcie na elektrodzie wspólnej.

Problem w wyświetlaczach tego rodzaju stanowi to, że pewne napięcia są doprowadzane także do segmentów, które nie mają być przełączane. Chociaż te napięcia nie są wystarczające do całkowitego przełączenia, to może następować przełączanie częściowe zmniejszając kontrastowość wyświetlania. Jest to tzw. *przenikanie sygnału*. Można zastosować bardzo dokładnie wyliczone wartości napięć, aby uzyskać maksymalną kontrastowość, lecz przy liczbie połączeń X i Y przekraczającej 200 nie można uniknąć przenikania.

Ćwiczenie 3

Wyjaśnij, nie zaglądając do książki, dlaczego w dużych wyświetlaczach stosuje się sterowanie z multipleksowaniem i z podziałem czasowym.

9.4.4.2 Wyświetlacze mozaikowe

Głównym mankamentem *wyświetlaczy segmentowych* jest mała elastyczność ich zastosowań. Wyświetlacz raz zaprojektowany i wytrawiony, może być stosowany tylko do jednego specyficznego celu. Większą elastycznością pod tym względem charakteryzują się wyświetlacze mozaikowe, gdyż zawierają siatkę małych pikseli, które można przełączać tworząc znaki, grafikę i obrazy wideo. W takim wyświetlaczu elektroda znakowa (odpowiednik segmentowej) jest szeregiem pasków, przy czym paski na jednej płytce szklanej są prostopadłe do pasków na drugiej. Przełączające się komórki zwane pikselami tworzą się w tych miejscach, gdzie paski nakładają się na siebie (rys. 9.12a).W praktyce nie da się łatwo sterować wyświetlaczami mozaikowymi za pomocą układów z multipleksowaniem, ze względu na liczbę elementów niezbędną do uzyskania zadowalającej rozdzielczości. Można ominąć tę trudność dzieląc wyświetlacz na dwie lub więcej sekcji i sterując każdą z nich stosując technikę multipleksowania. Jest to jednak dość skomplikowane i pozostaje problem przenikania sygnałów. Rozwój technologii półprzewodnikowych umożliwił opracowanie wyświetlaczy zwanych aktywnymi wyświetlaczami mozaikowymi, w których rzeczywiście rozwiązano problem sterowania. W tych wyświetlaczach zastosowano aktywne matryce układów sterujących.

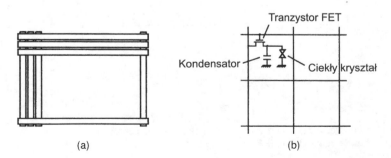

(a) (b)

Rys. 9.12 Aktywny wyświetlacz mozaikowy:
a — rozmieszczenie elektrod, *b* — element przełączający umieszczony przy każdym pikselu

Każdy układ, złożony z kondensatora i tranzystora przełączającego, jest umieszczony przy pikselu (rys. 9.12b). Kondensator gromadzi ładunek sygnału sterującego. Dzięki temu sygnał nie musi być zbyt często odświeżany i można stosować większe matryce. Ponadto tranzystor zapobiega przesłuchom przełączając komórkę tylko wtedy, gdy jest przyłożone pełne napięcie przełączające.

W wyświetlaczach mozaikowych aktywnych jedna ze szklanych płytek jest zastąpiona płytką z pojedynczego kryształu krzemu (w przypadku tranzystorów sterujących MOS) albo płytką szklaną pokrytą cienką warstwą np. krzemu lub siarczek kadmu (w przypadku cienkowarstwowych tranzystorów sterujących). Elementy układu są wbudowane w podłoże. Zaletą wyświetlacza z tranzystorami cienkowarstwowymi jest jego przezroczystość spowodowana użyciem szkła w matrycy układów sterujących. Dlatego może on być stosowany jako wyświetlacz transmisyjny.

9.4.5 Wyświetlacze ferroelektryczne (FE)

Wyświetlacze z ciekłymi kryształami nematycznymi mają dwie główne wady:
1. Są urządzeniami o relatywnie małej szybkości działania mając czasy przełączania rzędu dziesiątek milisekund.
2. Nie są układami bistabilnymi, a więc do utrzymywania w stanie włączenia wymagają wielokrotnie powtarzanego doprowadzania napięcia.

Oba te problemy, w zasadzie, rozwiązuje zastosowanie w wyświetlaczach ciekłokrystalicznej fazy ferroelektrycznej smektycznej C*. W większości obecnie stosowanych wyświetlaczy FE ciekły kryształ jest umieszczony między płytkami szklanymi odległymi od siebie zaledwie o $1 \div 2$ μm. To nie pozwala na zachodzenie normalnej precesji nachylenia w warstwach, a więc wszystkie cząsteczki są nachylone w tym samym kierunku (rys. 9.13a) i występuje pewien wypadkowy moment dipolowy prostopadły do płaszczyzny szkła. Jeśli zostanie przyłożone napięcie o odpowiedniej polaryzacji, to wzajemne oddziaływanie dipola i przyłożonego pola powoduje przerzucenie cząsteczek wokół osi precesji (rys. 9.13b). Tak więc kierunek ustawienia cząsteczek się zmienia. Takie przerzucenie następuje w czasie kilkudziesięciu mikrosekund i ma

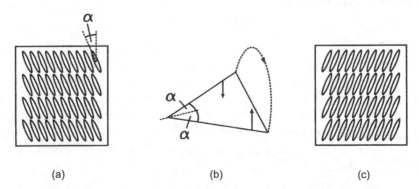

(a)   (b)   (c)

Rys. 9.13 Przełączanie komórki ferroelektrycznej polem elektrycznym:
a — pole E i moment dipolowy poprzeczny są skierowane w głąb stronicy książki, b — przerzucenie cząsteczek wokół osi precesji, c — pole E i moment dipolowy poprzeczny są skierowane w górę względem stronicy książki

charakter bistabilny: cząsteczki pozostają w stanie przerzuconym tak długo, aż zostanie przyłożone napięcie o odwrotnej polaryzacji. To daje lepszą jaskrawość wyświetlania i mniejszy pobór mocy.

Niestety, stosowanie ciekłokrystalicznych *wyświetlaczy ferroelektrycznych* nie jest pozbawione trudności. Najpoważniejszą z nich jest konieczność ostrożnego obchodzenia się z tymi urządzeniami, gdyż w innym razie utracą ustawienie cząsteczek konieczne do dobrego działania. Niemniej jednak ich szybki czas przełączania powoduje, że są bardzo przydatne w wyświetlaczach o dużych powierzchniach, wyświetlających bardzo dużo informacji.

9.5 WYŚWIETLACZE LUMINESCENCYJNE

Luminescencja jest procesem polegającym na emisji światła w wyniku dostarczenia do materiału pewnej energii. Zależnie od sposobu dostarczenia energii, wyróżnia się trzy rodzaje luminescencji:

- fotoluminescencję, gdy energia jest dostarczana przez światło,
- katodoluminescencję, gdy energia jest dostarczana przez bombardowanie wiązką elektronów,
- elektroluminescencję, gdy energia jest dostarczana przez pole elektryczne.

Na pewno niejednokrotnie zetknęliście się już z tymi wszystkimi rodzajami luminescencji. Kiedy wasz banknot jest sprawdzany przez oświetlenie go promieniowaniem nadfioletowym, to świecą zabezpieczające znaki fotoluminescencyjne na banknocie udowadniając, że nie jest on fałszywy. Za każdym razem, gdy włączacie telewizor, obraz, który się pojawia zawdzięczacie katodoluminescencji. Dzięki elektroluminescencji zaś są widoczne znaki na elektroluminescencyjnym wyświetlaczu waszego zegarka.

Spośród trzech wymienionych rodzajów luminescencji najszersze zastosowanie w wyświetlaczach znalazły katodoluminescencja i elektroluminescencja, więc głównie na tych zjawiskach skoncentrujemy naszą uwagę. Najpierw jednak omówimy bardziej szczegółowo samą luminescencję.

9.5.1 Luminescencja

Luminescencja jest procesem, podczas którego w wyniku pochłaniania energii następuje wzbudzanie elektronów w strukturze materiału i następnie emitowanie części tej energii w postaci światła. W rozdziale 2 omówiono zagadnienie czasu życia stanu wzbudzonego. Jeśli luminescencja trwa przez czas równy czasowi życia stanu wzbudzonego, to nazywamy ją *fluorescencją*. Jeśli jednak trwa znacznie dłużej niż ten czas życia, to wtedy mówimy o *fosforescencji*. Mieliście już do czynienia z fosforescencją, gdy oglądaliście przedmioty „świecące w ciemnościach". Substancje fosforescencyjne na tych przedmiotach pochłaniają energię światła zewnętrznego i emitują ją potem jako światło własne. To światło jest zwykle bardzo słabe i można je zobaczyć tylko przy słabym oświetleniu zewnętrznym. Taka emisja światła może trwać długo po ustaniu działania światła zewnętrznego. W wyświetlaczach luminescencyjnych korzysta się na ogół z substancji fosforescencyjnych zwanych *luminoforami*, gdyż występujące w nich zjawisko „pamięci" jest przydatne w praktyce. W literaturze anglo-amerykańskiej luminofory są nazywane fosforami (ang. *phosphors*).Tej nazwy nie należy mylić z pierwiastkiem fosforem (symbol chemiczny P). Pochodzi ona od słowa „fosforyzować".

Praca własna

Spróbuj dowiedzieć się, dlaczego w literaturze anglo-amerykańskiej używa się nazwy „fosfory" do określenia luminoforów.

9.5.2 Wyświetlacze katodoluminescencyjne — lampa elektronopromieniowa (CRT)

W zastosowaniach wymagających wysokiej rozdzielczości i kontrastowości, dobrego koloru, dużej jaskrawości i łatwej obsługi ciągle bezkonkurencyjne są lampy elektroluminescencyjne i dlatego dominują one w zastosowaniach o wymienionych kryteriach. Podstawowymi elementami *lampy elektronopromieniowej* są: działo elektronowe, płytki odchylające i ekran pokryty luminoforem — wszystko umieszczone w próżniowej bańce (rys. 9.14).

Działo elektronowe wytwarza elektrony emitowane z żarzonej katody, następnie ogniskowane przez soczewki elektronowe i przyśpieszane do ekranu pokrytego luminoforem. Wiązka elektronowa omiata ekran dzięki odpowiednio dobranym potencjałom na płytkach odchylania poziomego i pionowego. Na rys. 9.15 przedstawiono elektrostatyczne odchylanie elektronów w polu elektrycznym między dwiema równoległymi płytkami odchylającymi.

Możemy obliczyć wartość odchylenia korzystając z drugiej zasady dynamiki Newtona

$$F = ma = qE \tag{9.6}$$

gdzie:
F — siła oddziałująca na elektron o masie m i ładunku q w polu elektrycznym E,
a — przyśpieszenie elektronu.

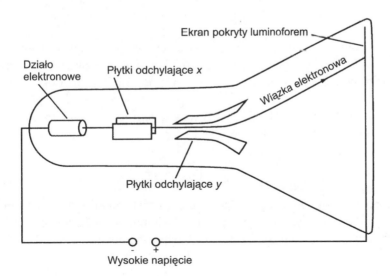

Rys. 9.14 Budowa lampy elektronopromieniowej

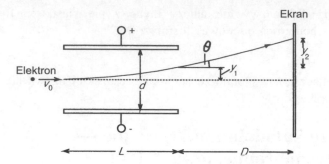

Rys. 9.15 Elektrostatyczne
odchylanie wiązki elektronów

Elektron wchodzi między płytki w kierunku x z prędkością początkową v_0.
Ponieważ siła odchylająca działa tylko w kierunku y, więc $a = a_y$. Składowa x prędkości
pozostaje niezmieniona, więc czas przejścia elektronu między płytkami jest równy
$T = L/v_0$. Wartość odchylenia y_1 w kierunku y można więc obliczyć ze wzoru

$$y_1 = \frac{1}{2}a_y t^2 = \frac{qE}{2m}t^2 = \frac{qE}{2m}\frac{L^2}{v_0^2} \qquad (9.7)$$

Elektron wychodzi spomiędzy płytek i kontynuuuje swą drogę po linii prostej, pod
kątem θ w stosunku do swego pierwotnego toru, przy czym kąt θ jest wyrażony wzorem

$$\mathrm{tg}\,\theta = \frac{v_y}{v_x} = \frac{\left(\dfrac{qE}{m}\right)\left(\dfrac{D}{v_0}\right)}{v_0} = \frac{qED}{mv_0^2} = y_2 \qquad (9.8)$$

gdzie:
v_x — składowa prędkości w kierunku x,
v_y — składowa prędkości w kierunku y; całka a_y względem czasu.

Przykład 2

Pytanie: Do odchylania wiązki elektronów zastosowano parę płytek odchylających
o długości 3 cm, odległych od siebie o 1 cm. Jaki jest maksymalny możliwy rozmiar
ekranu, jeśli znajduje się on w odległości 20 cm od miejsca wyjścia elektronów
spomiędzy płytek?
Odpowiedź: Maksymalny wymiar ekranu jest równy dwóm maksymalnym odchyleniom
wiązki. Całkowite odchylenie y jest równe

$$y = y_1 + y_2 = \frac{1}{2}\frac{qEL^2}{mv_0^2} + \frac{qED}{mv_0^2} = \frac{qEL}{mv_0^2}\left(\frac{L}{2} + D\right)$$

a więc maksymalne odchylenie y_{max} odpowiada zastosowaniu maksymalnego pola
elektrycznego E_{max}. Nie znamy wartości E_{max}, lecz wiemy, że maksymalne odchylenie
y_1 wynosi $d/2$. Wstawiając tę wartość do wzoru (9.7) otrzymujemy po przekształceniu

$$E_{max} = \frac{dmv_0^2}{qL^2}$$

Zatem maksymalny wymiar ekranu jest równy $2y_{max}$, to znaczy

$$2y_{max} = \frac{2qL}{mv_0^2}\frac{dmv_0^2}{qL^2}\left(\frac{L}{2}+D\right) = \frac{2d}{L}\left(\frac{L}{2}+D\right) = \frac{2}{3}\left(\frac{3}{2}+20\right) = 14,3 \text{ cm}$$

W praktyce płytki równoległe powodują zbyt duże ograniczenie maksymalnego kąta odchylenia i dlatego stosuje się płytki zagięte, jak to pokazano na rys. 9.14. Do odchylania wiązki można też stosować elektromagnesy. To umożliwia zastosowanie większych potencjałów przyśpieszających dających mniejszą plamkę na ekranie, a zatem obraz o większej jaskrawości. Elektromagnetyczne odchylanie powoduje jednak wolniejsze, niż przy odchylaniu elektrostatycznym, omiatanie ekranu wiązką.

Ekran lampy elektronopromieniowej jest pokryty ziarnami luminoforu, na przykład siarczku cynkowego, o średnicy ok. 5 µm, z warstwą aluminium o grubości ok. 1 µm naparowaną od strony działa elektronowego (rys. 9.16). Warstwa aluminiowa spełnia dwa zadania. Po pierwsze, zapobiega gromadzeniu się ładunku na ziarnach luminoforu, który powodowałby odpychanie zbliżających się elektronów. Po drugie, światło emitowane w kierunku działa elektronowego odbija ku zewnętrznej stronie ekranu.

Konwencjonalna lampa elektronopromieniowa ma 625 linii obrazu w Europie i 525 w Ameryce, chociaż wyświetlacze wysokiej jakości (ang. *high-definition*) mają 1125 linii. Obraz na ekranie musi być odświeżany co najmniej 45 razy na sekundę, żeby nie było zauważalnego migotania. Można jednak uniknąć konieczności odświeżania całego ekranu z tą częstotliwością stosując system omiatania ekranu przez plamkę z podziałem ekranu na dwie przeplatające się połówki (tzw. wybieranie międzyliniowe). W ciągu pierwszej połówki odświeżane są linie 1, 3, 5, ..., a w drugiej 2, 4, 6,... Daje to w rezultacie nakładanie się obrazów z dwóch kolejnych omiatań ekranu przez plamkę. Obserwator ma takie wrażenie, jakby obraz był odświeżany z częstotliwością dwa razy większą niż faktyczna częstotliwość odświeżania. To znaczy, że wystarczy odświeżać cały obraz $22\frac{1}{2}$ razy na sekundę. W praktyce stosuje się częstotliwość odświeżania obrazu 25 razy na sekundę w Europie i 30 razy na sekundę w Ameryce. Jaskrawość obrazu reguluje się zmieniając natężenie prądu wiązki, a więc przez zmianę liczby elektronów emitowanych z żarzonej katody. Maksymalna jaskrawość jest ograniczona uszkodzeniem luminoforu w przypadku zbyt dużych prądów wiązki. Ekran może ulec uszkodzeniu także wówczas, gdy ekran świeci przez długi czas. Można to zaobserwować

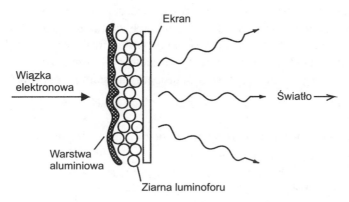

Rys. 9.16 Budowa ekranu pokrytego luminoforem

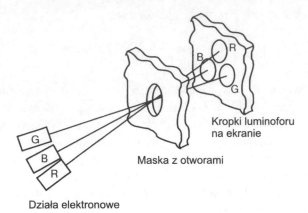

Kropki luminoforu
na ekranie

Maska z otworami

Działa elektronowe

Rys. 9.17 Sposób uzyskiwania obrazu barwnego w lampie elektronopromieniowej

w starszych, monochromatycznych wyświetlaczach w kasach sklepowych, gdzie tekst wprowadzający wyświetla się na ekranie, gdy nikt nie używa urządzenia. Przyglądając się dokładniej można często zauważyć słaby zarys tego tekstu na powierzchni ekranu nawet wtedy, gdy jest na nim wyświetlany inny obraz. Takie uszkodzenie może być przejściowe lub trwałe. Niebezpieczeństwo uszkodzenia ekranu jest powodem stosowania w większości systemów komputerowych wygaszaczy ekranu, dających stale poruszający się obraz lub automatycznego wyłączania ekranu (co daje też oszczędność energii).

Barwy w lampach elektronopromieniowych uzyskuje się stosując trzy oddzielne działa elektronowe dla trzech barw — czerwonej, zielonej i niebieskiej (rys. 9.17). W takiej lampie ekran nie jest już pokryty warstwą luminoforu jednego rodzaju, lecz kropkami z trzech różnych luminoforów dających światło czerwone, zielone lub niebieskie. Na ekranie, od strony działa elektronowego umieszcza się maskę, która jest metalową osłoną z otworami. Działa elektronowe są nieco nachylone wobec siebie, w taki sposób że trzy wiązki zbiegają się na masce. Po przejściu przez jeden z otworów maski trzy wiązki rozchodząc się trafiając na ekranie w kropki luminoforu o odpowiedniej barwie. Barwę obrazu zmienia się przez zmianę względnej jaskrawości trzech barw podstawowych.

Uzyskanie obrazu dobrej jakości wymaga dokładnego ustawienia maski, ekranu i dział elektronowych, a także eliminacji rozproszonych pól magnetycznych i elektrycznych. Występuje jednak pewne pogorszenie rozdzielczości w stosunku do ekranu monochromatycznego o takiej samej gęstości „kropek", gdyż teraz trzy kropki na ekranie dają jedną „kropkę" obrazu. Najczęściej używane luminofory to: siarczek cynku domieszkowany srebrem (niebieski), siarczek cynkowo-kadmowy domieszkowany miedzią (zielony) i tlenosiarczek itrowy domieszkowany europem i terbem (czerwony).

Praca własna

Użyj funkcji zatrzymania klatki w twoim magnetowidzie, aby utrzymać jakiś obraz na ekranie. Możesz też to zrobić zatrzymując na monitorze obraz z jakiejś gry komputerowej. Przyjrzyj się dobrze ekranowi i upewnij się, że barwa jest uzyskiwana za pomocą małych kropek z luminoforów czerwonego, zielonego i niebieskiego.

9.5.3 Elektroluminescencja

Lampa elektronopromieniowa jest urządzeniem bardzo uniwersalnym, które można stosować jako wyświetlacz w rozbudowanych systemach. Jednak w wielu zastosowaniach mają dwie poważne wady. Po pierwsze, powierzchnia ekranu jest mała w stosunku do objętości całego urządzenia, a po drugie — do zasilania jest konieczne wysokie napięcie. Wiele pracy włożono w opracowanie lamp elektronopromieniowych z płaskim ekranem. Inne ustawienie działa elektronowego powoduje w nich jednak utratę symetrii urządzenia i powstanie dużych różnic odległości, jakie muszą przebyć elektrony, zależnie od tego, w którą część ekranu trafiają. Ponadto wiązka, aby trafić w ekran, musi zmienić kierunek pod dość ostrym kątem. Dlatego chociaż już w 1956 roku opracowano pierwszą lampę elektronopromieniową z płaskim ekranem, to jednak rozwijały się inne techniki płaskich ekranów. Wśród nich największy sukces odniosły wyświetlacze ciekłokrystaliczne LCD, które już omówiliśmy. Inną techniką, która pomyślnie się rozwinęła, są *wyświetlacze elektroluminescencyjne*.

Wyświetlacze elektroluminescencyjne ELD (ang. *electroluminescent displays*) są wyświetlaczami aktywnymi, emitującymi światło w wyniku przyłożenie do materiału pola elektrycznego. Są one urządzeniami całkowicie półprzewodnikowymi i dlatego łatwo się nimi posługiwać. Występują dwa rodzaje elektroluminescencji: elektroluminescencja nazywana „właściwą" i elektroluminescencja ze wstrzykiwaniem ładunku. W wyświetlaczach z elektroluminescencją właściwą światło jest wytwarzane wskutek zderzeniowego wzbudzenia elektronów w centrach emitujących światło. Elektrony są wzbudzane przez napięcie przykładane do elektrod, między którymi znajduje się materiał elektroluminescencyjny. Takie urządzenia są nazywane po prostu wyświetlaczami elektroluminescencyjnymi. Wyświetlacze elektroluminescencyjne ze wstrzykiwaniem ładunku wytwarzają światło, gdy pole elektryczne jest przyłożone do złącza *pn*. Są one znane jako wyświetlacze z diodami elektroluminescencyjnymi czyli wyświetlaczami LED. Zaczniemy od omówienia wyświetlaczy elektroluminescencyjnych, a potem przejdziemy do wyświetlaczy LED, których podstawy działania omówiliśmy już w rozdziale 4.

9.5.4 Wyświetlacze elektroluminescencyjne (ELD)

Elektroluminescencję sproszkowanego siarczku cynkowego odkrył G. Destriau we Francji w 1936 roku. Później, w 1947 roku odkryto przezroczysty materiał elektrodowy, tzw. szkło *nesa*, co przyśpieszyło rozwój materiałów elektroluminescencyjnych umożliwiając zbudowanie planarnego źródła światła. Te pierwsze wyświetlacze EL są nazywane rozproszeniowymi, zmiennonapięciowymi urządzeniami elektroluminescencyjnymi, gdyż materiał elektroluminescencyjny ma w nich postać proszku rozproszonego w przezroczystym materiale izolacyjnym umieszczonym między dwiema elektrodami (rys. 9.18). Ponieważ między elektrodami nie ma żadnej drogi przewodzenia, więc urządzenie musi być sterowane napięciem zmiennym. Chociaż opracowano też urządzenia stałonapięciowe, to rozczarowanie spowodowane krótkim czasem życia wyświetlaczy i konieczność stosowania wysokich napięć doprowadziły do zupełnego zaniechania prac nad wyświetlaczami tego rodzaju pod koniec lat sześćdziesiątych. Zainteresowanie nimi

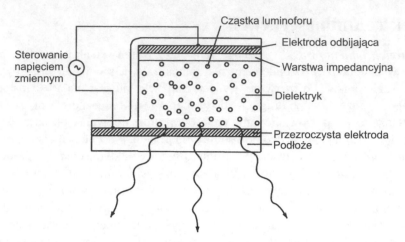

Rys. 9.18 Budowa rozproszeniowego zmiennonapięciowego wyświetlacza elektroluminescencyjnego

odżyło w połowie lat siedemdziesiątych dając w rezultacie opracowania *cienkowarstwowych wyświetlaczy elektroluminescencyjnych* (TFELD — ang. *thin film electroluminescent display*). Monochromatyczne, wyświetlacze TFEL o barwie bursztynowej są produkowane masowo od połowy lat osiemdziesiątych. Dostępne obecnie na rynku elementy TFELD mają wszystkie cechy wymagane do produkcji płaskich wyświetlaczy o dużej zawartości wyświetlanej informacji i o jakości obrazu zbliżonej do jakości lamp elektronopromieniowych. Ponadto półprzewodnikowy charakter tych wyświetlaczy daje im dobrą odporność na wstrząsy, tak potrzebną w urządzeniach przenośnych.

Budowę elementu TFEL przedstawiono na rys. 9.19a. Cienkowarstwowy luminofor emituje światło, gdy jest do niego przyłożone wystarczająco silne pole elektryczne. Typowo jest to pole o natężeniu $E = 1,5\ \mathrm{MeV \cdot cm^{-1}}$. Ze względu na bardzo silne pole każda niedoskonałość w warstwie luminoforu może wytwarzać zwarcie grożące zniszczeniem urządzenia. Dlatego z każdej strony warstwy elektroluminescencyjnej umieszcza się warstwy izolujące. Ograniczają one maksymalny prąd, a także gromadzą ładunek, który „wzmacnia" wewnętrzne pole elektryczne i znacznie zwiększa sprawność urządzenia. Pole elektryczne doprowadza się za pomocą elektrod, z których co najmniej jedna musi być przezroczysta, aby mogło przez nią przejść emitowane światło.

Na rys. 9.19b przedstawiono zależność strumienia energii świetlnej na wyjściu od napięcia w wyświetlaczu TFELD. Ważną cecha tej zależności jest duża stromość krzywej przy włączaniu. Powoduje to, że stosowanie prostych układów sterujących, które nie dają szkodliwego przenikania sygnałów jest korzystne. Dlatego zwielokrotnione proste układy sterujące można stosować nawet do bardzo dużych i skomplikowanych paneli wyświetlających. Na rys. 9.19c przedstawiono przebieg przyłożonego napięcia i wywołany tym napięciem przebieg zmian światła na wyjściu.

Główną wadą wyświetlaczy TFELD jest konieczność stosowania wysokich napięć pracy. Do sterowania trzeba stosować układy scalone zdolne do dostarczenia impulsów napięciowych do 200 V oraz standardowych niskonapięciowych sterujących impulsów logicznych. To wymagało opracowania specjalnych układów scalonych, które w tej samej strukturze zawierają układy wysoko- i niskonapięciowe.

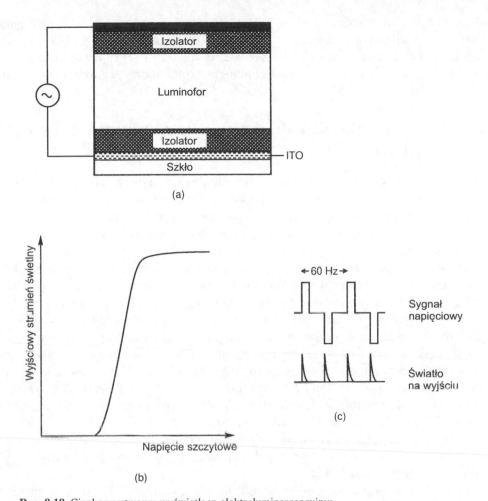

Rys. 9.19 Cienkowarstwowy wyświetlacz elektroluminescencyjny:
a — budowa, *b* — zależność wyjściowego energetycznego strumienia świetlnego od napięcia,
c — kształt doprowadzonego sygnału napięciowego oraz sygnału świctlnego na wyjściu

Jednym z wyzwań dla rozwoju układów TFELD było wprowadzenie barwy. Uzyskuje się ją w tych układach filtrując światło z białego luminoforu albo stosując luminofory czerwony, zielony i niebieski. Chociaż wydajne luminofory czerwone i zielone były już wcześniej dostępne, to dopiero ostatnio zademonstrowano w laboratoriach luminofory niebieskie i białe o wystarczającej jaskrawości świecenia i czasie życia. Tak więc produkowane komercyjnie, barwne wyświetlacze TFELD są realną możliwością w najbliższym czasie.

Jednym ze szczególnie interesujących zastosowań urządzeń TFELD są małe wyświetlacze o dużej rozdzielczości, montowane na głowie. Wyświetlacz, umieszczony w okularach, rzuca obraz odpowiadający efektywnemu rozmiarowi ekranu, począwszy od rozmiarów zwykłego monitora, aż po ogromny obraz odpowiedni do zastosowań związanych z wirtualną rzeczywistością. Realizuje się to stosując *aktywny wyświetlacz mozaikowy*. Urządzenia tego rodzaju pierwszej generacji zawierają piksele o rozmiarach

24×24 μm o rozdzielczości nieco lepszej niż 40 linii na milimetr. Typowe parametry takiego wyświetlacza w formacie VGA (640×480), to jaskrawość obrazu dwukrotnie większa niż w domowym telewizorze, kontrastowość $100:1$, pobór mocy 200 mW, grubość 2 mm i masa 4 g. Oto technologia, która może zagrozić supremacji lamp elektronopromieniowych!

9.5.5 Wyświetlacze z diodami elektroluminescencyjnymi (LED)

Budowa i zasada działania diod elektroluminescencyjnych została już omówiona w rozdziale 4. Wystarczy przypomnieć, że zaletami tych diod stosowanych w wyświetlaczach są: duża niezawodność i małe napięcia sterujące, które ułatwiają scalanie diod z półprzewodnikowymi układami sterującymi. *Zaletą* jest też możliwość bardzo szybkiej modulacji. Główną *wadą* jest dość duży pobór mocy (od kilku do kilkudziesięciu miliwatów), a także duży koszt. Pobór mocy jest jednak znacznie mniejszy niż lamp lub żarówek, co w powiązaniu z dobra niezawodnością wyświetlaczy LED powoduje, że mają one ugruntowaną pozycję wśród wielu różnych rodzajów wyświetlaczy.

Najprostszym zastosowaniem wyświetlaczy LED są *lampy kontrolne*. Dioda elektroluminescencyjna jest oczywiście tym, co nazywamy ciałem emitującym Lamberta, co znaczy, że ma aperturę numeryczną równą 1 i że pod kątem 60° do prostopadłej do powierzchni diody, moc światła jest jeszcze równa połowie mocy emitowanej prostopadle do powierzchni (rys. 9.20a). To powoduje, że światło wyświetlacza LED może się wydawać dość przyćmione. Jaskrawość świecenia można poprawić umieszczając wokół diod reflektory i pokrywając je plastykową powłoką o powierzchni w kształcie soczewki. Dzięki temu więcej światła wysyłane jest z wyświetlacza w kierunku na wprost, a kąt połowy mocy jest mniejszy (rys. 9.20b). W lampach kontrolnych właściwy kąt połowy mocy powinien wynosić 20°.

Nie wytwarza się na ogół segmentów wyświetlaczy LED o dużej powierzchni, w odróżnieniu od wyświetlaczy ciekłokrystalicznych (LCD) i wyświetlaczy z elektro-

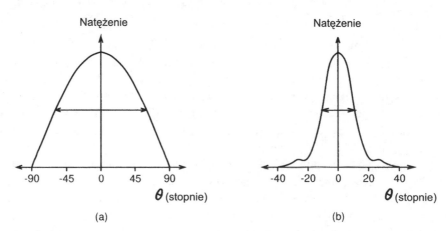

Rys. 9.20 Kątowa charakterystyka natężenia światła diody elektroluminescencyjnej: *a* — bez zewnętrznej modyfikacji, *b* — z modyfikacją

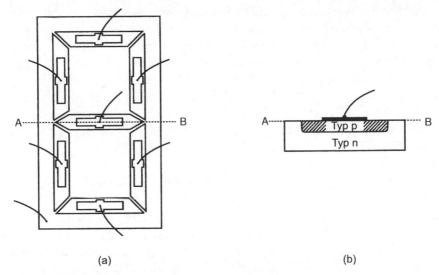

(a) (b)

Rys. 9.21 Monolityczny wyświetlacz siedmiosegmentowy:
a — widok, *b* — przekrój A B

luminescencją właściwą (ELD). Rozmiar wyświetlacza LED jest ograniczony koniecznością użycia warstwy pojedynczego kryształu. Diody elektroluminescencyjne są zwykle wykonywane z pojedynczych kryształów o boku 0,3 mm, chociaż można budować wyświetlacze większe, zwane *wyświetlaczami monolitycznymi*. Przykład siedmiosegmentowego wyświetlacza monolitycznego pokazano na rys. 9.21. Zaletą tych wyświetlaczy jest dobra dokładność elementów obrazowych uzyskiwana dzięki możliwości stosowania techniki fotograficznej do wyznaczania kształtu elementów emitujących światło.

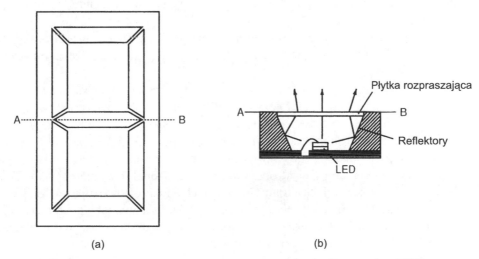

(a) (b)

Rys. 9.22 Siedmiosegmentowy hybrydowy wyświetlacz elektroluminescencyjny (LED):
a — widok, *b* — przekrój A-B

Wyświetlacze luminescencyjne **239**

Większość wyświetlaczy LED to układy hybrydowe, w których diody o boku 0,3 mm tworzą mozaikę o różnych wzorach. Wyświetlacze zawierają też płytki odchylające i rozpraszające (rys. 9.22). Alfanumeryczne elementy obrazowe lub kropkowe elementy mozaikowe można łatwo wytwarzać jako duże urządzenia wielobarwne, zwiększając liczbę diod. Diody elektroluminescencyjne w takich wyświetlaczach są sterowane albo bezpośrednio, albo przez układy z multipleksowaniem. W tym przypadku do multipleksowania wystarczą sygnały o jednej polaryzacji, dzięki czemu układy są prostsze niż stosowane do wyświetlaczy ciekłokrystalicznych. Wyświetlaczami LED nie można sterować za pomocą matryc aktywnych.

Obecnie głównym ograniczeniem w stosowaniu wyświetlaczy LED w systemach wideo jest konieczność użycia niebieskich diod LED dobrej jakości. W niebieskich diodach LED stosuje się półprzewodniki z II–VI grupy układu okresowego. Silne domieszkowanie, konieczne do uzyskania dobrej jaskrawości świecenia, powoduje defekty ograniczające sprawność wyświetlacza. Podobnie jak niebieskie luminofory do wyświetlaczy TFELD, niebieskie diody LED dobrej jakości zademonstrowane w laboratoriach stwarzają perspektywę powstania wyświetlaczy wideo LED w niezbyt odległej przyszłości.

Ćwiczenie 4

Nie zaglądając do książki opisz różnicę między luminescencją z wstrzykiwaniem ładunku i luminescencją „właściwą". Jak pracują wyświetlacze działające z wykorzystaniem tych zjawisk?

9.6 PODSUMOWANIE

* Przy wyborze wyświetlacza trzeba uwzględnić wiele czynników.
* Rozważając sprawność wyświetlacza należy uwzględnić charakterystykę czułości oka na światło o różnych długościach fali, gdyż wyświetlacze są interfejsami człowiek / / maszyna.
* Najpopularniejszą techniką wyświetlaczy biernych są urządzenia ciekłokrystaliczne (LCD), a wśród nich — komórki z ciekłymi kryształami nematycznymi skręconymi (TN).
* Proste wyświetlacze mogą być sterowane bezpośrednio, a bardziej skomplikowane — przy użyciu techniki multipleksowania lub za pomocą matryc aktywnych.
* Do wyświetlaczy luminescencyjnych zalicza się lampy elektronopromieniowe, wyświetlacze elektroluminescencyjne lub wyświetlacze LED. Spośród tych wyświetlaczy najlepszą jakością (jaskrawością, rozdzielczością, barwą i kontrastowością) charakteryzują się lampy elektronopromieniowe. Jednak ostatnie osiągnięcia w dziedzinie wyświetlaczy elektroluminescencyjnych (ELD) powodują, że zaczynają one zagrażać supremacji tych lamp, oferując takie zalety jak dobra wytrzymałość mechaniczna, płaska budowa i mały pobór mocy. Atrakcyjność wyświetlaczy LED zaś polega na ich prostocie i niezawodności.

9.7 ZADANIA

9.1 Wyświetlacz ciekłokrystaliczny ma całkowitą rezystancję równą 2,6 MΩ. Oblicz moc, jaką pobiera ten wyświetlacz, jeśli przyłożono do niego napięcie 5 V (wartość skuteczna).

9.2 Badacz mierzy zmiany mocy wyjściowych dwóch źródeł w funkcji długości fali. Wyniki zestawiono w poniższej tablicy. Korzystając z danych w niej zawartych oblicz całkowity, wyjściowy energetyczny strumień świetlny każdego z tych źródeł, zakładając, że są to jasne źródła. Oblicz również całkowity strumień świetlny każdego z tych źródeł. Które z nich będzie się wydawało jaśniejsze?

Źródło 1			Źródło 2		
λ [nm]	moc [mW]	względna czułość oka	λ [nm]	moc [mW]	względna czułość oka
490	5	0,208	600	5	0,631
500	10	0,323	610	10	0,503
510	20	0,503	620	20	0,381
520	13	0,710	630	13	0,265
530	3	0,869	640	3	0,175

9.3 Zbudowano komórkę ciekłokrystaliczną o napięciu granicznym 0,85 V. Oblicz moduł sprężystości tego ciekłego kryształu, jeśli $\Delta c = 13{,}5$. Jaka jest wartość E_c, jeśli komórka ma grubość 7 μm?

9.4 Jaki wpływ ma podwojenie grubości komórki ciekłokrystalicznej na:
a) E_c, b) U_c i c) τ_r?

9.5 Do pary płytek odchylania elektrostatycznego w lampie elektronopromieniowej przyłożono napięcie 0,7 V. Płytki mają długość 4 cm i są odległe od siebie o 1 cm. Jakiemu odchyleniu między tymi płytkami ulegnie wiązka elektronów wchodząca między płytki z prędkością $1{,}6 \cdot 10^6$ m·s^{-1}?

9.6 Wyświetlacz TFEL ma kontrastowość 100:1. Jaka jest skala szarości tego urządzenia?

9.7 Wyświetlacz jest zbudowany z pikseli o wymiarach 24 × 24 μm. Oszacuj, ile pikseli może być umieszczonych na każdej z soczewek w parze okularów do oglądania rzeczywistości wirtualnej. Określ, jakie przyjąłeś założenia.

9.8 Prosty wyświetlacz alfanumeryczny jest zbudowany z dwudziestu elektrod 14-segmentowych. Oblicz ilu indywidualnych połączeń będzie wymagał ten wyświetlacz, jeśli ma być sterowany bezpośrednio. Ilu trzeba połączeń multipleksowanych?

9.9 Ekran telewizora wysokiej rozdzielczości jest odświeżany 30 razy na sekundę. Oblicz czas każdego przemiatania ekranu przez wiązkę elektronową i na tej podstawie wyznacz jej prędkość. Określ, jakie przyjąłeś założenia.

Literatura

Literatura w języku angielskim

W urządzeniach wyświetlających stosuje się wiele różnych technologii. Dlatego trudno w jednej książce znaleźć omówienie wszystkich rodzajów wyświetlaczy. Jednak książki podane poniżej obejmują wszystkie omówione rodzaje wyświetlaczy.

1. *Desmond Smith S.*: Optoelectronic Devices. Prentice Hall, 1995
2. *Chandrasekhar S.*: Liquid Crystals, wyd. 2. Cambridge University Press, 1992
3. *King C.N.*: Electroluminescent displays. Journal of Vacuum Science and Technology A, vol. 14, nr 3, str. 1729–1735, 1996
4. *Mach R., Mueller G.O.*: Physics and technology of thin electroluminescent displays. Semiconductor Science and Technology, vol. 6, str. 305–323, 1991

Literatura uzupełniająca w języku polskim

1. *Rusin M.*: Wizyjne przetworniki optoelektroniczne. WKŁ, Warszawa 1990
2. *Watson J.*: Elektronika. Seria „Wiedzieć więcej". WKŁ, Warszawa 1999

10 ZASTOSOWANIA OPTOELEKTRONIKI

10.1 WPROWADZENIE

Każdego dnia, rozejrzawszy się wokół i wykonując nasze codzienne czynności, mamy do czynienia z urządzeniami optoelektronicznymi — począwszy od prostych barier optoelektronicznych aż po skomplikowane systemy łączności światłowodowej. Bez wypuszczania się w „niezwykle długi rejs" nie da się w tym rozdziale omówić wszystkich zastosowań. Dlatego zajmiemy się tylko wybranymi zastosowaniami wskazując różne dziedziny naszego życia, w których optoelektronika odgrywa jakąś rolę.

10.2 BARIERA OPTOELEKTRONICZNA

Z barierami optoelektronicznymi często się spotykamy w życiu codziennym. Na przykład stosuje się je w windach, gdzie sterują zamykaniem drzwi w taki sposób, aby nie przytrzaskiwały pasażerów. Bariery tego rodzaju szczególnie dobrze nadają się do systemów zabezpieczenia, gdyż są w zasadzie niewrażliwe na manipulowanie przez osoby niepowołane. Pracują na ogół na podczerwieni, więc nie są widoczne dla intruzów. *Bariery optoelektroniczne* mają prostą budowę; ich działanie polega na detekcji światła przesyłanego między nadajnikiem i odbiornikiem. Jeśli do odbiornika nie dociera światło, to jest to traktowane jako blokada bariery przez jakiś obiekt i powoduje inicjowanie jakichś działań, np. ponowne otwarcie drzwi windy lub włączenie alarmu dźwiękowego. Bariery mogą działać na zasadzie przesyłania albo odbicia światła (rys. 10.1*a,b*). Zwykle pracują w systemie „odporny na uszkodzenia" i przy jakimkolwiek zaniku światła, niezależnie od przyczyny, powodują zadziałanie systemu zabezpieczeń.

W barierach odbiciowych (rys. 10.1*b*) stosuje się retroreflektory. W konwencjonalnym zwierciadle płaskim światło padające na jego powierzchnię pod kątem α odbija się też pod tym kątem, a więc całkowity kąt odchylenia jest równy 2α. Z tego faktu wynika, że jeśli wiązka nie padnie na zwierciadło prostopadle do jego powierzchni, to nie powróci do detektora. Działanie prawa odbicia jest nieuniknione, dlatego stosuje się retroreflektory z kombinacją zwierciadeł, które przesyłają światło z powrotem do miejsca skąd przybyło, niezależnie od kąta padania. Działanie retroreflektora przedstawiono na rys. 10.1*c*. Łatwo można wykazać, że $\beta = 90° - \alpha$. Retroreflektory w praktyce są

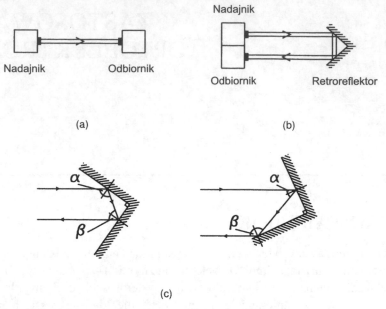

(a)　　　　　　　　　　　　(b)

(c)

Rys. 10.1 Bariery optoelektroniczne działające na zasadzie:
a — przesyłania, *b* — odbicia światła, *c* — retroreflektor

trójwymiarowe i bywają też nazywane „narożnikami sześcianu" (ang. *corner cube*), gdyż mogą być wykonane z trzech zwierciadeł ustawionych względem siebie pod kątami prostymi i tworzących narożnik sześcianu. W praktyce występuje kilka ograniczeń dotyczących maksymalnego kąta padania, przy którym retroreflektor może przesłać wstecz światło padające. Oto dwa takie ograniczenia:

1. Gdy kąt padania staje się coraz bardziej ostry, to fizyczny wymiar reflektora powoduje, że światło odbite od pierwszej powierzchni nie trafia w drugą.
2. W praktyce retroreflektory często są wykonywane ze szkła, więc odbicie następuje tylko w przypadku kątów padania spełniających kryteria całkowitego wewnętrznego odbicia, chociaż można tego uniknąć posrebrzając powierzchnie odbijające.

　　　W zastosowaniach wymagających dużego obszaru pokrycia, użycie odpowiednich retroreflektorów jest bardzo kosztowne. Problem ten można rozwiązać stosując wytłaczane tarcze retrorefleksyjne zawierające dość dużo szorstkich wnęk retrorefleksyjnych wypełnionych plastykiem. Reflektor tego rodzaju pracuje przy kątach padania α do $\pm 20°$.

Ćwiczenie 1

Udowodnij, stosując proste reguły geometryczne, że $\beta = 90° - \alpha$.

Praca własna

Obejrzyj przednie i tylne reflektory stosowane w rowerze. Są to szkła odblaskowe będące dobrym przykładem tanich retroreflektorów. Gdy będziesz jechał windą, zwróć uwagę, czy zastosowano w niej system optoelektronicznej bariery odbiciowej. Możesz go zlokalizować odnajdując retroreflektor.

10.3 CZUJNIKI ŚWIATŁOWODOWE

W rozwój czujników światłowodowych włożono wiele wysiłku, w dużej mierze z powodu tych samych zalet, dla których tak atrakcyjna jest łączność światłowodowa. Należy do nich odporność światła na zakłócenia elektromagnetyczne oraz fakt, że światłowody nie przenoszą żadnego prądu elektrycznego. Dlatego *czujniki światłowodowe* idealnie nadają się do pracy w niebezpiecznych środowiskach, w których występują silne pola elektromagnetyczne, np. w pobliżu urządzeń przełączających bardzo duże prądy oraz tam, gdzie występuje ryzyko pojawienia się gazów wybuchowych (np. na platformach wiertniczych ropy i gazu). Czujniki światłowodowe są też często używane w normalnych warunkach środowiskowych ze względu na takie zalety, jak: zwartość budowy, trwałość i łatwość łączenia z innymi urządzeniami do obróbki danych. Zakres parametrów monitorowanych czujnikami światłowodowymi jest szeroki i obejmuje temperaturę, ciśnienie, naprężenie, poziom cieczy, przyśpieszenie, kąt obrotu, natężenie prądu, napięcie i pole elektromagnetyczne. Nie możemy omówić wszystkich rodzajów czujników, lecz przyjrzyjmy się dwóm czujnikom dość prostym i jednemu bardziej skomplikowanemu.

10.3.1 Czujnik światłowodowy poziomu cieczy

Jest to bardzo prosty czujnik, jego budowę pokazano schematycznie na rys. 10.2. Światło emitowane z lasera jest odchylane w elemencie rozdzielającym wiązkę i wprowadzane do światłowodu. Elementem rozdzielającym wiązkę, w najprostszej postaci, jest zwierciadło półprzezroczyste, w którym warstwa srebra jest cieńsza niż w zwykłym zwierciadle. Dzięki temu odbija ono nie całe światło padające, część światła przechodzi przez zwierciadło. Takie zwierciadła można spotkać na przykład w oknach pomieszczeń ochrony obiektu w supermarketach. Supermarkety są jasno oświetlone, dlatego przez zwierciadło półprzezroczyste przechodzi dość światła, żeby służba ochrony mogła obserwować, co się dzieje w sklepie. Jednocześnie dużo światła się odbija dając wrażenie zwykłego lustra. W omawianym czujniku światło, po odchyleniu, przechodzi przez światłowód i jeśli końcówka czujnika znajduje się w powietrzu, to całe światło ulega całkowitemu wewnętrznemu odbiciu i wraca wzdłuż światłowodu do detektora dając w nim silny sygnał (rys. 10.2*a*). Wówczas zaś, gdy końcówka jest zanurzona w cieczy, zmienia się kąt graniczny całkowitego wewnętrznego odbicia i światło nie ulega już takiemu odbiciu. Wzdłuż światłowodu wraca tylko część światła, która uległa zwykłemu odbiciu od granicy dwóch ośrodków o różnych współczynnikach załamania (rys. 10.2*b*). W tym przypadku w detektorze powstaje tylko niewielki sygnał. Zmianę sygnału z detektora zależnie od umieszczenia końcówki czujnika przedstawiono w uproszczony sposób na rys. 10.2*c*.

Przykład 1

Pytanie: W detektorze poziomu cieczy kąt wewnętrzny końcówki czujnika powinien być równy 90°, aby światło było skutecznie odbijane wstecz wzdłuż światłowodu. Załóż współczynnik załamania w szkle równy 1,5 i oblicz minimalną wartość współczynnika załamania w cieczy, poniżej której czujnik nie będzie pracował.

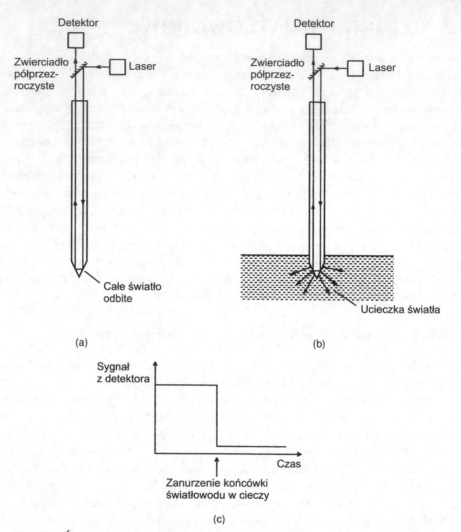

Rys. 10.2 Światłowodowy czujnik poziomu cieczy w sytuacji, gdy końcówka znajduje się: *a* — w powietrzu, *b* — w cieczy, *c* — zmiana sygnału wyjściowego, gdy końcówka zostaje zanurzona w cieczy

Odpowiedź: Czujnik działa na zasadzie całkowitego wewnętrznego odbicia. Kąt graniczny całkowitego wewnętrznego odbicia jest określony wzorem

$$\theta_c = \arcsin\left(\frac{n_{liq}}{n_{fiber}}\right)$$

gdzie:

n_{liq} — współczynnik załamania w cieczy,

n_{fiber} — współczynnik załamania w światłowodzie (szkle).

Jeśli kąt wewnętrzny końcówki czujnika jest równy 90°, to światło pada na powierzchnię czujnika pod kątem 45°. Przekształcenie powyższego wzoru umożliwia obliczenie wartości n_{liq}

$$n_{liq} = n_{fiber}\sin\theta_c = 1,5 \cdot \sin 45° = 1,06$$

Tak więc minimalna wartość współczynnika załamania, poniżej której czujnik nie będzie działał, jest równa 1,06; a więc znacznie mniej niż współczynnik załamania w cieczach.

10.3.2 Światłowodowy czujnik ciśnienia

Występuje wiele odmian światłowodowych czujników ciśnienia. Mogą to być czujniki wewnętrzne, w których samo włókno światłowodowe jest sensorem oraz zewnętrzne, gdzie światłowód przesyła światło do elementu czujnikowego. Działanie wewnętrznych czujników napięcia polega na wywoływaniu zgięcia światłowodu lub na zmianie promienia tego zgięcia. Przykłady takich czujników ciśnienia przedstawiono na rys. 10.3*a,b*. Zgięcia wprowadzają do światłowodu straty, ponieważ, mówiąc w uproszczeniu, zmieniają kąt padania światła na granicę rdzeń/płaszcz w światłowodzie. Wiązka, która pierwotnie spełniała kryterium całkowitego wewnętrznego odbicia, po zgięciu światłowodu przestaje je spełniać i ulega załamaniu poza światłowód. Im bardziej światłowód jest zgięty, tym większa jest strata światła.

Czujnik przedstawiony na rys. 10.3*c* jest czujnikiem zewnętrznym, zbliżeniowym. Mierzy on ciśnienie przez wyznaczanie odległości płytki odbijającej na końcu światłowodu. Gdy płytka odbijająca porusza się w przód i w tył, zmienia się ilość światła

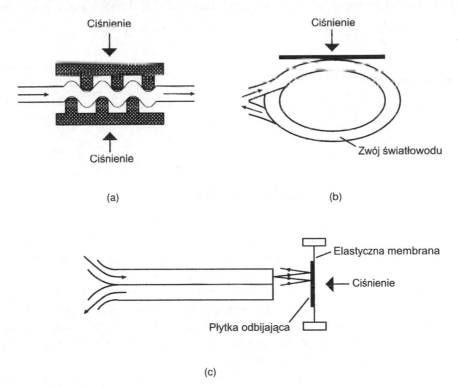

(a)

(b)

(c)

Rys. 10.3 Światłowodowe czujniki ciśnienia:
a — mikrozgięciowy, *b* — ze zwojem światłowodu, *c* — odbiciowy

powracającego do światłowodu. Stosując czujnik tego rodzaju trzeba starannie dobierać punkt zerowy, gdyż system nie może odróżnić ruchu płytki wprzód od ruchu w tył.

Przykład 2

Pytanie: W światłowodowym czujniku ciśnienia zastosowano światło o długości fali 633 nm i wielomodowy światłowód o skokowej zmianie współczynnika załamania o średnicy rdzenia 25 µm i współczynnikach załamania w rdzeniu $n_{core} = 1{,}51$ i w płaszczu $n_{clad} = 1{,}48$. Zakładając, że każdy mod w światłowodzie przenosi taką samą energię świetlną, oblicz kąt, o jaki powinien być zgięty światłowód, aby ponad połowa światła wracała do światłowodu. *Odpowiedź*: Z równania (5.8) otrzymamy

$$m_{max} = \frac{2 n_{core} d \cos\theta_c}{\lambda} = \frac{2 d (n_{core}^2 - n_{clad}^2)^{1/2}}{\lambda}$$

Wstawiając podane wartości otrzymujemy

$$m_{max} = \frac{2 \cdot 25 \cdot 10^{-6} [(1{,}51)^2 - (1{,}48)^2]}{633 \cdot 10^{-9}} = 23{,}66$$

Ponieważ m musi być liczbą całkowitą, więc światłowód przenosi 23 mody. To znaczy, że trochę ponad połowa światła będzie ulegała załamaniu poza światłowód, gdy już mod $m = 13$ nie będzie spełniał kryteriów całkowitego wewnętrznego odbicia. Możemy określić kąt padania dla modu $m = 13$ przekształcając równanie (5.8) i podstawiając podane wartości

$$\theta_{13} = \arccos\left(\frac{m\lambda}{2 n_{core} d}\right) = \arccos\left(\frac{13 \cdot 633 \cdot 10^{-9}}{2 \cdot 1{,}51 \cdot 25 \cdot 10^{-6}}\right) = 83{,}7°$$

Kąt graniczny wyznacza się ze wzoru

$$\theta_c = \arcsin\left(\frac{n_{clad}}{n_{core}}\right) = 78{,}6°$$

a więc trzeba zgiąć światłowód o kąt $5{,}1°$.

10.3.3 Żyroskop światłowodowy

W *światłowodowym żyroskopie* wykorzystano zjawisko Sagnaca. Wiązka światła jest rozdzielana i dwie jej połówki są przesyłane wokół zwoju światłowodu, który wiruje. Zjawisko Sagnaca jest efektem relatywistycznym; można lepiej zrozumieć na czym ono polega przyjrzawszy się rysunkowi 10.4. Wiązka jest rozdzielana w chwili $t = 0$ i obie wiązki zaczynają krążyć w zwoju. Jeśli zwój nie wiruje, to obie wiązki przebędą odległość $2\pi r$ zanim wrócą do punktu początkowego, r jest promieniem zwoju światłowodu. Jeśli jednak zwój wiruje w kierunku obrotu wskazówek zegara, jak to pokazano na rysunku, to dla wiązki poruszającej się przeciwnie do kierunku wskazówek zegara punkt początkowy zbliża się do niej.

A zatem droga tej wiązki do chwili jej powrotu do punktu początkowego staje się krótsza. Odwrotna sytuacja jest z wiązką poruszającą się zgodnie z kierunkiem wskazówek zegara, od której punkt początkowy się oddala i droga powrotu się wydłuża.

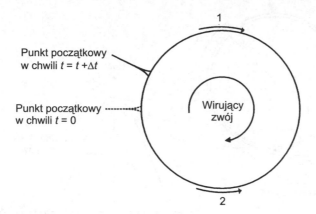

Rys. 10.4 Propagacja światła
w wirującym zwoju światłowodu
1 — w kierunku zgodnym
z ruchem wskazówek zegara,
2 — w kierunku przeciwnym

W rezultacie w punkcie początkowym występuje różnica dróg między dwiema wiązkami poruszającymi się w przeciwnych kierunkach i następuje interferencja wiązek. Jeśli różnica dróg jest dokładnie równa połowie długości fali, to wiązki ulegną interferencji wygaszającej. Różnica dróg między wiązkami jest określona wzorem

$$\Delta d = \frac{8\pi\Omega A}{c} \tag{10.1}$$

gdzie:

Ω — szybkość obrotowa zwoju (w obrotach/s),
A — powierzchnia zwoju równa πr^2.

Ćwiczenie 2

Interferometr Sagnaca wiruje z szybkością obrotową 0,1 obrotu/s. W interferometrze zastosowano światło o długości fali 860 nm. Jaki powinien być promień zwoju, aby między dwiema poruszającymi się wiązkami zachodziła, przy tej szybkości obrotowej, interferencja wygaszająca?

Budowę interferometru Sagnaca pokazano na rys. 10.5a. Wiązka wejściowa jest dzielona na dwie w zwierciadle półprzezroczystym 50/50. Wiązki przebiegają wokół zwoju, znowu wracają i są przesyłane do detektora. Natężenie wiązki światła padającego na detektor można wyrazić wzorem

$$I = I_0 \cos^2\left(\frac{2\pi\Delta d}{\lambda}\right) \tag{10.2}$$

Jak wynika z rys. 10.5b, przy małych różnicach dróg różnica między I i I_0 jest bardzo mała, a więc interferometr nie jest bardzo czuły na małe szybkości obrotowe. Można to poprawić zapewniając różnicę dróg między wiązkami poruszającymi się w przeciwnych kierunkach równą $\lambda/4$, nawet gdy $\Omega = 0$. W ten sposób przesuwa się punkt zerowy interferometru na połowę drogi między wartościami minimalną i maksymalną I, co powoduje znaczny wzrost czułości. Tę dodatkową różnicę dróg wprowadza się zwykle przez owinięcie jednej sekcji włókna światłowodu wokół walca z materiału piezoelektrycznego, który rozszerza się i zwęża, gdy doprowadzi się do niego napięcie zmienne. To powoduje rozciąganie światłowodu i wprowadzenie wymaganej dodatkowej drogi.

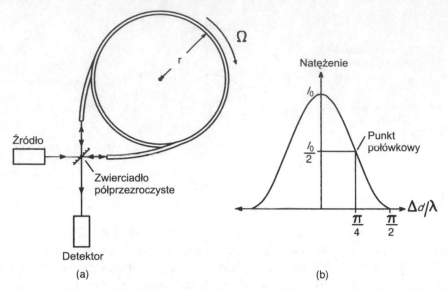

Rys. 10.5 Interferometr Sagnaca
a — schemat budowy, *b* — zależność natężenia światła od różnicy dróg

Oczywiście w urządzeniach praktycznych istnieje dolna granica zmian natężenia światła, które może być mierzone w sposób niezawodny. Granica ta jest uwarunkowana szumem źródła, detektora i zastosowanego wzmacniacza. Jednym z łatwych sposobów zwiększenia czułości urządzenia w celu umożliwienia pomiarów bardzo małych szybkości obrotowych, jest zwiększenie wartości Δd przy danej wartości szybkości obrotowej Ω. Ze wzoru (10.1) wynika, że można to zrobić zwiększając powierzchnię zwoju A, co jest rozwiązaniem kłopotliwym w praktyce. Lepszym pomysłem jest zwiększenie powierzchni efektywnej przez zastosowanie więcej niż jednej pętli światłowodu w zwoju. W tym przypadku różnica dróg jest wyrażona wzorem

$$\Delta d = \frac{8N\pi\Omega A}{c} \qquad (10.3)$$

gdzie: N — liczba pętli światłowodu w zwoju.

Żyroskopy światłowodowe mogą mierzyć bardzo małe szybkości obrotowe, nawet takie jak 0,0001 stopnia/godzinę. Jednak takie żyroskopy muszą być bardzo starannie wykonane, gdyż decydującą sprawą jest, aby każda z wiązek przebywała jednakową drogę, prócz różnic spowodowanych przez wirowanie. Na przykład ważne są nawet różnice spowodowane faktem, że jedna wiązka jest dwukrotnie odbijana przez zwierciadło półprzezroczyste, podczas gdy druga dwukrotnie przechodzi przez to zwierciadło. Z tych samych względów jako źródła światła w żyroskopach stosuje się diody elektroluminescencyjne (LED), gdyż ich światło jest mniej wrażliwe na wpływ rozpraszania w światłowodzie z powodu względnie małej długości spójności. W wiązkach światła spójnego zarówno światło rozproszone jak i wiązka główna mogą ulegać interferencji w detektorze dając fałszywe lub mylące wyniki.

10.4 CZYTNIK KODU KRESKOWEGO

Kod kreskowy — dość nierówno rozmieszczone paski przypominające zebrę — znajduje się teraz na prawie każdym przedmiocie, który możemy kupić lub wypożyczyć. Taki kod umożliwia automatyczny odczyt, znacznie przyśpieszając wprowadzania danych w kasach sklepowych, a także rejestrację każdego sprzedanego wyrobu, bez konieczności umieszczania ceny na każdym towarze. System kodu kreskowego obejmuje dwa elementy — sam kod i czytnik kodu. Najpierw zajmiemy się kodem.

10.4.1 Kod kreskowy

Kod kreskowy to szereg czarnych i białych pasków wyrażających pewien ciąg liczb. W użyciu jest kilka różnych kodów. Powszechnie spotykany jest kod UPC (*American Universal Product Code*). Kod UPC jest przewidziany do wyrażania 12 cyfr, z których 11 jest drukowanych. Typowy zapis w kodzie UPC przedstawiono na rys. 10.6. Można zauważyć, że kod jest podzielony na dwie sekcje za pomocą trzech par nieco dłuższych kresek zabezpieczających (po środku i po bokach). W każdej sekcji może być zakodowane do 6 cyfr. Cyfry w każdej sekcji są wyrażane przez zestaw kodów 7-bitowych, jak to przedstawiono na rys. 10.6*b*. Przedstawienie cyfr na prawo od środkowych kresek zabezpieczających jest komplementarne w stosunku do wyrażenia cyfr na lewo od tych kresek. Dzięki temu procesor stosowany do przetwarzania kodów na liczby może rozpoznać, w którą stronę kod kreskowy został odczytany.

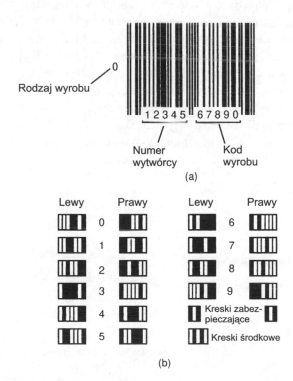

Rys. 10.6 Kod kreskowy
a — kod UPC, *b* — sposób kodowania

Kod używany do znakowania towarów w Wielkiej Brytanii zawiera 13 cyfr. Dwanaście z nich może być bezpośrednio przedstawionych w postaci kodu kreskowego, z wykorzystaniem również pierwszej cyfry za pierwszą zewnętrzną kreską zabezpieczającą i ostatniej cyfry przed drugą kreską zabezpieczającą, które istnieją w kodzie UPC, lecz nie są stosowane. Informacja o trzynastej cyfrze jest wyświetlana z zastosowaniem trzeciego sposobu wyrażenia tych cyfr. Przy tym sposobie cyfry na prawo od środkowych kresek zabezpieczających są wyrażane przez odwrócenie kolejności kresek w kodach z prawej strony. Cyfry na lewo od środka są teraz wyrażane przez mieszaninę kodów „prawego" i „lewego", a cyfry na prawo od środka — przez ten nowy odwrócony kod. Sposób, w jaki kody „prawe" i „lewe" strony są mieszane, daje informacje o dodatkowej cyfrze. (W Polsce jest stosowany kod EAN będący rozszerzeniem kodu UPC, ten kod też zawiera 13 cyfr — przyp. tłum.).

10.4.2 Czytnik

W swej najprostszej formie *czytnik* jest „różdżką" będącą piórem świetlnym przesuwanym po kodzie kreskowym. Pióro świetlne zawiera źródło światła, optyczny układ ogniskujący oraz detektor, związany z układem ogniskującym. Schemat czytnika z piórem świetlnym firmy Hewlett Packard typu HEDS 1000 przedstawiono na rys. 10.7. Czytnik składa się z diody elektroluminescencyjnej o czerwonym świeceniu, fotodiody oraz tranzystorów umieszczonych w tej samej strukturze monolitycznej. Plamka pochodząca od diody elektroluminescencyjnej trafia w pole widzenia fotodiody dzięki miniaturowej podwójnej soczewce. Bardziej rozbudowana wersja czytnika HEDS 3000 zawiera dodatkowe układy dające sygnał wyjściowy kompatybilny z układami TTL lub CMOS. W miarę przesuwania pióra świetlnego po kodzie cyfrowym, w kierunku prostopadłym do kresek, zmiany współczynnika odbicia przy przejściu przez obszary ciemne i jasne są przetwarzane na zmiany sygnału wyjściowego z detektora. Procesor może przeanalizować ten sygnał i wydobyć z niego cyfry kodu kreskowego. Pióro jest przesuwane nie zawsze idealnie prostopadle do kresek, istotną rolę spełniają w tym przypadku kreski zabezpieczające stanowiąc bazę, na podstawie której można obliczyć szerokość pojedynczej kreski. Porównując tę szerokość z szerokością wzniesień i obniżeń przebiegu wyjściowego z detektora, procesor daje sygnał cyfrowy, który następnie można zdekodować.

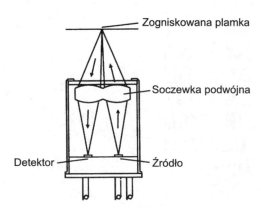

Rys. 10.7 Czytnik z piórem świetlnym typu HEDS 1000 firmy Hewlett-Packard

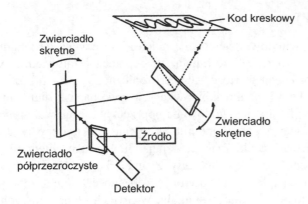

Rys. 10.8 Skanujący czytnik kodu kreskowego

Teraz w wielu czytnikach nie stosuje się już piór świetlnych, zwłaszcza tam gdzie jest konieczna duża przepustowość, np. w kasach supermarketów. W tym przypadku do skanowania kodu kreskowego dobrze zogniskowaną wiązką laserową używa się wirującego zwierciadła wielokątnego. W celu zapewnienia dokładnego odczytu jest konieczne przeprowadzenie za każdym razem kilku skanowań. Do prześledzenia zapisu kodu kreskowego na towarze stosuje się więc wiązkę laserową oraz dwa zwierciadła. Jedno z nich skanuje wiązkę w kierunku poziomym, a drugie — w pionowym. Budowę czytnika skanującego przedstawiono schematycznie na rys. 10.8. W bardziej zaawansowanych technicznie czytnikach ręcznych stosuje się liniowe matryce CCD z soczewkami cylindrycznymi zamiast konwencjonalnego zestawu fotodioda/soczewka. Takie czytniki odczytują cały kod za jednym przesunięciem, ponieważ soczewki cylindryczne ogniskują światło w jedną linię zamiast w jeden punkt, a szereg detektorów w matrycy CCD umożliwia rozróżnienie indywidualnych elementów kodu kreskowego. W tym czytniku przezwyciężono problemy, jakie w czytniku z piórem świetlnym powodowały zmiany szybkości przesuwania pióra po kodzie kreskowym.

Trzeba mieć na uwadze, że niezawodny odczyt kodu kreskowego nie jest sprawą trywialną. Kod może być wydrukowany na powierzchni matowej lub błyszczącej, może być nie całkiem czarny i biały, rozmiar pola kodu kreskowego może się zmieniać, kod może nie być płaski i może być źle wydrukowany. Podsumowując należy stwierdzić, że powszechność zastosowań kodu kreskowego jest najlepszym sprawdzianem wiedzy projektantów i możliwości nowoczesnej elektroniki.

10.5 ODTWARZACZ PŁYT KOMPAKTOWYCH (CD)

Spośród wszystkich współczesnych systemów optoelektronicznych, *odtwarzacz płyt kompaktowych* (CD) jest tym, który najprawdopodobniej stosujecie. Płyty kompaktowe i urządzenia do ich odtwarzania odniosły niebywały sukces, który spowodował, że płyty winylowe nie są już wcale wytwarzane. Zanim wnikniemy w zawiłości systemu CD, omówimy sposób kodowania informacji na płycie kompaktowej, który był przełomem w dziedzinie zapisu i odczytu sygnałów.

10.5.1 Zapis cyfrowy

Przyjrzawszy się bliżej płycie winylowej (jeśli taką macie) zobaczycie, że znajduje się na niej spiralny, cienki rowek, tworzący linię falistą. Te poprzeczne falowania rowka są bezpośrednim odwzorowaniem zmian wartości sygnału fonicznego w funkcji czasu. Do odtwarzania płyty służy igła, której cienka końcówka jest wykonana z diamentu. Gdy igła porusza się wzdłuż rowka, drgania spowodowane poprzecznymi falowaniami rowka są przenoszone przez igłę i ulegają przetworzeniu na sygnał elektryczny w czujniku piezoelektrycznym lub w układzie cewki magnetycznej. Głównym problemem w tym systemie odtwarzania jest bezpośredni kontakt igły z płytą. Powoduje to, z czasem, stopniowe niszczenie płyty przez igłę (i na odwrót), a obecność kurzu i zadrapań na płycie wywołuje zniekształcenie odtwarzanego sygnału. W płytach kompaktowych unika się tych problemów przez zastosowanie:

a) bezdotykowej metody odczytu za pomocą światła,

b) cyfrowej metody gromadzenia informacji na płycie.

Punktem a) zajmiemy się omawiając odtwarzacz płyt kompaktowych, a najpierw omówimy kwestię wymienioną w punkcie b).

Przetwarzanie analogowo-cyfrowe to proces, w którym sygnał analogowy o wartości zmieniającej się w sposób ciągły, jest zamieniany na sygnał cyfrowy przyjmujący albo wartość zero, albo jakąś wartość ustaloną. Te dwa możliwe stany sygnału cyfrowego są oznaczane *0* i *1*. Pospolicie stosowany system kodowania, nazywany

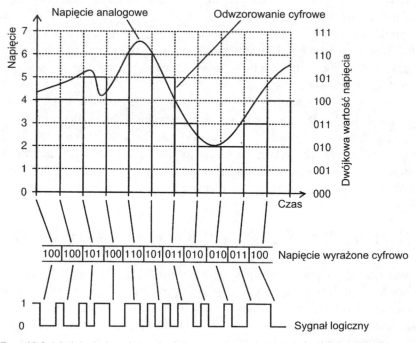

Rys. 10.9 Modulacja impulsowo-kodowa sygnału analogowego i strumień bitowy powstający jako jej rezultat

modulacją impulsowo-kodową, przedstawiono schematycznie na rys. 10.9. Napięciowy sygnał analogowy jest najpierw próbkowany w regularnych odstępach czasu, a następnie przetwarzany na liczbę binarną (wyrażoną w kodzie dwójkowym). Na rys. 10.9, w celu ułatwienia zrozumienia, przedstawiono przetwarzanie na liczbę binarną tylko 3-bitową, co nazywamy kwantyzacją 3-bitową. Wartości sygnału są w tym przypadku przyporządkowywane jednemu z $2^3 = 8$ poziomów. Nawet na tym rysunku można zauważyć, że przy takiej kwantyzacji sygnał cyfrowy nie jest zbyt dobrym odwzorowaniem pierwotnego sygnału analogowego. W systemach rzeczywistych stosuje się kwantyzację 8-bitową, co oznacza że sygnał foniczny jest przyporządkowywany jednemu z 256 poziomów.

Przykład 3

Pytanie: Jaki jest zakres dynamiczny 8-bitowego systemu próbkującego?
Odpowiedź: System próbkujący 8-bitowy ma $2^8 = 256$ poziomów, przy czym poziom najwyższy jest 256 razy większy od najniższego. Korzystając z przykładu 1 w rozdz. 7 i podstawiając dane wartości uzyskujemy

$$Zakres\ dynamiczny = 20\log_{10}(wartość\ maksymalna/wartość\ minimalna) =$$
$$= 20\log_{10}256 = 48,2\ dB$$

Takiego długiego szeregu zer i jedynek nie możemy jednak zapisać na płycie, gdyż istnieje możliwość powstania długich ciągów samych zer lub samych jedynek, co bardzo utrudniłoby kontrolę błędów. Dlatego zapis 8-bitowy zmienia się na słowo 14-bitowe stosując tablicę funkcji dopuszczającą tylko kombinacje z minimum trzema i maksimum 11 kolejnymi zerami. Dodaje się dodatkowe bity do synchronizacji i kontroli błędów.

Na podstawie rys. 10.9 można wyciągnąć wniosek, że jeśli próbkowanie następuje zbyt rzadko, to sygnał cyfrowy słabo odwzorowuje analogowy. O częstotliwości próbkowania możemy zdecydować na podstawie twierdzenia Nyquista mówiącego, że minimalna częstotliwość próbkowania jest równa podwojonej maksymalnej częstotliwości sygnału próbkowanego. Widmo sygnału akustycznego (fonicznego) obejmuje częstotliwości do ok. 18 kHz, a więc musimy próbkować z częstotliwością co najmniej 36 kHz, czyli 36 000 razy na sekundę. W praktyce próbkuje się z częstotliwością 44,1 kHz, co pozostawia pewien zapas na spadki wzmocnienia we wzmacniaczach stosowanych do odtwarzania dźwięku. W nagraniach stereofonicznych cały proces musi być powtarzany dla dwóch kanałów stereofonicznych, a więc rzeczywista częstotliwość próbkowania powinna być równa 88,2 kHz ($2 \cdot 44,1$ kHz). Możemy teraz obliczyć, z jaką szybkością informacja powinna być zapisywana na płycie i z niej odczytywana. Powinniśmy 88 200 razy na sekundę przesłać lub odebrać 16 ($2 \cdot 8$) bitów informacji. Stąd wynika szybkość transmisji bitów $88,2 \cdot 10^3 \cdot 16 = 1,41$ Mbit/s. Jest to dość dużo, choć niewiele w porównaniu z szybkościami bitowymi w systemach telekomunikacyjnych.

10.5.2 Płyta kompaktowa

Na rys. 10.10 schematycznie przedstawiono budowę *płyty kompaktowej*. Część odbijająca płyty, zwykle wykonana z aluminium, jest umieszczona pomiędzy plastykowymi warstwami zabezpieczającymi. Płyta jest tworzona na podstawie nagrania na płycie

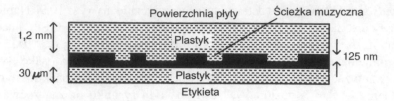

Rys. 10.10 Budowa płyty kompaktowej (CD)

wzorcowej (ang. *master disc*) wykonanej ze szkła pokrytego materiałem światłoczułym. Do naświetlenia maski fotolitograficznej stosuje się laser nadfioletowy. Jedynki i zera w sygnale cyfrowym są przetwarzane na zagłębienia (ang. *pits*) oraz pola (ang. *lands*) będące obszarami między wgłębieniami na płycie wzorcowej. Następnie wytwarza się płyty kompaktowe przeznaczone na sprzedaż. Wytłacza się plastykowy odcisk płyty wzorcowej i następnie pokrywa się go cienką warstwą aluminium. Potem z drugiej strony płyty nakłada się drugą warstwę plastyku lub lakieru. Etykietę umieszcza się na płycie o stronie przeciwnej do strony z wgłębieniami. Informacje są na płycie zapisane spiralnie począwszy od środka płyty i zawierają się w obszarze zawartym między promieniem wewnętrznym płyty 25 mm i promieniem zewnętrznym 58 mm, na ścieżkach o szerokości 1,6 μm. W ten sposób uzyskuje się ścieżkę nagrania o długości 5,38 km. Prędkość obrotowa płyty zmienia się w trakcie odtwarzania, zwykle jest to 275 obrotów na minutę.

Ćwiczenie 3

Zakładając średni promień płyty 42 mm oszacuj czas odtwarzania płyty kompaktowej.

10.5.3 Układ optyczny odtwarzacza CD

Na rys. 10.11*a* przedstawiono schemat typowego *układu optycznego odtwarzacza CD*. Istotą działania odtwarzacza jest bezkontaktowy odczyt, oczywiście za pomocą lasera. Odtwarzacze płyt kompaktowych działają na zasadzie interferencji światła, dlatego konieczne jest źródło światła spójnego. W pierwszych odtwarzaczach stosowano lasery He-Ne, lecz w miarę rozwoju laserów półprzewodnikowych nieporęczne lasery He-Ne dużej mocy zastąpiono małymi i wydajnymi diodami laserowymi. Ostatnie sukcesy w dziedzinie niebieskich diod laserowych mają znaczny wpływ na odtwarzacze CD. Płyta odczytywana światłem o mniejszej długości fali może bowiem pomieścić zapis większej ilości informacji. Obecnie w odtwarzaczach CD stosuje sie lasery GaAlAs dające światło o długości fali 780 nm.

W celu odczytu danych ogniskuje się światło lasera na warstwie odbijającej światło, która znajduje się ok. 1,2 mm poniżej powierzchni płyty. Zaleta takiego rozwiązania polega na tym, że wiązka przechodząc przez powierzchnię płyty jest jeszcze dość szeroka, co czyni system bardzo tolerancyjnym na uszkodzenia powierzchni; rysa lub drobina kurzu nie może całkowicie zablokować wiązki światła. Ilość światła odbitego zależy od miejsca na płycie, na jakie trafia plamka światła z lasera. Jeśli całe światło padnie na pole między wgłębieniami, to wtedy całe światło w wiązce przebywa mniej więcej taką samą drogę, zanim zostanie odbite wstecz, a więc zachodzi tylko interferencja

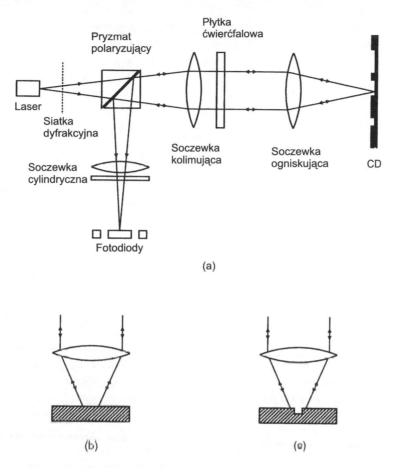

Rys. 10.11 Układ optyczny odtwarzacza CD
a — schemat, *b* — odbicie światła od pola oraz *c* — od zagłębienia

wzmacniającą. Jeśli jednak plamka trafia na wgłębienie, to następuje interferencja wygaszająca. Wgłębienia mają typową szerokość 0,5 µm, a zogniskowana plamka ok. 1,2 µm. To znaczy, że ok. 50% światła w plamce pada na pola po obu stronach zagłębienia, a pozostałe 50% pada na wgłębienie. Jeśli głębokość wgłębienia jest starannie dobrana tak, aby była równa $\lambda/4$, gdzie λ jest długością fali światła wewnątrz warstwy plastyku, to światło odbite od wgłębienia przejdzie drogę o pół długości fali dłuższą niż światło odbite od sąsiedniego pola. Następuje wtedy interferencja wygaszająca. Pokazano to schematycznie na rys. 10.11*b*.

Przykład 4

Pytanie: Światło jest ogniskowane na odbijającej warstwie płyty kompaktowej za pomocą soczewki o aperturze numerycznej (NA) równej 0,45. Oblicz wielkość plamki światła na powierzchni płyty, jeśli współczynnik załamania światła w plastyku jest równy 1,55; a grubość warstwy plastykowej wynosi 1,2 mm.
Odpowiedź: Przypominacie sobie zapewne z rozdziału 5, że w soczewce apertura numeryczna $NA = \sin\alpha$, przy czym α jest kątem padania, jaki tworzą najbardziej

zewnętrzne promienie w stożku zogniskowanego światła z powierzchnią równoległą do soczewki. To światło nie pada prostopadle do powierzchni, więc ulega załamaniu.

Z prawa Snella możemy obliczyć kąt załamania tego światła

$$n_1 \sin\alpha = n_2 \sin\theta_t$$

$$\theta_t = \arcsin\left(\frac{n_{air}}{n_{plastic}} \sin\alpha\right) = \arcsin\left(\frac{n_{air} NA_{lens}}{n_{plastic}}\right) = 17°$$

Kąt ten jest też połową kąta wewnętrznego stożkowej wiązki światła między powierzchnią i warstwą odbijającą oraz

$$tg\,\theta_t = (\text{średnica plamki na powierzchni płyty/2})/(\text{grubość warstwy plastyku}).$$

A zatem

$$\text{Średnica plamki na powierzchni płyty} = 2 \cdot (\mathrm{tg}\,17°) \cdot 1{,}22 = 0{,}764 \text{ mm}$$

Oczywiście jest ważne, aby światło było prawidłowo ogniskowane na płycie, gdyż zmiany rozmiaru plamki wpływają na względną ilość światła odbitego wstecz. W skrajnych przypadkach, przy złym ogniskowaniu, plamka może pokrywać więcej niż jedną ścieżkę. Odległość między soczewką i powierzchnią płyty jest na ogół ustalana z dokładnością do 2 μm.

Sygnał uzyskany z płyty kompaktowej ma szersze funkcje niż tylko przenoszenie informacji odwzorowującej sygnał akustyczny, powinien też dawać informacje o śledzeniu ścieżki przez plamkę laserową i o jej ogniskowaniu. Istnieje kilka sposobów przenoszenia tej informacji, zmieniających się w zależności od producenta. W przedstawionym systemie stosuje się siatkę dyfrakcyjną do wytwarzania wiązek rzędu zerowego (wiązka główna) i rzędu pierwszego (tzw. pierwsza wiązka wtórna) oświetlających płytę. Wiązka zerowego rzędu zbiera informację będącą odwzorowaniem sygnału akustycznego, a wiązka pierwszego rzędu jest używana do ogniskowania i śledzenia wiązki. Światło jest spolaryzowane za pomocą pryzmatu polaryzującego, a potem kolimowane przed przepuszczeniem przez płytkę ćwierćfalową. Płytka zamienia światło spolaryzowane liniowo w spolaryzowane kołowo i skręca płaszczyznę polaryzacji o 45° tak, aby po odbiciu od metalowej warstwy płyty kompaktowej i przejściu z powrotem przez płytkę było ono znowu zamieniane na światło spolaryzowane liniowo, lecz z przesunięciem pierwotnego kierunku polaryzacji o 90°. Dzięki temu to światło padając na pryzmat polaryzujący jest całkowicie odbijane w kierunku detektora. Bez takiego rozwiązania istniałoby niebezpieczeństwo powrotu światła do lasera i zdestabilizowania go.

10.5.4 Układ elektroniczny odtwarzacza CD

W układzie elektronicznym odtwarzacza CD wiązka światła rzędu zerowego pada na kwadrantową fotodiodę. Jest to w zasadzie zwykła, okrągła fotodioda podzielona na cztery ćwiartki, z których każda jest oddzielnym detektorem. Fotodiody kwadrantowe mogą być stosowane do określania położenia wiązki padającej metodą porównywania sygnałów z każdego z czterech kwadrantów. Jeśli wiązka pada dokładnie na środek diody, to sygnały ze wszystkich kwadrantów są jednakowe. W odtwarzaczu CD taka

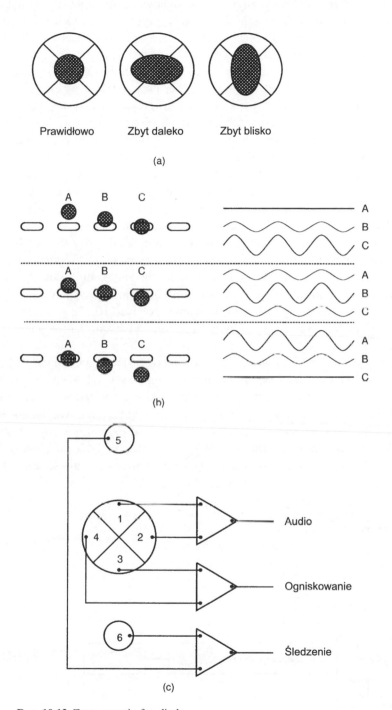

Prawidłowo   Zbyt daleko   Zbyt blisko

(a)

(b)

Audio

Ogniskowanie

Śledzenie

(c)

Rys. 10.12 Zastosowanie fotodiod:
a — do ogniskowania plamki, *b* — do śledzenia plamki, *c* — układ odczytu sygnałów z fotodiod

dioda, wraz z soczewkami cylindrycznymi, jest stosowana do kontroli ogniskowania wiązki laserowej na płycie. Jeśli odległość między płytą i soczewkami się zmienia, z powodu wypaczenia płyty lub wad mechanizmu, wtedy plamka światła padającego na diodę nie jest okrągła lecz eliptyczna (rys. 10.12a). Ponadto, jeśli płyta znajduje się zbyt blisko soczewek, to elipsa będzie pionowa, a jeśli płyta oddaliła się od soczewek, elipsa będzie pozioma. W obu przypadkach sygnał z jednej pary detektorów znajdujących się na przekątnej fotodiody będzie większy niż sygnał z drugiej pary. Różnicą tych sygnałów można sterować serwomechanizm zmieniający odległość między płytą i soczewką.

Ugięte wiązki pierwszego rzędu są ogniskowane na dwóch oddzielnych fotodiodach umieszczonych po obu stronach diody kwadrantowej. Sygnały z tych diod służą do utrzymywania plamki na ścieżce. Gdy wiązka rzędu zerowego (wiązka „audio") przebiega środkiem ścieżki, to wiązki pierwszego rzędu są rozmieszczone symetrycznie po obu jej stronach i chociaż ulegają modulacji, to jest ona mniejsza niż w wiązce „audio" (rys. 10.12b). Jeśli wiązka „audio" zaczyna schodzić ze ścieżki, to jedna z wiązek pierwszego rzędu będzie ulegała silniejszej modulacji, gdyż więcej światła tej wiązki pada na zagłębienia ścieżki. Druga zaś wiązka pierwszego rzędu będzie słabiej modulowana, gdyż mniej jej światła będzie trafiało na zagłębienia ścieżki. Tak jak poprzednio, sygnał różnicowy z tych dwóch fotodiod jest przekazywany do serwomechanizmu poruszającego system ogniskowania. Na rys. 10.12c pokazano, w jaki sposób sygnały z sześciu fotodiod są połączone z wyjściami sterowania „audio", ogniskowania i śledzenia.

Wreszcie, jak w każdym systemie audio, odzyskane dane muszą być przetworzone do postaci odpowiedniej do wysterowania słuchawek lub zestawu głośników. Na rys. 10.13 przedstawiono uproszczony schemat blokowy odtwarzacza płyt kompaktowych. Sygnał uzyskany z płyty jest wzmacniany i sprawdzany pod względem błędów ogniskowania i śledzenia ścieżki. Następnie sygnał jest demodulowany, a więc są usuwane dodatkowe informacje dodane w celu synchronizacji i kontroli błędów. Słowo 14-bitowe każdego kanału jest dekodowane z powrotem na pierwotne słowo 8-bitowe.

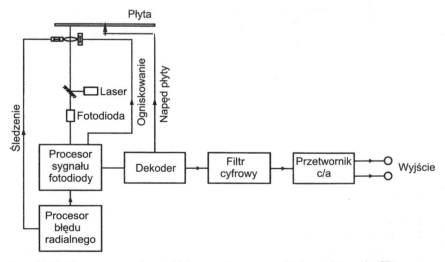

Rys. 10.13 Uproszczony schemat blokowy odtwarzacza płyt kompaktowych (CD)

Filtr cyfrowy usuwa wszelkie fałszywe sygnały wprowadzone przy dekodowaniu sygnału. Sygnał przechodzi następnie do 16-bitowego przetwornika cyfrowo-analogowego dającego na wyjściach analogowe sygnały foniczne, oddzielne dla obu kanałów. Sygnały te, po wzmocnieniu, są doprowadzane do głośników.

Płyta kompaktowa stała się fenomenalnym sukcesem. Nawet, jeśli macie tylko jakiś tańszy, a nie bardzo drogi system hi-fi, to i tak stratę wyższych częstotliwości w wyniku przetwarzania sygnału analogowego na cyfrowy z nawiązką rekompensuje brak syków i trzasków występujących przy odtwarzaniu nagrań z taśm magnetofonowych i płyt winylowych. A jeszcze, prócz tego, odtwarzacze CD są wykonywane jako urządzenia przenośne, co nie było możliwe w przypadku odtwarzaczy płyt winylowych. I na koniec, wielką zaletą płyt kompaktowych jest ich duża pojemność danych, która jeszcze wzrośnie po wprowadzeniu laserów niebieskich. Długość fali światła laserów niebieskich jest dwukrotnie mniejsza od długości fali laserów obecnie używanych w odtwarzaczach CD. A więc zogniskowana plamka światła z lasera niebieskiego ma dwukrotnie mniejszą średnicę. Z tego wynika, że stosując laser niebieski można gęstość danych na płycie zwiększyć czterokrotnie. Umożliwi to nagranie czterech albumów na jednej płycie kompaktowej.

Ćwiczenie 4

W odtwarzaczu CD jest wymagana zogniskowana plamka światła o wymiarze 1,2 μm. Jaka powinna być ogniskowa soczewki o średnicy 1 cm, jeśli zastosowano światło o długości fali 780 nm?

10.6 DRUKARKA LASEROWA

Drukarki laserowe, dzięki dużej szybkości i wysokiej jakości druku, stały się powszechnie spotykanym elementem wyposażenia biurowego. W pierwszych drukarkach laserowych jako źródła światła stosowano lasery gazowe He-Ne lub helowo-kadmowe, w których natężenie wiązki światła modulowano za pomocą modulatorów akustyczno-optycznych. Obecnie, ze względu na: rozmiary, pobór mocy i możliwość modulacji bezpośredniej, zastąpiono je laserami półprzewodnikowymi. *Drukarki laserowe* należą do grupy drukarek zwanych elektrofotograficznymi obejmującej fotokopiarki. Działanie drukarki laserowej przedstawiono schematycznie na rys. 10.14. Sercem drukarki jest światłoczuły bęben wirujący ze stałą prędkością. Treść wydruku jest rejestrowana na bębnie jako obraz utajony. Drukowanie odbywa się w następujący sposób. Najpierw elektrody ładujące pokrywają równomiernie ładunkiem całą powierzchnię bębna. Wiązka laserowa o modulowanym natężeniu przechodzi wielokrotnie kolejno w poprzek bębna tworząc obraz, który ma być wydrukowany. Modulacja polega na włączaniu lasera, gdy wiązka znajduje się w ciemnych miejscach obrazu, które należy wydrukować, a wyłączaniu tam, gdzie nie ma potrzeby wydruku (tzn. w miejscach białych). Podczas naświetlenia bębna wiązką laserową rezystancja warstwy światłoczułej zmniejsza się i następuje rozładowanie obszarów, które zostały naświetlone. W ten sposób na bębnie powstaje elektrostatyczny obraz utajony. Gdy obraz na bębnie przesuwa się przed kasetą z tonerem, obszary rozładowane wychwytują naładowany toner tworząc z niego obraz będący treścią wydruku. Następnie bęben z treścią wydruku przesuwa się nad elektrodą przenoszącą

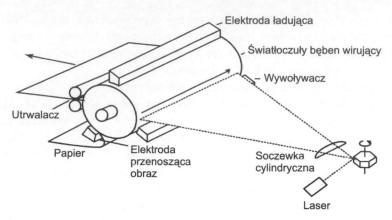

Rys. 10.14 Budowa drukarki laserowej

obraz. Między tą elektrodą i bębnem przesuwa się papier. Pole wytwarzane przez elektrodę przenoszącą „ściąga" toner z bębna na papier. Następnie wydruk na papierze jest utrwalany termicznie pod ciśnieniem.

Jako światłoczułe pokrycie bębna stosuje się fotoprzewodniki organiczne, takie jak selen lub amorficzny krzem. Czułość tych materiałów zmniejsza się wraz ze wzrostem długości fali, dlatego używa się laserów o możliwie krótkiej długości fali. Zwykle są to lasery dające światło o długości fali od 750 do 810 nm i mocy od 5 do 50 mW.

10.7 DYSK MAGNETOOPTYCZNY

Wielką zaletą nośników magnetooptycznych w systemach zapisu optycznego jest możliwość ich wielokrotnego (ponad milion razy) kasowania i ponownego zapisu. W *dyskach magnetooptycznych* wykorzystano zjawisko Faradaya lub magnetooptyczne zjawisko Kerra. W zjawisku Faradaya skręcenie płaszczyzny polaryzacji światła następuje, gdy światło przechodzi przez materiał magnetooptyczny, zaś w zjawisku Kerra skręcenie dotyczy światła odbitego od powierzchni materiału magnetooptycznego. Zjawiska te są, wszakże, podobne do siebie. Dyski magnetooptyczne zawierają podłoże szklane lub plastykowe pokryte warstwą magnetooptyczną. Może to być jedna warstwa lub, coraz częściej stosowana, struktura wielowarstwowa np. z terbu-żelaza-kobaltu. Na tą warstwę naniesie się cienką warstwę aluminium, działającą jako warstwa odbijająca. Warstwę aluminiową zabezpiecza się jeszcze jedną warstwą plastykową, albo dwa dyski składa się razem tylnymi stronami, tworząc pojedynczą płytę dwustronną.

Początkowo wszystkie domeny magnetyczne w warstwie magnetycznej są ustawione prostopadle do powierzchni i zwrócone w jednym kierunku (rys. 10.15a). Zapis dysku następuje przez zogniskowanie wiązki laserowej na warstwie magnetycznej, co wywołuje lokalny wzrost temperatury. Jeśli temperatura wzrośnie powyżej punktu Curie, to ten obszar, przy jednoczesnym przyłożeniu odpowiedniego pola magnetycznego, może zostać przemagnesowany w kierunku przeciwnym niż reszta dysku (rys. 10.15b). Gdy wiązka laserowa zostaje wyłączona, temperatura obniża się poniżej punktu Curie i na dysku następuje utrwalenie nowego namagnesowania. Przez włączanie i wyłączanie

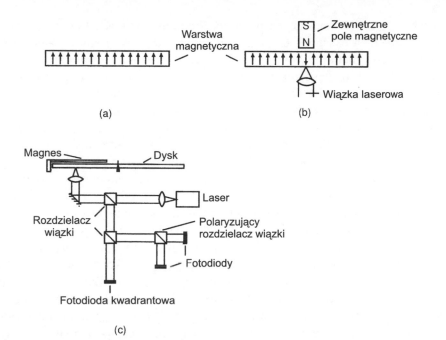

Rys. 10.15 Dysk magnetooptyczny:
a — ustawienie domen w warstwie magnetycznej przed nagrywaniem, *b* — podczas nagrywania,
c — schemat magnetooptycznego układu odczytu

wiązki laserowej, w zależności od stanu rejestrowanego sygnału cyfrowego, następuje zapis tego sygnału w postaci zmian kierunku momentu magnetycznego na dysku. Uzyskuje się dużą gęstość zapisu, gdyż wiązkę lasera można zogniskować do plamki o średnicy ok. 1 μm. Dysk 130 mm ma pojemność 500 Mbajtów, czyli tyle co 347 dyskietek.

Dane są odczytywane przez wykrywanie skręcenia płaszczyzny polaryzacji światła padającego. Momenty magnetyczne ustawione w jednym kierunku powodują skręcenie płaszczyzny polaryzacji w jedną stronę, a momenty magnetyczne skierowane przeciwnie — skręcają tę płaszczyznę w drugą stronę. Układ odczytu dysku magnetooptycznego przedstawiono schematycznie na rys. 10.15c. Do określenie kierunku, w jakim nastąpiło skręcenie płaszczyzny polaryzacji, zastosowano polaryzujący rozdzielacz wiązki (zwierciadło półprzezroczyste) oraz dwie fotodiody.

10.8 ŚWIATŁOWODOWY SYSTEM ŁĄCZNOŚCI

Wśród wszystkich obecnie znanych zastosowań optoelektroniki najbardziej oczywistym sukcesem jest *łączność światłowodowa*. Proste formy łączności optycznej są znane od bardzo dawna. Na przykład Grecy do przesyłania krótkich komunikatów używali ogniw sygnałowych ustawionych w rzędy i kolumny. Wczesne systemy łączności optycznej charakteryzowały się małą szybkością transmisji danych oraz pracą w przestrzeni swobodnej. Całkiem oczywiste są trudności występujące przy łączności w takich systemach — informacje mogą być przesyłane tylko bardzo powoli, a przy złej widoczności w ogóle nie można ich przesłać. Problem szybkości transmisji rozwiązał w pewnym stopniu Aleksander Graham Bell, który w 1880 roku wynalazł fotofon. W tym urządzeniu sygnał optyczny był modulowany za pomocą membrany odblaskowej wibrującej w takt fali dźwiękowej w powietrzu. Był to jednak także system pracujący w przestrzeni swobodnej, więc jego zastosowanie było ograniczone.

Łączność optyczna rozwinęła się dopiero wówczas, gdy opracowano systemy prowadzące falę świetlną. Chociaż w 1934 roku firma AT&T uzyskała patent na łączność optyczną z prowadzeniem fali w szkle, to jednak dopiero we wczesnych latach siedemdziesiątych systemy z prowadzeniem fali stały się realną możliwością. Było to wynikiem rozwoju kilku różnych technologii, w tym wytwarzania niezawodnych włókien światłowodowych o małych stratach oraz skonstruowania diody laserowej w 1962 roku.

Łączność światłowodowa w stosunku do konwencjonalnej łączności przy użyciu przewodów miedzianych wykazuje wiele zalet. Najważniejsze z nich to mała tłumienność oraz szerokie pasmo częstotliwości. Dzięki temu odległości między wzmacniakami mogą być większe, można stosować więcej kanałów i większą szybkość przesyłania. Światło o długości fali 1 μm ma częstotliwość $3 \cdot 10^5$ GHz. Jeśli tylko 1% tego zakresu częstotliwości jest efektywnie wykorzystane, to uzyskuje się pasmo telekomunikacyjne o szerokości $3 \cdot 10^6$ MHz, co wystarcza do przesyłania jednym światłowodem miliona rozmów telefonicznych lub setek kanałów telewizyjnych. Ponadto, ponieważ przesyłanie światła nie generuje zewnętrznych pól elektromagnetycznych, więc nie ma przesłuchów między sąsiednimi światłowodami. Transmisja światłowodowa jest bezpieczna, gdyż trudna do nieuprawnionego pobrania informacji. Światłowody są lżejsze niż przewody miedziane; system światłowodowy jest do 30 razy lżejszy niż równoważny mu system przewodów miedzianych. Małe rozmiary światłowodów są dużą zaletą przy prowadzeniu ich w ciasnych kanałach np. w budynkach miejskich, gdzie przestrzeń jest ograniczona. Miedziany kabel o średnicy 7,5 cm zawierający 900 par przewodów można zastąpić jedną parą przewodów światłowodowych dobrej jakości.

Poważną *wadą* łączności światłowodowej są jej koszty. W systemach światłowodowych o dużej szybkości przesyłania stosuje się włókna światłowodowe jednomodowe, które wymagają kosztownych źródeł laserowych i złączy. Mimo to w przypadku dużej ilości przesyłanej informacji oraz/lub dużych odległości transmisji światłowody są korzystne także pod względem ekonomicznym. W systemach o mniejszych odległościach transmisji oraz/lub mniejszej ilości informacji korzyści stosowania światłowodów nie są już tak oczywiste i para przewodów miedzianych może być tańszą alternatywą. Właśnie ze względu na koszty tak dużą wagę przywiązuje się do wykorzystania w systemach łączności laserów stosowanych w odtwarzaczach CD. Dzięki masowości produkcji są bardzo tanie.

Schemat typowego łącza światłowodowego przedstawiono na rys. 10.16. Sygnałem analogowym, który ma być przesłany, jest w tym przypadku rozmowa telefoniczna. Sygnał jest przetwarzany na cyfrowy i następnie kodowany. Podobnie jak w systemach nagrywania i odtwarzania płyt kompaktowych kodowanie pomaga w kontroli błędów i zabezpiecza przed powstawaniem długich ciągów samych zer lub jedynek, które utrudniałyby skuteczne dekodowanie sygnału po stronie odbiorczej. Sygnał, już w postaci cyfrowej, przełącza źródło światła — którym, w zależności od systemu — może być dioda laserowa lub dioda elektroluminescencyjna. W systemach dalekiego

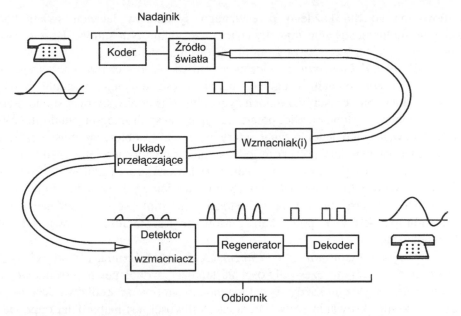

Rys. 10.16 Łącze światłowodowe

zasięgu następuje znaczne tłumienie przesyłanego światła, któremu trzeba przeciwdziałać, aby sygnał użyteczny dotarł do końca łącza. Wzmacniak odbiera stłumiony sygnał, wzmacnia go, odtwarza jego strukturę czasową (czyli kolejność bitów) zgodnie z przesłaną ze źródła. Przełączniki, jeśli trzeba, przełączają sygnał do różnych kanałów. Po dotarciu do drugiego końca łącza sygnał ulega detekcji i wzmocnieniu, przed skierowaniem do układów regenerujących, które odtwarzają strukturę czasową sygnału. Następnie dekoder odtwarza pierwotny sygnał analogowy, który jest przesłany do urządzenia odbiorczego. W celu lepszego wyjaśnienia problemów projektowania łączy światłowodowych omówimy kolejno poszczególne ich elementy.

Praca własna

W cyfrowych koderach telefonicznych często stosuje się kwantyzację nieliniową, w której odstępy między poziomami kwantowania nie są sobie równe. Spróbuj odpowiedzieć, dlaczego tak jest.

10.8.1 Nadajnik

Nadajniki przetwarzają wejściowe sygnały elektryczne uzyskując postać odpowiednią do ich przesłania łączem. W łączach światłowodowych nadajniki zamieniają sygnał wejściowy w sygnał sterujący diodami elektroluminescencyjną lub laserową, które następnie przetwarzają go w sygnał optyczny. *Nadajniki* są ciągle jeszcze układami hybrydowymi zawierającymi w jednej obudowie zarówno elementy dyskretne, takie jak rezystory, kondensatory i diody elektroluminescencyjne, jak i układy scalone. Dąży się jednak do zwiększania stopnia scalenia i umieszczenia w jednej strukturze źródeł i związanej z nimi elektroniki. W celu uniknięcia stosowania oddzielnego włókna światłowodowego dla każdego przesyłanego sygnału w łączach światłowodowych stosuje się multipleksowanie umożliwiające przesyłanie tym samym łączem dwóch lub więcej sygnałów. Są trzy sposoby multipleksowania sygnału.

W *multipleksowaniu z podziałem czasowym* do części pierwszego sygnału dołącza się część sygnału drugiego, potem część trzeciego sygnału i tak dalej, aż zostaną dołączone części wszystkich sygnałów. Następnie powraca się do pierwszego sygnału i pobiera następną część, potem następną część drugiego sygnału itd. Wszystko to jest nadawane jako jeden sygnał, który po stronie odbiorczej musi zostać pocięty na kawałki i odpowiednio połączony odtwarzając sygnały pierwotne. Multipleksowanie z podziałem czasowym jest odpowiednie zwłaszcza do sygnałów cyfrowych. Multipleksery cyfrowe łączą na ogół do 16 linii wejściowych w jedną linię wyjściową. Jeszcze więcej wejść można łączyć stosując multipleksery połączone kaskadowo. Zaletą multiplekserów z podziałem czasowym jest taniość stosowanych układów elektronicznych.

W *multipleksowaniu z podziałem częstotliwości* zmiany wartości sygnału są przetwarzane na zmiany częstotliwości następujące wokół pewnej środkowej częstotliwości nośnej, przy czym każdy sygnał ma inną częstotliwość środkową. Jeśli uwzględnić koszty, to multipleksowanie z podziałem częstotliwości jest najbardziej odpowiednie do przełączania sygnałów analogowych. Nie może bowiem być realizowane dla standardowych sygnałów logicznych i dlatego staje się kosztowne w systemach cyfrowych.

Multipleksowanie z podziałem długości fali (WDM — ang. *wavelength division multiplexing*) może być realizowane tylko w systemach optycznych. Przy takim multipleksowaniu każdemu sygnałowi jest przyporządkowana jego własna długość fali, generowana przez oddzielne źródła. System z modulacją WDM może pracować przy różnicach długości fali poszczególnych źródeł, nawet tak małych jak 5 nm. W starszych łączach różnice te musiały być większe. Główną trudnością może być rozdzielenie po stronie odbiorczej sygnałów o różnych częstotliwościach. Można to wykonywać za pomocą np. siatki dyfrakcyjnej, miniaturowego pryzmatu lub wielowarstwowych filtrów interferencyjnych.

Jedna z ważnych zalet łącz światłowodowych polega na tym, że dzięki brakowi przesłuchów między sygnałami w łączu można stosować różne metody modulacji do różnych sygnałów przesyłanych tym samym włóknem światłowodowym.

Wybór diody elektroluminescencyjnej lub diody laserowej jako źródła światła zależy od wymaganych parametrów łącza i właściwości innych jego elementów. W systemach analogowych lepsze są diody elektroluminescencyjne (LED) ze względu na ich liniową charakterystykę. W systemach cyfrowych może nastąpić wzrost czasu odpowiedzi tych diod ze względu na pracę z polaryzacją stałym prądem i powstawanie krótkich szpilek prądowych na zboczach sygnału — narastającym i opadającym. W łączach cyfrowych o dużej szybkości transmisji korzystniejsze jest stosowanie diod laserowych, ponieważ mają one pasmo modulacji szersze niż diody elektroluminescencyjne. Dlatego diody laserowe są stosowane w tych przypadkach, gdy szybkość działania źródła jest czynnikiem ograniczającym szybkość transmisji. Ponadto, dyspersja w światłowodach jednomodowych zależy od szerokości linii widmowej źródła, więc jeśli dyspersja jest czynnikiem ograniczającym, to należy zastosować diodę laserową.

10.8.2 Włókno światłowodowe

Działanie włókna światłowodowego w łączu zależy od profilu jego współczynnika załamania, średnicy i apertury numerycznej. Zależy też od długości fali oraz szerokości linii widma promieniowania źródła światła.

Włóknem światłowodowym najwyższej jakości jest jednomodowe włókno z przesuniętą dyspersją (ang. *dispersom shifted fiber*), stosowane ze źródłem laserowym o długości fali 1,55 μm. Dla tej długości fali tłumienność osiąga minimum, a dzięki jednomodowości włókna nie ma w nim dyspersji modalnej. Z kolei przesunięcie dyspresji powoduje, że zero dyspersji w materiale, które w szkle kwarcowym występuje przy długości fali 1,3 μm, ulega przesunięciu do 1,55 μm. Dlatego dyspersja materiałowa jest mała. Łącza światłowodowe o najsłabszej jakości są wykonywane z włókien wielomodowych o skokowej zmianie współczynnika załamania pracujących z diodami elektroluminescencyjnymi (LED) o długości fali 820 nm. Takie łącze ma dość dużą tłumienność i pasmo częstotliwości włókna ograniczone dyspersją modalną. Bardzo dobre parametry można też osiągnąć stosując włókna o gradientowej zmianie współczynnika załamania. Są one szczególnie interesujące, gdyż łatwo można wprowadzać światło do ich rdzeni o bardzo dużej średnicy. Jednak znaczna czułość dyspersji na zmiany długości fali pogarsza w pewnym stopniu działanie tych światłowodów. Światłowody o gradientowej zmianie współczynnika załamania pracujące z diodami elektroluminescencyjnymi (LED) o długości fali 1300 nm mają parametry pośrednie między dwoma poprzednio omówionymi.

W systemach z multipleksowaniem z podziałem długości fali stosuje się włókna światłowodowe o płaskiej charakterystyce dyspersji odznaczające się małą dyspersją w pewnym zakresie długości fali. W takim światłowodzie prosty profil o skokowej zmianie współczynnika załamania zastąpiono profilem zbliżonym do litery „W" (rys. 10.17).

Ćwiczenie 5

Co by się stało, gdyby w łączach z multipleksowaniem z podziałem długości fali nie zastosowano światłowodów o płaskiej charakterystyce dyspersji?

W praktyce światłowody trzeba wzmacniać mechanicznie, aby mogły spełnić trudne warunki instalacji. Dotyczy to zwłaszcza kabli podmorskich, gdzie masa samego kabla wleczonego jest znaczna. Kabel można mechanicznie wzmocnić owijając włókna

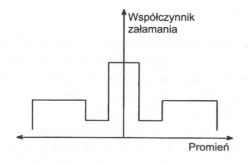

Rys. 10.17 Profil współczynnika załamania światła w światłowodzie o płaskiej charakterystyce dyspersji

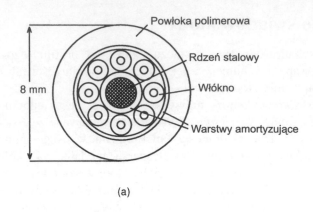

(a)

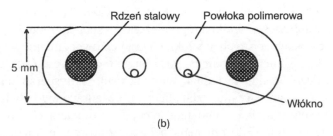

(b)

Rys. 10.18 Mechaniczne wzmocnienie światłowodu przez:
a — owinięcie włókien wokół stalowego rdzenia, *b* — umieszczenie włókien we wnękach w kablu

wokół stalowego rdzenia i pokrywając całość zewnętrzną powłoką polimerową (rys. 10.18*a*) albo wykonując kabel o wzmocnionej konstrukcji, w którym włókno leży luźno we wnęce wewnątrz kabla (rys. 10.18*b*). Najważniejsze jest jednak, żeby we włóknie nie powstawały żadne mikrozgięcia lub naprężenia, ani podczas produkcji ani przy instalowaniu.

10.8.3 Wzmacniak

Wzmacniak przeciwdziała tłumieniu światła powstającemu przy przesyłaniu światła łączem światłowodowym. Obecnie większość *wzmacniaków* to urządzenia elektroniczne, które odbierają sygnał świetlny, przetwarzają go na sygnał elektryczny, wykonują podstawowe funkcje wzmacniaka (tzn. wzmacnianie, odtwarzanie sekwencji czasowej i kształtu sygnału), a następnie przetwarzają sygnał ponownie na elektryczny i przesyłają go dalej.

Wzmacniaki elektroniczne mają dwie istotne wady: wymagają zasilania układów elektronicznych i nie są przezroczyste, tzn. jeśli szybkość przesyłania danych wzrasta powyżej pewnej granicy, to układy elektroniczne nie mogą jej podołać i powinny być wymienione na szybsze. Jest to bardzo kosztowne, gdy kabel znajduje się np. na środku Atlantyku! Ostatnio firmy telekomunikacyjne zaczęły jako wzmacniaki stosować włókna światłowodowe domieszkowane erbem. Krótki fragment zwykłego światłowodu zastępuje się światłowodem, w którym szkło kwarcowe rdzenia jest domieszkowane erbem

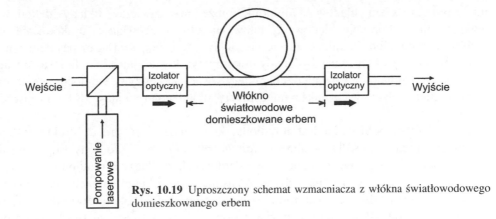

Rys. 10.19 Uproszczony schemat wzmacniacza z włókna światłowodowego domieszkowanego erbem

(rys. 10.19). Część rdzenia domieszkowana erbem jest następnie pompowana diodą laserową w celu wywołania inwersji obsadzeń. Gdy światło biegnące wzdłuż łącza dociera do domieszkowanej części światłowodu, to następuje emisja wymuszona dla długości fali światła przesyłanego łączem i to światło jest wzmacniane.

Wzmacniaki ze wzmacniaczami domieszkowanymi erbem (EDFA — ang. *erbium-doped fiber amplifiers*) są układami całkowicie optycznymi, więc mogą być stosowane przy wszystkich szybkościach przesyłania. Zademonstrowano łącza przesyłające sygnały z szybkością do 10 Gbit/s, ze wzmacniakami EDFA rozmieszczonymi co 50 km. Wzmacniaki typu EDFA można też stosować do wzmacniania sygnałów optycznych jeszcze przed ich przesłaniem, co umożliwia transmisję na większą odległość — nawet do 200 km, zanim stanie się niezbędny następny wzmacniak.

10.8.4 Odbiornik

Odbiorniki przetwarzają wejściowy sygnał świetlny na wyjściowy sygnał elektryczny. Podobnie jak nadajniki, także *odbiorniki* są na ogół układami hybrydowymi złożonymi z elementów dyskretnych i układów scalonych. Są one zwykle dostosowane do współpracy z określonymi nadajnikami, gdyż nawet, jeśli parametry interfejsów elektronicznych są identyczne, to niewłaściwie dobrane nadajnik i odbiornik mogą mieć różne systemy kodowania.

Odbiornik składa się z fotodiody, rezystora polaryzującego oraz przedwzmacniacza o małych szumach. Przedwzmacniacz jest konieczny, gdyż sygnał optyczny docierający do odbiornika i równoważny mu sygnał elektryczny są małe. Odbiornik może też zawierać dodatkowy wzmacniacz i korektory. Korektory poprawiają jakość sygnału kompensując nieliniowości systemu, które powodują m.in. powstawanie sygnałów o częstotliwościach będących wielokrotnościami częstotliwości podstawowej. Korektory usuwają również szum o małej i wielkiej częstotliwości. Pełny system odbiorczy może również spełniać takie funkcje jak odtwarzanie sygnału zegarowego powodujące wydzielenie tego sygnału ze strumienia bitowego w celu poprawnego odzyskania danych. W systemach łączności światłowodowej sygnał zegarowy nie jest przesyłany oddzielnie od sygnału danych. Dlatego jest tak ważne, aby odtworzony sygnał zegarowy nie zawierał wielu błędów. Odbiornik może też zawierać układy dekodowania, wykrywania i korekcji błędów, a także układy wykrywające uszkodzenia łącza. Odbiornik powinien charakteryzować się dobrą czułością, szerokim pasmem i małym szumem. Fotodetektor musi być mały i kompatybilny z długością fali stosowaną do przesyłania sygnałów. Powinien charakteryzować się dużym wzmocnieniem, dawać duży sygnał wyjściowy, a także mieć prosty układ polaryzujący, dużą niezawodność i niską cenę.

Sercem odbiornika jest fotodioda, która może być prostą strukturą PIN lub fotodiodą lawinową (APD — ang. *avalanche photodiode*). Fotodiody PIN maja dobrą niezawodność i mogą być zasilane ze standardowych zasilaczy. Fotodiody lawinowe też są niezawodne, lecz wymagają stabilnych zasilaczy wysokiego napięcia. Przy szybkości przesyłania np. 1 Gbit/s typowa dioda lawinowa jest jednak około 160 razy czulsza niż dioda PIN. Fotodiody krzemowe można stosować do współpracy ze źródłami o długości fali do 1,1 μm. Przy większych długościach fali używa się innych elementów pół-przewodnikowych — np. z arsenku galu.

10.8.5 Rozwój łączy światłowodowych

Jako przykład rozwoju łączy światłowodowych omówimy pierwsze transatlantyckie łącze światłowodowe TAT8 i najnowsze łącze TAT12/13.

Łącze TAT8 między Europą i Ameryka Północną zostało oddane do użytku przez firmy AT&T, British Telecom i France Telecom w dniu 14 grudnia 1988 roku. Było to łącze jednomodowe pracujące z długością fali 1,3 μm, mogące przekazywać 40 000 rozmów telefonicznych jednocześnie z szybkością transmisji 140 Mbit/s. Podwoiło ono możliwości transmisji przez Atlantyk.

W październiku 1995 roku łącze TAT12/13 rozpoczęło obsługę łączności między Wielką Brytanią i Stanami Zjednoczonymi i później połączyło Stany Zjednoczone, Wielką Brytanię i Francję. Ma ono kształt pierścienia o całkowitej długości 14 000 km ze wzmacniakami światłowodowymi rozmieszczonymi co 45 km. Łącze jest zbudowane z dwóch par jednomodowych włókien światłowodowych z przesunięciem dyspersji pracujących z długością fali bliską 1,55 μm. Tym łączem można przesyłać jednocześnie 300 000 rozmów telefonicznych z szybkością transmisji 5 Gbit/s. Pierścień jest „samo naprawiający się", gdyż jeśli zostaje wykryte uszkodzenie w którejkolwiek części sieci, to łączność może być kierowana w drugim kierunku pierścienia bez żadnej przerwy w pracy łącza. Przy takich systemach łączności realna staje się możliwość, żeby rozmowa między Londynem i Nowym Jorkiem kosztowała nie więcej niż rozmowa z Londynu do Birmingham i żeby wybieranie numeru było w obu przypadkach równie łatwe.

10.9 PODSUMOWANIE

- Istnieje wiele zastosowań optoelektroniki, począwszy od prostych barier optoelek-tronicznych, skończywszy na skomplikowanych systemach telekomunikacyjnych.
- Czujniki światłowodowe można stosować do pomiaru wielu różnych wielkości, albo dzięki zjawiskom zmieniającym współczynnik przenoszenia samego światłowodu

albo przez wprowadzenie i wyprowadzanie światła z jakiegoś czujnika za pomocą światłowodu. Przykładami są detektory poziomu cieczy, czujniki ciśnienia i żyroskop światłowodowy.

- Czytnik kodu kreskowego działa na zasadzie odczytu światła odbijanego od szeregu jasnych i ciemnych kresek, będących zapisem liczby identyfikującej towar.
- Odtwarzacz CD odczytuje informacje z płyty kompaktowej za pomocą lasera, z wykorzystaniem interferencji wzmacniającej i wygaszającej do generowania sygnału logiczny zero lub jeden. Bezkontaktowy sposób odczytu i cyfrowy zapis danych pozwalają uniknąć zużywania się płyty i zniekształceń sygnału spowodowanych niedoskonałościami powierzchni płyty.
- Informację zarejestrowaną w nośniku magnetycznym można odczytywać wykorzystując zjawiska magnetooptyczne — zjawiska Kerra i Faradaya.
- Drukarka laserowa zawiera światłoczuły bęben, na którym tworzy się treść wydruku przez naświetlanie, powodujące powstanie obszarów naładowanych. Następnie na tych obszarach gromadzi się toner tworząc wydruk.
- Potencjalne możliwości łączy światłowodowych są ogromne. Dzięki udoskonaleniom poprawiającym tłumienie i dyspersję oraz zastosowaniu np. optycznych wzmacniaczy światłowodowych i sieci łączy, uzyskano w najnowszym łączu transatlantyckim siedmiokrotny wzrost przepustowości w stosunku do pierwszego łącza transatlantyckiego, stosując w zasadzie ten sam typ światłowodu.

10.10 ZADANIA

10.1 Retroreflektor dwuwymiarowy jest zbudowany z dwóch zwierciadeł o długości 10 cm. Wiązka, która ma być odbita, pada na środek pierwszego zwierciadła. Oblicz maksymalny kąt padania, poza którym wiązka odbita nie trafia w drugie zwierciadło.

10.2 Interferometr Sagnaca zawiera 100 zwojów światłowodu o średnicy 20 cm. Przy jakiej szybkości obrotowej drogi dwóch wiązek będą się różniły o $\lambda/2$, jeśli zastosowano światło o długości fali 1,3 μm?

10.3 Wirujące zwierciadło wielokątne ma sześć powierzchni czołowych. Ile czasu zajmie skanowanie kodu kreskowego wiązką laserową, jeśli zwierciadło wiruje z szybkością 6000 obrotów na minutę?

10.4 Powierzchnia odbijająca w płycie kompaktowej jest pokryta plastikiem poliwęglanowym o współczynniku załamania równym 1,55. Jak głębokie powinny być zagłębienia w powierzchni odbijającej, jeśli do odczytu płyty zastosowano laser dający światło o długości fali 780 nm w przestrzeni swobodnej? (Pamiętaj, że w obliczeniach trzeba uwzględnić długość fali w plastiku).

10.5 Płytka ćwierćfalowa w odtwarzaczu CD jest wykonana z miki będącej materiałem dwójłomnym o współczynnikach $n_p = 1{,}599$ (dla składowej równoległej) i $n_n = 1{,}594$ (dla składowej prostopadłej). Liniowo spolaryzowane światło pada na płytkę w taki sposób, że jedna składowa światła „widzi" współczynnik n_p, a druga n_n. Aby płytka działała poprawnie różnica dróg między dwiema składowymi, gdy wychodzą one z płytki, powinna wynosić $\lambda/4$. Jaka musi być grubość płytki, aby spełnić ten warunek? Długość fali światła jest równa 780 nm.

10.6 Siatkę dyfrakcyjną użyto do rozdzielenia długości fal w łączu z multipleksowaniem z podziałem długości fali (WDM), w którym są przesyłane dwie długości fali 654 nm i 565 nm. Siatka ma 800 linii/mm. Jaka powinna być odległość między siatką i ekranem, aby plamki dyfrakcyjne pierwszego rzędu pochodzące od tych dwóch długości fali na ekranie były odległe od siebie o 10 mm?

10.7 Do łącza światłowodowego ze źródła jest wprowadzana wiązka o mocy 1 mW. Oblicz, w jakiej maksymalnej odległości od siebie mogą być umieszczone wzmacniaki, jeśli detektory mają otrzymywać sygnały wejściowe o mocy 1 nW, a światłowód charakteryzuje się tłumiennością $1,2 \, dB \cdot km^{-1}$. Wskazówka: Zamień na decybele stosunek mocy wejściowej do wymaganej mocy wyjściowej i wykorzystaj tę wartość do obliczenia maksymalnej długości łącza.

10.8 Rozmowa telefoniczna w postaci sygnału cyfrowego powinna być przesyłana z szybkością 64 kbit/s. Ile rozmów telefonicznych można przekazywać jednocześnie, jeśli łącze może przesyłać dane z szybkością 10 Gbit/s?

10.9 Sygnał telewizyjny jest zazwyczaj próbkowany z rozdzielczością 12-bitową. Ile to jest poziomów sygnału?

10.10 Maksymalna częstotliwość w sygnale telewizyjnym wynosi 10 MHz. Korzystając z twierdzenia Nyquista oblicz minimalną częstotliwość, z jaką sygnał powinien być próbkowany przed przetwarzaniem analogowo-cyfrowym. Oblicz szybkość przesyłania danych niezbędną do transmisji sygnału, jeśli zastosowano przetwarzanie 12-bitowe. Ile sygnałów telewizyjnych można przekazywać łączem o szybkości transmisji 10 Gbit/s?

Literatura

Literatura w języku angielskim

Podobnie, jak optoelektronika w ogólności, także jej zastosowania budzą zainteresowanie. Dlatego napisano na ten temat wiele artykułów i książek. Podane poniżej wybrane książki i artykuły będą dobrym punktem wyjścia dla Czytelników chcących rozszerzyć swe wiadomości o zastosowaniach optoelektroniki.

1. *Chaimowicz J.C.A.*: Optoelectronics, An Introduction, Butterworth-Heinemann, 1989
2. *Wilson J., Hawkes J.F.B.*: Optoelectronics, An Introduction, 2 wydanie. Prentice Hall International, 1989
3. *Cope J.A.*: The physics of the compact disc. Physics Education, vol. 28, str. 15–21, 1993
4. *Doran N., Bennion I.*: Optical networks to span the globe. Physics World, November, str. 35–39, 1996.

Literatura uzupełniająca w języku polskim

1. *Einarsson G.*: Podstawy telekomunikacji światłowodowej. WKŁ, Warszawa 1998
2. *Palais J.C.*: Zarys telekomunikacji światłowodowej. WKŁ, Warszawa 1991
3. *Siuzdak J.*: Wstęp do współczesnej telekomunikacji światłowodowej. WKŁ, Warszawa 1999
4. *Watson J.*: Elektronika. Seria „Wiedzieć więcej". WKŁ, Warszawa 1999

ODPOWIEDZI DO ĆWICZEŃ I ZADAŃ

Odpowiedzi do ćwiczeń

Rozdział 2

1   658 nm, światło czerwone
2    $6,9 \cdot 10^{-37}$
4    $3,99 \cdot 10^{16}$ atomów
5    $56,3°$

Rozdział 3

2   1,53 za soczewką 2, $m = -0,36$, obraz jest odwrócony
4    $f_D = 10,71$ cm, $f_R = 10,94$ cm, aberracja chromatyczna $= 0,23$ cm
5    $-13,3$ cm
6   a) 5 μm, b) 50 μm
7    $48,8°$

Rozdział 4

4   3,4 mA
5    $16°$
6   a) 1047 mrad, b) 261 mrad

Rozdział 5

1   34
2   19,2%, 4,8%
3   500 ns
4   1,24 ns
5    $-1,5$ ns

Rozdział 6

2    $3,6 \cdot 10^8$ V·m^{-1}, 1,82 MV
3   11,4 μm
4   534 nm

Rozdział 7

1     $2,9 \cdot 10^{-19}$ J
2   72%, 0,35 $A \cdot W^{-1}$
3   41 mΩ
4   518 nm
5   9,6 mV
6   0,145 mA
7   825 nm

Rozdział 8

1   10 linii na mm
2   0,09%
3   74,0%
4   7,4 MHz

Rozdział 9

1   9,3 razy
2     $\tau_r = 25,4$ ms, $\tau_f = 257$ ms

Rozdział 10

2   4,04 m
3   74 minuty
4   0,65 cm

Odpowiedzi do zadań

Rozdział 2

2.2   a) $4,6 \cdot 10^{-19}$J, b) 2,85 eV
2.3 $i = 2, j = 3$
2.4   a) $\omega = 3,54 \cdot 10^{15}$ rad $\cdot$ s^{-1}, b) $k = 11,8 \cdot 10^6$ m^{-1}
2.5 $3,5 \cdot 10^{-19}$ J
2.6 $N_2 : N_3 = 4,70 \cdot 10^{32}$
2.8 $1,4 \cdot 10^{24}$ atomów
2.9   40 000 m
2.10   59 warstw
2.11   48,4°
2.12 $1,875 \cdot 10^8$ Hz
2.13 $1,04 \cdot 10^{11}$ Hz

Rozdział 3

3.1   50,2°
3.2 $-78,6$ cm

3.3	4 m
3.4	3,3 cm, przed soczewką
3.5	2,26 cm za soczewką 2, powiększony 1,15-krotnie, odwrócony
3.7	a) $f_R = 23{,}10$ cm za soczewką, $f_B = 22{,}78$ cm, b) osiowa aberracja chromatyczna $= 5{,}93$ cm, c) boczna aberracja chromatyczna $= 0{,}19$ cm
3.9	7,5° (poziomo) $\times$ 15° (pionowo)
3.11	Powierzchnia powinna być nachylona pod takim kątem, żeby kąt padania był co najmniej 68,3°

Rozdział 4

4.1	967 nm
4.2	$\geqslant 348$ K
4.3	$3{,}18 \cdot 10^{-7}$ cm $\cdot$ s^{-1}
4.4	$U_0 = 0{,}34$ V, $U_a = 0{,}15$ V, $U_d = 0{,}19$ V
4.5	36 µm
4.6	0,41 V
4.7	1,3%, 3,9%
4.8	12,5 µm $\times$ 6,7 µm
4.9	$R_B = 10$ MΩ, $C = 131$ pF
4.10	200 mW, $3{,}23 \cdot 10^{17}$ fotonów na sekundę

Rozdział 5

5.1	1,552
5.2	0,25
5.3	a) jednomodowy dla $\lambda \geqslant 1{,}01$ µm, b) 774 nm $< \lambda < 1{,}01$ µm
5.4	Średnica 30 µm, NA $= 0{,}4$
5.5	56 µW
5.6	Stosunek strat przy 633 nm do strat przy 1,3 µm $= 17{,}8 : 1$
5.7	4,34 km
5.8	50 ns $\cdot$ km^{-1}, 114 km
5.9	$\Delta t_{mat}(1{,}3$ µm$) = 0{,}42$ ns $\cdot$ km^{-1}, $\Lambda_{max}(800$ nm$) = 0{,}50$ ns $\cdot$ km^{-1}
5.10	$\Delta t_{tot} = 272$ ns
5.11	Dyspersja $= 0{,}63$ ns $\cdot$ km^{-1}

Rozdział 6

6.1	$30{,}3 \cdot 10^{-12}$ m $\cdot$ V^{-1}
6.2	1,37
6.3	GaAS — nie, CdTe — tak, KD*P — nie
6.4	3,1 µm
6.5	0,42°, 286 ns, 3,5 MHz
6.6	Wydajność 0,1 dla transmisji 90% wiązki nieugiętej; wydajność 0,9 dla transmisji 10% wiązki nieugiętej; stosunek mocy $= 15{:}1$
6.7	0,23 mm
6.8	44 l
6.9	159 nm

Rozdział 7

7.1 $3{,}52 \cdot 10^{-19}$ J lub 2,20 eV
7.2 42%, 0,1867 $C \cdot J^{-1}$
7.3 277 K, 281 K, 4 K
7.4 400 nm — tak, 700 nm — tak, 1100 nm — nie ($\lambda_c = 825$ nm)
7.6 64%
7.7 1,3:1
7.8 5,18

Rozdział 8

8.1 10 linii/mm, 16,66 linii/mm
8.2 0,156°, 0,131°
8.3 40,96 ms
8.4 296 MHz
8.5 54%
8.6 22,3%
8.7 $2{,}096 \cdot 10^{-12}$ C
8.8 $1{,}059 \cdot 10^{-13}$ C

Rozdział 9

9.1 9,6 µW
9.2 $\Phi_{e1} = 51$ mW, $\Phi_{e2} = 51$ mW, $\Phi_{v1} = 17{,}8$ lm, $\Phi_{v2} = 13{,}4$ lm
9.3 $8{,}75 \cdot 10^{-12}$ N; 121,43 kV $\cdot$ m^{-1}
9.4 a) E_c zmniejszy sie o połowę, b) U_c się nie zmieni, c) τ_r zwiększy się czterokrotnie
9.5 0,38 cm
9.6 13
9.7 $5{,}2 \cdot 10^6$ pikseli (załóż 6×5 cm)
9.8 300 połączeń, 34 połączenia
9.9 29,6 µs, 18,56 km $\cdot$ s^{-1} (załóż przekątną 55 cm)

Rozdział 10

10.1 26,6°
10.2 0,62 obrotu/s
10.3 $1{,}7 \cdot 10^{-3}$ s
10.4 126 nm
10.5 39 µm
10.6 93,4 mm
10.7 50 km
10.8 156 250 rozmów telefonicznych
10.9 4096
10.10 20 MHz, $2{,}4 \cdot 10^8$ bitów/s, 41 kanałów TV

SKOROWIDZ

Wydawnictwa Komunikacji i Łączności sp. z o.o.
Wydanie 1. Warszawa 2001.
Skład, łamanie i diapozytywy: FOTOTYPE
Warszawa, ul. Śląska 21b
Druk i oprawa: Zakłady Graficzne im. KEN S.A.
Bydgoszcz, ul. Jagiellońska 1